VALLEI VAN DE HOOP

Robert Morgan

VALLEI VAN DE HOOP

the house of books

Oorspronkelijke titel
Gap Creek
Uitgave
Algonquin Books of Chapel Hill, North Carolina

Vertaling
Yvonne Kloosterman
Omslagontwerp
Studio Jan de Boer BNO, Amsterdam

ISBN 90 443 0245 0
D/2001/8899/136
NUGI 340

Opgedragen aan mijn dochter Laurel

Graag zou ik Shannon Ravenel en haar medewerkers van Algonquin Books of Chapel Hill willen bedanken voor hun uiterst belangrijke hulp bij het voltooien van dit boek, met name Duncan Murrell, voor zijn buitengewone volharding, tact en inzicht.

Hoofdstuk 1

Ik weet het van Masenier omdat ik erbij was. Ik heb hem zien doodgaan. We vertelden niemand de waarheid omdat het zo schandelijk leek, de manier waarop hij stierf. Het was te afschuwelijk om aan andere mensen te beschrijven. Maar ik was erbij, hoewel ik dat niet wilde, en ik heb alles gezien.

Masenier was mijn kleine broer, mijn enige broer. Wij meisjes hadden hem verwend. Als Masenier midden in de nacht wakker werd en warm maïsbrood wilde, stond een van ons op en bakte het. Als Masenier een speeltje uit de winkel in de stad wilde, brachten we een kip naar een van de grote huizen in Flat Rock en verkochten die om het speeltje voor Masenier te kopen. Elke morgen kreeg Masenier een eitje, terwijl wij alleen maar gort aten. Als hij koekjes met stroop wilde, bakte mama of een van ons meisjes ze voor hem.

Ik vond Masenier de leukste jongen van de wereld. Hij had een wilde bos blonde krullen. Zijn ogen waren net zo blauw als de bergen in de verte. Hij hield van zingen. Soms pakte papa de banjo als we 's avonds bij de open haard zaten, en dan zongen wij meisjes ballades zoals *In the Shadow of the Pines* of *The Two Sisters*. Masenier klapte in zijn handen en zong mee. We maakten niet zo vaak muziek en het was heel bijzonder als papa de banjo pakte.

Het jaar waar ik het over heb was het jaar na Koude Vrijdag, de dag waarop de zon niet te voorschijn kwam en het niet warm werd. Zo'n koude dag als Koude Vrijdag had niemand ooit meegemaakt. Het leek het einde van de wereld. De kippen bleven op stok, en het was zo koud, dat we die dag nooit zullen vergeten. Papa begon toen te hoesten en het leek of hij daarna nooit meer gezond was. Maar in het jaar ná Koude Vrijdag begon Masenier te kwakkelen.

Masenier was altijd zo'n gezonde jongen geweest, een beetje dik zelfs door alle koekjes met stroop. Zijn blozende wangen hadden de kleur van wilde rozen. Naast het huis lag een berg wit zand, dat papa met de wagen van de kreek naar huis had vervoerd. Masenier maakte wegen, kastelen en allerlei bergen en dalen van het zand. Hij maakte zelfs een kerk van stokjes en zette die op een heuvel van zand. Hij legde er kleine stenen omheen om het op een kerkhof te doen lijken. Je had kunnen weten dat een jongen die dat deed op de een of andere manier ten dode was opgeschreven.

In de loop van de winter begon Masenier er bleek uit te zien. Hij werd steeds magerder. Mama dacht dat het kwam omdat de koe droog was. Daarom leenden we melk van de Millers, die een eindje verder op de bergkam woonden. Maar de melk scheen Masenier niet te helpen. Hij werd steeds bleker en verloor zijn babyvet.

'Wat die jongen nodig heeft is een versterkend middel, een tonicum,' zei Cora Miller. Ze maakte een aftreksel van kruiden en wortels, dat ze in een keukenkastje bewaarde, en mengde dat met maïswhisky. Vóór elke maaltijd gaf mama Masenier een lepel tonicum. Het bracht weer wat kleur op zijn wangen. We dachten dat het beter met hem ging. En voor Kerstmis kreeg hij vier sinaasappels en een zakje pepermuntjes.

Maar op de dag na kerst werd hij met pijn wakker. Mijn zus Rosie hoorde hem schreeuwen van de pijn. Ze ging naar zijn bed op de zolder. 'Mijn buik doet pijn,' zei hij.

'Heb je last van buikkrampen?' zei Rosie.

'Doet veel pijn,' zei Masenier.

Iedereen weet dat muntthee helpt als je buikkrampen hebt. Mama maakte muntthee zodra het fornuis warm was, nog vóór ze het ontbijt bereidde. Masenier nam een slok thee. Hij scheen zich er beter door te voelen. Misschien omdat mama een beetje opiumtinctuur in de thee deed, net als bij baby's wanneer ze last van buikkrampen hebben. Papa zei: 'Als je te veel snoep uit de winkel eet, krijg je altijd buikpijn.'

Maar daarna kreeg Masenier ook buikpijn als hij geen snoep uit de winkel had gegeten. Toen het kerstsnoepgoed allang op was had hij nog steeds verschrikkelijke buikkrampen en werd hij 's nachts huilend wakker. Mama nam hem op schoot en wiegde hem bij het haardvuur heen en weer. En papa of een van ons meisjes hield hem vast terwijl mama muntthee maakte. Nadat hij de thee met wat opiumtinctuur had opgedronken, voelde hij zich iets beter en sliep zelfs een beetje.

Het was een slechte winter. Niet alleen omdat het kouder was dan gewoonlijk, maar vanwege de ijsregens en de sneeuw. Het was net of de bossen waren omgehakt. Er waren heel veel bomen door het gewicht van het ijs omgevallen. Pijnbomen hebben het meeste last van ijzel, omdat zich heel veel ijs op hun naalden verzamelt. Ik betwijfel of er nog een onbeschadigde pijnboom op de berg stond. En als het sneeuwde was het zware, natte sneeuw die nog meer bomen vernietigde, en schuren, stallen en huizen deed instorten. Zelfs het kerkgebouw in Poplar Springs stortte in.

Omdat papa steeds hoestte, moesten mijn zus Lou en ik het zware buitenwerk doen. We raapten eieren, voerden het vee, haalden hout en putten water uit de bron. Ik vond het afschuwelijk dat iedereen verwachtte dat ik het buitenwerk deed. Als er zwaar werk moest worden gedaan, was het vanzelfsprekend dat ík dat deed. Soms deed Lou het. Het was zo lang slecht weer, dat we bijna geen brandhout meer hadden. Ik nam de bijl mee naar het bos en hakte een omgewaaide boom in stukken. Daarna spande ik Sally, het paard, voor de slee en laadde de slee vol hout. Het was zo nat en koud dat mijn handen bijna bevroren.

'Julie kan werken als een man,' zei mama toen ik de vracht hout de woonkamer binnenbracht.

'Iemand moet het mannenwerk doen,' zei ik terwijl ik de houtblokken op de rand van de open haard liet vallen. Mijn handen waren ruw door de kou en het zware werk. Elke avond wreef ik ze met vet in om de eeltplekken zachter en de droge huid vochtig te maken. Ik had mijn handen zacht willen houden, zoals die van Rosie.

Tijdens die vreselijke winter waarin papa de longziekte kreeg, kwamen we nauwelijks de berg af. We hadden bijna geen maïsmeel meer. Als papa ook maar íets deed, begon hij al te hoesten. Hij werd zo zwak dat hij haast niet meer rechtop kon zitten. Hij was altijd zo'n sterke man geweest, dat hij zich voor zijn hulpeloosheid schaamde. 'Als gezin kun je het zonder veel dingen stellen,' zei mama, 'maar niet zonder maïsmeel. Als je geen meel meer hebt, heb je ook geen brood en pap. En je hebt niets om vis in te bakken, of eekhoorns. Als het vlees en de aardappels opraken, is maïsbrood het enige dat je in leven houdt. Je kunt lang leven op brood en kool. Tenminste, áls je kool hebt. Desnoods kun je lang op brood alleen leven, al staat er in de bijbel dat het niet zo is.'

Toen de voorraad maïsmeel op begon te raken, ging mama bezuinigen op de afmeting van het brood dat ze elke ochtend bakte.

'Als Masenier onvoldoende te eten heeft, wordt hij niet beter,' zei mama. 'En je vader ook niet.'

'Misschien vriezen we dood voor we door honger omkomen,' zei ik.

'Praat niet zo,' zei mama. 'Breng wat maïs naar de molen.'

Er was nog steeds ijs op de bomen en sneeuw op de grond. Maar ik wist wat ik moest doen. Ik wilde het helemaal niet, maar ik wist wat er gedaan moest worden. De weg was te glad en te steil, zowel voor de wagen als voor de slee. Ik kon niet voldoende maïs op mijn rug dragen, de berg af en weer terug. Zelfs als mijn zus Lou met me meeging zouden we niet voldoende maïs kunnen dragen. Lou was de sterkste van mijn zussen. Bijna even sterk als ik. De enige manier om een vracht maïs naar de molen te brengen was de maïs op de rug van Sally, het paard, te binden en haar de berg af te leiden. Lou en ik zouden dat samen moeten doen.

'Lou, je zult me moeten helpen,' zei ik.

'Dat zag ik al aankomen!' zei Lou.

We hadden een hele dag nodig om de berg af te dalen, op onze beurt te wachten om het maïs te laten malen, terwijl de mannen naar ons lonkten en moppen vertelden, en Sally weer naar boven te brengen. Kort na het vallen van de avond kwamen we thuis. De zakken waren vochtig. Maar we hadden voldoende vers meel voor een paar weken, tot het weer opklaarde en papa voldoende was hersteld om met de wagen de berg af te rijden.

Maar ook al hadden we genoeg maïsbrood en melk, Masenier werd niet beter. Hij bleef gewicht verliezen, hoeveel hij ook at. En toen begon hij koorts te krijgen en aanvallen van nachtzweet. Hij had verschrikkelijke dromen waardoor hij 's nachts schreeuwde. Eenmaal gilde hij: 'Er dansen slangen!' Toen we hem wakker maakten, zei hij dat er een kuil was waar slangen op muziek heen en weer zwaaiden. Hij zag er doodsbang uit. Zijn droom had hem zo bang gemaakt, dat hij niet meer durfde te slapen. Een van ons moest bij hem blijven nadat hij zijn thee met opiumtinctuur had gedronken. Die winter waren er een paar lange nachten gedurende februari en begin maart.

Nadat het weer was omgeslagen en het leek of het allemaal beter zou gaan en papa minder hoestte, kreeg Masenier hoge koorts. Op een morgen voelde mama dat hij gloeiend heet was. In de loop van de dag werd hij heter en heter. Aan het eind van de middag sloeg hij wartaal uit.

'Mama, waarom laat je Gabriel niet komen om op zijn hoorn te blazen?' zei hij. We wisten dat hij een beetje buiten zichzelf was. De vorige avond had mama hem een bijbelverhaal voorgelezen. Toen het donker was werd hij nóg heter. Als mensen hoge koorts hebben lijken ze te gloeien. Masenier zag er door de hitte zo opgeblazen uit, dat het leek of hij elk moment uit elkaar kon barsten.

'Hoe kunnen we zorgen dat zijn koorts afneemt?' zei papa.

'We kunnen hem inwrijven met alcohol,' zei mama. We kleedden Masenier uit en wreven hem helemaal in met alcohol. De hele kamer stonk ernaar. Je zou hebben gedacht dat hij dood zou vriezen, maar na al dat afsponzen was hij nog even heet.

'Ik heb gehoord dat je een lichaam dat koorts heeft goed moet inpakken,' zei Lou.

'Hij heeft de hele dag onder de dekens gelegen,' zei Rosie.

'Dan zit er niets anders op dan hem met koud water te wassen,' zei papa.

Ik ging naar de bron en haalde een emmer water. Het was een koude nacht met een volle maan, en het water was bijna bevroren. 'De kans bestaat dat hij hier longontsteking van krijgt,' zei ik.

'Als we de koorts niet kunnen laten zakken, zullen zijn hersenen gaan koken,' zei mama.

Ik had gehoord dat iemand met hoge koorts visioenen ziet en wijze dingen zegt, en dat je rond een koortspatiënt moest gaan staan om een boodschap uit de hemel te horen. Maar Masenier zei niets zinnigs terwijl we hem met koud water wasten. Toen we hem in de tobbe met koud water zetten, schreeuwde hij: 'Het zijn spoken zonder ogen!' Dat was het enige wat hij zei, spoken zonder ogen.

'Er zijn geen spoken,' zei mama tegen hem. 'Er is niemand behalve wij.' Maar het hielp niet. Hij bleef zijn ogen wijd opensperren en brabbelde over wat hij zag.

Je wordt bang als de koorts blijft stijgen. Het is net of je machteloos toekijkt terwijl iemand naar de rand van een afgrond glijdt. Masenier was zo heet, dat je je hand verbrandde als je hem aanraakte.

'We moeten zorgen dat hij gaat zweten,' zei mama.

'Hoe?' vroeg papa.

'Door hem in dekens te wikkelen en pannen warm water onder zijn bed te zetten,' zei mama.

'Dan wordt hij nóg heter,' zei papa.

'Zweten is het enige dat hem zal afkoelen,' zei mama.

We pakten bijna alle dekens die in het huis aanwezig waren en legden ze op Masenier. We verwarmden ketels water op het fornuis en in de open haard en goten kokend water in pannen, die we onder het bed schoven. Het werd zo warm in huis dat we allemaal zweetten. Ik tilde de dekens op en keek naar Masenier. Het was alsof zijn huid potdicht zat en hij niet kón zweten.

'Hij zal sterven als we niets doen,' zei papa.

'Wat kunnen we nog meer doen?' vroeg mama.

'Hem warme citroenthee laten drinken,' zei papa.

Rosie en ik goten wat citroensap in warm water. Papa en mama probeerden Masenier er een beker van te laten drinken, maar zijn ogen bleven dicht en hij werd maar niet wakker.

'Drink hier iets van, lieverd,' zei mama terwijl ze zijn wang streelde.

'Misschien moet hij iets kouds drinken,' zei papa.

'Ik denk dat hij helemaal níets kan drinken,' zei mama. Ze hield de beker bij Maseniers mond, maar zijn lippen waren gesloten.

'Als we het door zijn keelgat gieten, zou hij kunnen stikken,' zei papa.

Om middernacht wond papa de klok op de schoorsteenmantel op. Terwijl hij de sleutel omdraaide, keek hij naar Masenier. Je kon duidelijk zien hoe ongerust hij was. Papa was zelf nog zwak door de longziekte. 'Ik zal hem naar de dokter dragen,' zei papa.

'Je kunt hem niet in het holst van de nacht naar de dokter dragen,' zei mama.

'Ik zal hem de berg af dragen en Julie kan de lantaarn vasthouden,' zei papa. Papa rekende altijd op mij wanneer hij iets nodig had. Als er een zware klus moest worden gedaan, moest ík dat doen. Ik wist niet of Masenier een besmettelijke ziekte had en was bijna bang om hem aan te raken.

'Waarom ík?' vroeg ik.

'Omdat je de sterkste van het gezin bent,' zei mama. 'En omdat iedereen moet doen wat hij of zij kan.' Mama wist altijd hoe ze me beschaamd moest maken wanneer ik ergens onderuit probeerde te komen.

'Goed, ik doe het,' zei ik, zoals altijd wanneer ze verwachtte dat ik iets deed dat zij níet wilden doen.

Het was een koude, heldere nacht, en de maan scheen toen we vertrokken. Op open stukken hadden we de lantaarn niet nodig, maar ik stak hem tóch aan en droeg hem, vóór papa uit, het pad af. Hij had Masenier in een deken gewikkeld en over zijn rechterschouder gelegd. Soms kreunde Masenier, maar hij sliep zo vast dat hij niet wist wat er gebeurde.

Toen we het bos bereikten, hadden we de lantaarn nodig.

Op de plekken die niet door de maan werden verlicht was het pikdonker. 's Nachts rook het bos anders. Terwijl we over het pad liepen dacht ik dat ik rotte bladeren rook en water in de beek. En ik bedacht dat het bijna tijd was om uitgelopen kastanjes te gaan zoeken. Ze vielen in de herfst. Dan werden ze bedekt met bladeren. En nu begonnen ze uit te lopen. Niets is zo lekker als een uitgelopen kastanje. Het denken aan kastanjes maakte me iets vrolijker.

Ergens in het bos hoorde ik een hond blaffen. En toen begon iets op de berg te krijsen, als iemand die heel veel pijn had.

'Wat is dat?' zei ik.

'Het is maar een wilde kat,' zei papa.

Er klonk opnieuw gekrijs, deze keer dichterbij. 'We worden gevolgd,' zei ik.

'Heus, het is maar een wilde kat,' zei papa. Ik kon aan zijn stem horen dat hij bijna geen adem meer had.

'Kom, ik zal Masenier dragen,' zei ik.

'Jij draagt de lantaarn,' zei papa. 'Ik red het wel.'

Maar papa was buiten adem. Hij schaamde zich om het toe te geven, maar hij was buiten adem.

'Masenier schiet er niets mee op als je uitgeput raakt,' zei ik.

'Ik kan hem best dragen,' zei papa. Hij liep nog een eindje door, te koppig om toe te geven dat hij moe was, en toen moest hij stoppen om weer op adem te komen.

'Ik neem hem wel,' zei ik. Ik zette de lantaarn op de grond, draaide me om en nam Masenier van papa over. Papa was zo zwak, dat zijn armen trilden toen hij de jongen aan mij gaf. Masenier was helemaal niet zwaar, maar hij was zo slap als een zak meel. Ik vond het eng om hem aan te raken, maar ik had geen keus. Ik legde hem over mijn schouder en volgde papa het pad af. We hadden meer dan een uur nodig om de voet van de berg te bereiken.

Dokter Prince woonde in een van de grote huizen in Flat Rock. Hij was de zoon van de oude rechter Prince, de stichter van Flat Rock. Dokter Prince woonde het ene deel van het jaar in Charleston en het andere deel in de bergen. Wanneer hij in Flat Rock was, behandelde hij zowel de bergbewoners als de inwoners van Flat Rock. Soms reed hij op zijn paard, met zijn dokterstas aan het zadel vastgebonden, over de bergkammen en naar de verre dalen achter Pinnacle.

Ik wist dat de dokter een grote straathond had die achter een omheining aan de voorkant van zijn huis was opgesloten. Iedereen had de straathond gezien. Ik wist niet wat we moesten doen wanneer we dicht bij het huis kwamen, want de hond scheen vals te zijn.

Hoewel Masenier vrij licht was geweest toen ik hem over mijn schouder legde, werd zijn kleine lichaam zwaarder en zwaarder terwijl ik het pad af strompelde. Het was net of iemand zijn gewicht vergrootte naarmate we verder gingen. Ik rechtte mijn rug, klemde mijn arm om hem heen en volgde papa, die met de lantaarn zwaaide. Ik was nog steeds boos omdat ik Masenier moest dragen, en dat gaf me meer kracht.

Toen we vanuit het bos de open vlakte rond Flat Rock bereikten, scheen de maan zo helder dat het dag leek. Ik kon het groene gras langs de beek bijna zien en het leek of er achter de ramen van de huizen licht scheen. De dauwdruppels op de velden glansden als parels. Ik was zo moe, dat mijn armen pijn deden en mijn benen trilden toen we het hek rond het huis van dokter Prince bereikten.

De hond begon natuurlijk te blaffen. Hij kwam vanaf de veranda aanrennen en stond achter het hek te grommen. Hij zou iedereen die door dat hek kwam hebben opgevreten.

'Roep de dokter,' zei papa.

'Ik moet eerst even op adem komen,' zei ik. Ik verschoof Masenier naar mijn linkerschouder en riep: 'Dokter Prince!'

De hond maakte nog meer herrie. Ik hoorde een geluid in het huis.

'Hé, dokter Prince!' schreeuwde ik.

Ergens in het huis werd een lamp aangestoken. Er ging een deur open. 'Wie is daar?' riep een stem.

'Julie Harmon en haar vader. Masenier is erg ziek.'

'Is hij bij jullie?' riep de stem.

'We hebben hem de berg af gedragen,' zei ik.

De dokter riep de hond terug naar de veranda en hield hem stevig vast terwijl wij de trap op klommen en naar binnen gingen. De hond gromde toen we hem passeerden. Het was een prachtig, groot huis met hoge plafonds en veel spiegels en lampen. De dokter bracht ons naar zijn studeerkamer. Langs de muren stonden kasten vol boeken. De huizen van rijke mensen ruiken altijd naar eau de toilette en zeep.

We legden Masenier op de tafel in het midden van de kamer. Dokter Prince bekeek hem bij het licht van een felle lamp. Hij had een grote snor, zoals Bismarck, de Duitser. Hij trok de deken weg en voelde Masenier de pols. 'Hoe lang heeft hij al koorts?'

'Twee avonden geleden werd hij ineens heet,' zei papa.

De dokter boog voorover, rook aan Maseniers adem en luisterde naar zijn hart. 'Zou hij melkkoorts kunnen hebben?' zei de dokter.

'Te vroeg voor melkkoorts,' zei papa.

'Dan moet het tyfus zijn,' zei de dokter.

Ik wilde zeggen dat er niemand op de berg was die tyfus had, maar ik hield mijn mond. Wie was ík om dokter Prince tegen te spreken?

Dokter Prince liep naar een plank en pakte een fles met iets wat eruitzag als roodachtige siroop. 'Laten we hem hier wat van geven,' zei hij.

Ik moest Maseniers hoofd rechtop houden en papa wrikte Maseniers mond met zijn vingers open. Ik denk niet dat Masenier wist wat er gebeurde toen de dokter de lepel met siroop in zijn mond stak. Er druppelde wat siroop uit zijn mondhoeken, maar ik neem aan dat er een beetje door zijn keelgat ging. Masenier was te diep in slaap om het te merken.

'Je moet hem goed in de gaten houden,' zei de dokter. Hij gaf papa de fles siroop. 'Elke koorts is anders.'

'Ik ben bang dat ik geen geld heb,' zei papa.

'Je mag me later betalen.' De manier waarop de dokter dat zei, zo snel, gaf aan dat hij rijk was en ons geld niet nodig had.

'Zodra ik een paar kippen heb verkocht, kom ik u een dollar brengen,' zei papa.

'Prima,' zei dokter Prince. Hij liet ons uit. Hij hield de grote hond bij zijn halsband vast terwijl we naar het hek liepen. Ik had geen enkele bediende van de dokter gezien.

Ik wist dat papa al moe was nog vóór we aan de terugreis begonnen. Mijn benen en mijn rug waren ook moe, en mijn armen deden pijn. We moesten nog zes kilometer lopen, bergopwaarts!

'Laat mij Masenier maar dragen,' zei ik.

'We zullen hem om de beurt dragen,' zei papa.

'Ik zal hem nú dragen,' zei ik, 'en dan draagt ú hem als het pad steil wordt.'

'We zullen beiden uitgeput raken,' zei papa.

'Ik kan uitrusten terwijl u hem draagt,' zei ik. Ik nam Masenier van papa over. De jongen sliep als een roos. Zijn hoofd rustte tegen mijn schouder. Ik begon te bidden. *God, laat ons Masenier veilig thuisbrengen. Laat hem niet sterven hier op het pad in de vochtige nachtlucht.* Ik had nog nooit zo vurig gebeden.

Het was een prachtige nacht, met de maanverlichte kreek en de glimmende dauwdruppels in het gras. De bergen rezen als schaduwen voor ons op. Het moet drie uur 's nachts zijn geweest. De bergen waren zo stil en vredig dat je zou hebben gedacht dat het duizendjarig vredesrijk was aangebroken en dat al onze beproevingen voorbij waren. Voor het eerst besefte ik dat de manier waarop de wereld eruitziet niets te maken heeft met wat er met mensen gebeurt.

Ik hield Masenier vast alsof ik hem nooit meer wilde loslaten, en stampte op de grond om steviger stappen te kunnen nemen. Al moest ik hem helemaal de berg op dragen, ik kón het! Ik was vastbesloten dit tot een goed einde te brengen. Er was een kracht in me die ik nooit had aangesproken, en misschien moest ik die kracht nú gebruiken.

Papa stak de lantaarn aan toen we het bos bereikten en begonnen te klimmen. Het was zo stil, dat ik onze ademhaling en het flakkerende licht in de lantaarn kon horen. Soms viel er een takje of een eikel van de bomen. Ik had nooit meegemaakt dat het zo stil was in het bos. Er was zelfs geen hond die blafte, en de wilde kat moest zijn wijfje hebben gevonden, want ik hoorde geen gekrijs meer.

Als je je extra inspant, treedt er een gevoel van verdoving op, alsof je benen uit zichzelf lopen en niet omdat jij ze daartoe dwingt. Na verloop van tijd kreeg ik pijn in mijn rug. Elke stap deed zeer, alsof ik krampen in mijn rug en armen had.

'Wil je dat ik hem van je overneem?' vroeg papa nadat we ongeveer anderhalve kilometer hadden gelopen.

'Ik zal hem nog een eindje dragen,' zei ik. Als ik bij de bank kon komen waar de bron van Riley was, konden we uitrusten en Masenier koud water laten drinken. En daarna konden papa en ik hem om beurten dragen.

'Je draagt hem al anderhalve kilometer lang,' zei papa.

Al zes kilometer, dacht ik, maar dat zei ik niet. Wanneer je je inspant ben je opvliegend en heb je een scherpe tong. 'Het maakt je zwak als je trots bent op jezelf,' zei mama vaak. Je kunt beter je adem gebruiken om tegen het pad, tegen de berg te vechten, zei ik tegen mezelf.

We waren inmiddels bij de plek gekomen waar mos onder de laurierboom groeide, toen ik Masenier in mijn armen voelde verstijven. Ik dacht dat hij wakker werd en zich uitrekte, dat de siroop die de dokter hem had gegeven resultaat had. Maar zijn rug kromde zich te stijf. 'Ben je wakker, ventje?' zei ik. Ik begon zijn rug te strelen, maar ik voelde dat zijn hele lichaam schokte.

'Is hij wakker?' zei papa.

'Dat moet wel,' zei ik, want Masenier kronkelde in mijn armen als een baby die op en neer springt, ook al hou je hem vast. Maar er klopte iets niet, want zijn lichaam bleef schokken. 'Kom eens hier met die lantaarn,' zei ik tegen papa.

Papa liet het schijnsel van de lantaarn over Masenier dwalen. Het eerste dat ik zag was zijn gezicht. Zijn ogen en zijn mond waren open alsof hij iets verschrikkelijks had gezien en wilde schreeuwen, maar behalve het geknars van zijn tanden kwam er geen geluid over zijn lippen. Het leek of hij iets afschuwelijks had gezien dat hem doodsbang had gemaakt.

'Gaat hij dood?' vroeg ik.

'Hij heeft een toeval,' zei papa.

Masenier trapte met zijn voeten. Zijn hele lichaam bewoog. Ik wist niet wat ik moest doen. Moest ik hem op de grond leggen? Of hem zo snel mogelijk naar huis brengen? Moesten we teruggaan naar het huis van de dokter?

'Leg hem hier neer,' zei papa. Hij hield de lantaarn boven een stuk mos naast het pad. Ik knielde en legde Masenier op de grond. Het was afschuwelijk om hem te zien draaien en schoppen. Ik had nog nooit gezien dat iemand een toeval kreeg.

'Wat kunnen we doen?' vroeg ik terwijl ik Maseniers hoofd vasthield, zodat dat niet op het koude mos lag. Ik voelde me machteloos. Het was alsof de nacht me verpletterde.

'Stop iets tussen zijn tanden,' zei papa. 'Dan kan hij zijn tong niet inslikken.'

Het enige dat ik tussen Maseniers tanden kon stoppen was een punt van de deken waarin hij was gewikkeld. Ik vouwde de stof dubbel en stak hem in zijn met schuim bedekte mond. Zijn hoofd schokte toen ik de stof tussen zijn tanden duwde.

En toen begon hij te hoesten. Ik zag dat hij stikte. Ik vroeg me af of hij zijn tong had ingeslikt, of stikte hij in zijn eigen speeksel? Ik stak mijn vinger in zijn keel om de weg vrij te maken, en voelde iets zijn mond binnenstromen.

'Hij stikt!' schreeuwde ik.

Papa kwam dichterbij met de lantaarn. We zagen dat Masenier aan het overgeven was. Uit zijn mond kwam wit spul. 'Goeie genade,' zei ik. Ik dacht dat hij melk overgaf. Maar uit zijn mond kwamen een heleboel wriemelende dingen. Het waren wormen, een massa witte wormen. Hij bleef hoesten en overgeven. Er bleven wormen uit zijn mond komen.

'Hij stikt,' zei papa. Hij stak een hand in Maseniers mond en haalde er nog meer wormen uit. Ik keek huiverend toe. Papa verwijderde nog meer wormen om Maseniers mond en keel schoon te maken. En toen hij ophield, waren Maseniers mond en ogen open, maar hij lag stil en roerloos.

'Hij moet ademen!' riep ik terwijl ik Maseniers borst heen en weer schudde.

Papa duwde op Maseniers hart en legde zijn oor op Maseniers borst. 'Hij ademt niet,' zei hij. Maseniers mond en ogen waren open.

'Wat kunnen we dóen?' zei ik.

We keken slechts naar zijn kleine lichaam. Iets anders kon ik niet bedenken. Er bewoog iets in een neusgat. Het was een worm die door Maseniers neus naar buiten kwam.

Ik zat daar op de koude grond en besefte dat het leven van een mens niets betekende in deze wereld. Mensen konden geboren worden, ze konden lijden, ze konden sterven en het betekende niets. De maan scheen boven de bomen. Het was vredig in het bos. Ik kon de kreek onder de bergkam horen, zacht als een duif, en de bergen waren stil als altijd. De grond onder mijn voeten was stevig, maar de kleine Masenier was dood. Er was niets wat we konden doen, en niets kon het iets schelen, behalve papa en mij. De wereld was precies zoals hij was geweest en altijd zou zijn. Hij draaide gewoon door.

We moeten een paar minuten op de grond hebben gezeten voor we de kracht hadden Masenier op te tillen en hem over het pad naar boven te dragen. Papa en ik wisselden elkaar af. Bij het aanbreken van de nieuwe dag bereikten we ons huis. Mama en Rosie zaten te wachten terwijl de lamp op de schoorsteenmantel nog steeds brandde.

Hoofdstuk 2

Na de dood van Masenier waren er alleen nog maar vier meisjes in het gezin. Lou, ik, Rosie en Carolyn, de jongste. Rosie was de oudste, en dan kwam Lou. Toen we Masenier hadden verloren, werd Carolyn bijna net zo erg verwend als Masenier. Ze voerde geen spat uit. Het was alsof we iemand móesten verwennen. En aangezien er geen broer meer was, was het heel natuurlijk dat Carolyn nu werd verwend. Mama naaide mooie, roze jurken met kant en linten voor Carolyn. En ze maakte lange krullen in Carolyns haar en deed er een roze strik in. Carolyn leek meer op een pop dan op een gewoon kind.

Papa's longen werden langzaam slechter. Als hij te hard had gewerkt, nat was geregend of kou had gevat omdat het tochtte in de kerk, kreeg hij last van zijn borst. Als hij natte voeten kreeg terwijl hij het gras langs de beek maaide, zat hij al vóór middernacht te hoesten en in de open haard te spuwen. Hij was altijd een sterke man geweest, maar de tbc verzwakte hem helemaal. Als zijn longen pijn deden kon hij niet slapen, en als hij hoestte kregen ook wij weinig slaap.

Op Carolyn na werkten we hard. Toen mama ouder werd, had ze soms last van haar rug. Dan kon ze niet rechtop staan en moest ze met een kromme rug lopen. Het kan reuma zijn geweest, of iets inwendigs. Maar wanneer ze zich niet goed voelde, moesten wij meisjes nóg harder werken.

Rosie had geen hekel aan huishoudelijk werk, maar ze hield er niet van in de tuin en op het veld te werken. Ze kookte, naaide en breide graag. Ze kon borduren en sokken, truien en sjaals breien. Ook vond ze het leuk spreien en mooie lappen te haken. Rosie hielp afstoffen en schoonmaken, maar ze gaf er de voorkeur aan in de keuken te zijn of bij het vuur te zitten haken met een kat op haar schoot en een tas met handwerkspullen naast haar stoel.

Maar wat Rosie het liefste deed was koken. Ze zorgde dat er altijd een vuur brandde in het fornuis en dat er een pot warme koffie op stond. Rosie dronk koffie terwijl ze deeg voor een pasteikorst rolde of aardbeienjam maakte. Ze had haar eigen flessen met kruiden en specerijen. Ze stonden op de plank. Niemand mocht die aanraken. Ze droogde kruiden uit het tuintje op de oever en stopte de bladeren in flessen en potten, zoals een apotheker. 'Ik wil niet dat iemand aan mijn kruiden komt,' zei ze. 'Dan raken ze door elkaar.'

Op een keer zei Lou: 'Hoe weet je dat ze al niet door elkaar geraakt zijn?'

'Dat kan ik zien en ruiken,' zei Rosie. Ze haalde de dop van een fles en rook eraan.

Lou was de enige van mijn zussen die bereid was buiten te werken. Ik denk niet dat ze het leuk vond, maar ze was bereid bij te springen. Zoals ik zei, toen papa ziek werd was het mijn taak om voor het vee en de gewassen te zorgen. Maar Lou hielp mee. Het hele jaar door was de grootste klus het aanvoeren van hout, want we moesten brandstof voor het fornuis en de open haard hebben. We moesten het huis warm houden wanneer papa hoestte, en dat betekende de ene vracht hout na de andere.

Als meisje had ik al met papa hout gehakt. Ik kon met een trekzaag en een bijl omgaan. Als klein meisje had ik al aanmaakhout voor mama gespleten. Maar ik was niet goed in het splijten van grotere blokken hout. Ik had moeite om de moker op te tillen, en ik haatte het krassende geluid van staal op staal als ik ze met een wig kliefde.

Maar helpen is één ding. Het allemaal in je eentje moeten doen is heel wat anders. Toen papa bedlegerig begon te worden en haast geen lucht meer kon krijgen, zei mama dat iemand met de wagen of de slee hout moest halen, het moest hakken, zagen, splijten en het naar de veranda dragen waar mama of Rosie of zelfs de kleine Carolyn erbij kon. Hoewel

Carolyn zelden iets aanraakte dat zo ruw en zwaar was als hout. Als vanzelfsprekend, werd dit mijn taak. Aangezien het gedaan moest worden, deed ik het en bleef ik het doen.

Die winter sneeuwde het vijf woensdagen achter elkaar. En tussen de sneeuwbuien door ijzelde, hagelde en regende het. Na elke regenbui trad de dooi in en smolt alles weer. Als het dan opnieuw koud werd, bevroor het water, zodat er lagen ijs en sneeuw als een mooie taart in het bos waren opgestapeld.

De sneeuw werd zo hard en glad dat het paard er amper op kon lopen. Dat was de maand waarin onze koe van de glooiende wei in de beek gleed en haar kalf verloor. De grond was spekglad.

'Ik denk niet dat het paard overeind kan blijven, laat staan de slee trekken,' zei Lou.

'Dan zullen we de slee zélf moeten trekken,' zei ik.

'Ik heb wel eens van een hondenbaan gehoord, maar nog nooit van een paardenbaan,' zei Lou.

Er zat niets anders op. We namen de bijl en de zaag mee naar het bos aan de overkant van de wei, waar een groepje bomen door het gewicht van het ijs waren omgevallen. Voor we gingen zagen verwijderde ik een laag ijs van een blok hout. Het was alsof alles met een dubbeldikke laag ijs was beschilderd.

Het eerste wat je van een trekzaag moet weten is, dat je hem alleen maar mag trekken. Nooit duwen. De andere persoon trekt hem naar zich toe, en dan trek jij terug. Als je probeert te duwen, trekt de zaag krom en ben je al doodop voor je bent begonnen. Dat had papa me geleerd. Lou had vrijwel nog nooit gezaagd. Telkens wanneer ze het heft naar zich toe trok, probeerde ze het terug te duwen. De zaag klemde en bleef in het hout steken, waardoor het twee keer zo moeilijk voor me was om te trekken.

'Nee, nee, laat maar los,' zei ik.

'Ik probeer je te helpen,' zei Lou.

Het was toch al moeilijk het blok hout door te zagen aangezien het bevroren was. In vers hout zit veel water, en bevroren hout is zo hard als steen. En als Lou de zaag naar voren duwde, was het bijna onmogelijk hem naar me toe te trekken.

'Probeer míj niet te helpen, maar help jezélf,' zei ik.

Even ging het goed. Toen begon Lou opnieuw tegen de zaag te duwen. 'Niet duwen,' schreeuwde ik.

Nadat je een trekzaag een half uur hebt vastgehouden, zijn je handen zo stijf, dat je ze niet meer kunt opendoen. Je vingers omklemmen het heft en het doet pijn het heft los te laten. Als je je vingers strekt, doen ze zeer.

We zaagden het houtblok in stukken van vijftig centimeter. Mijn rug werd stijf en mijn vingers deden pijn. 'Laten we even uitrusten,' zei ik.

'Als we stoppen krijgen we het koud,' zei Lou.

'Ik stik van de hitte,' zei ik. Het zweet gutste langs mijn slapen en mijn rug, hoewel het onder het vriespunt was in het bos. 'Ik hoop dat geen enkele man ons ooit zo zal zien werken,' zei ik.

Lou trok de zaag naar zich toe en hijgde: 'Waarom?'

'Omdat hij ons dan nooit voor dames zou aanzien.'

'We zijn ook geen dames.'

'Ik wil niet voor een landarbeider worden aangezien.'

'Misschien zouden sommige mannen dat wel willen,' zei Lou.

'Niet een man die ík wil,' zei ik.

'Wie is er nou kieskeurig?' vroeg Lou.

Toen het hout was doorgezaagd stopten we om uit te rusten. Ik ging staan en legde mijn handen op mijn heupen. 'Een man die slechts een vrouw wil die kan koken en hout hakken is óf invalide óf te oud om mee te tellen,' zei ik.

'Wanneer is een man te oud om mee te tellen?' zei Lou.

'Dat weet ik niet precies. Maar wanneer een man een bepaalde leeftijd heeft bereikt, heeft een vrouw niets meer aan hem.'

'Hoe kun je dat nou weten voor je met hem trouwt?' zei Lou.

'Je moet gewoon slim zijn,' zei ik. Terwijl ik uitrustte werd ik steeds kouder.

'Je zou hem ook op de proef kunnen stellen,' zei Lou.

'Lou!' Lou hield ervan de ergste dingen te zeggen die ze kon bedenken.

'Dat zou beter zijn dan met iemand te trouwen aan wie je niets hebt,' zei Lou.

Toen ik het heft losliet waren mijn handen aanvankelijk gevoelloos. Maar zodra ik mijn vingers strekte, deden ze pijn, alsof de botten waren gekneusd.

Ik wist dat Lou aan trouwen dacht. Ze was twee jaar ouder dan ik. Sinds vorig jaar, toen Garland Hughes haar van de kerk naar huis was gaan brengen, dacht ze aan trouwen. Ze was poeslief voor Garland geweest. Ze waren een paar keer in papa's buggy gaan rijden, tot ze gehoord had dat hij een vriendin in Pleasant Hill had, die zwanger was. Daarna had ze niet meer met hem naar huis willen lopen. Maar aan haar felle reactie kon je zien dat ze nog steeds aan hem dacht. Ze was boos op Garland, maar ze was hem nog lang niet vergeten.

Ik zou net zo gek als Lou zijn geweest en aan jongens en trouwen denken als ik niet zo hard had moeten werken. Er scheen geen einde te komen aan wat ik moest doen om papa te helpen. Papa zei dat hij niet wist wat hij zonder mij zou moeten beginnen.

'De man die met je trouwt is een geluksvogel,' zei papa tegen me. 'Jij bent de beste van mijn dochters, de beste.'

Dat papa dat tegen me zei vond ik heerlijk, want hij was geen vleier, zeker niet als het om zijn dochters ging. Maar, dacht ik, hij zal niet zo inschikkelijk praten als een man écht om mijn hand vraagt. Wat moest hij beginnen als ik er niet was om hem te helpen? Wat moest hij beginnen als niemand hout haalde of het onkruid tussen de maïs verwijderde? Ik kon het paard voor de wagen spannen, even goed als papa, en ik kon op het land werken. Ik hielp hem zelfs bij het slachten van varkens. Hoewel hij gewoonlijk een andere man had die hem hielp het varken op te tillen als het schoon geschraapt was, en het aan de slachtershaak te hangen, zodat het hoog genoeg hing om de ingewanden eruit te halen.

En omdat ik het zo druk had gehad, hadden jongens weinig aandacht aan me besteed. Een meisje weet hoe ze aandacht moet trekken. Maar ik had nooit tijd gehad me mooi te maken en na te gaan waar ik precies moest zijn om aandacht van een man te krijgen. O, ik had er wel aan gedacht, zoals elk gezond meisje, en ik was al blij als ik een knappe jongen in de kerk of in de stad zag. En soms raakte ik al opgewonden bij de gedachte aan een knappe jongen.

Wanneer ik aan een jongen dacht, dacht ik altijd aan iemand door wie ik me zou laten leiden. Niet aan een van die nerveuze jongens die je amper kunnen aankijken zonder met de ogen te knipperen. Ik dacht aan een sterke man die wist wat hij wilde en je iets kon leren. Ik wilde iemand die iets van zijn leven wilde maken. Ik wilde een mán in plaats van een jongen.

Maar wat had het voor zin aan jongens te denken als ik papa moest helpen? Mijn handen waren zo ruw door het vasthouden van een bijl, een schep en een schoffel, dat ik niet wilde dat een jongen ze zag, laat staan ze vasthield en de eeltknobbels en de gezwollen knokkels voelde. Door hard werken zetten de gewrichten in je handen op, zodat je vingers hun mooie vorm verliezen. Ik wist niet of mijn handen ooit weer zacht zouden worden. Ze waren niet meer zacht geweest sinds ik een klein meisje was, sinds ik met papa zaagde en sloten groef met een pikhouweel en een schep.

Toen Lou en ik tien stukken hout hadden afgezaagd, legden we ze op de slee. Het was moeilijk om niet uit te glijden terwijl we de zware stukken naar de slee rolden, maar over ijs rolden ze in elk geval makkelijker dan over bladeren. Als je een slee vol hout laadt, leg je het hout altijd in de lengte, want door de latten aan de zijkant kan het er niet afrollen. De tien stukken hout waren zwaar. Ik betwijfelde of Lou en ik de slee konden trekken.

Maar het was fijn om een tijdje niet te zagen. We pakten de touwen op die aan de ribben van de slee waren vastgemaakt.

'Ik had nooit gedacht een rund te moeten zijn,' zei Lou. 'Tenminste, niet op deze manier.'

Ik giechelde, maar ik trok al te hard om te kunnen lachen. De ribben zaten vast in het ijs. Eerst moesten we ze lostrekken. Ik trok aan het ene touw en Lou aan het andere, maar we kregen geen beweging in de slee. Tweemaal gleed ik uit en stootte mijn knieën.

'Het is te zwaar,' zei Lou.

Als we wat hout van de slee zouden afhalen en een halve vracht trekken, was het nauwelijks de tocht waard. 'Laten we hem naar opzij trekken,' zei ik. We trokken de touwen naar links, maar we kregen de slee niet los. Ik wist niet meer wat ik moest doen. Toen zag ik een stok naast een omgevallen eik. Ik pakte de stok en wrikte hem onder een rib van de slee. 'Trekken!' riep ik tegen Lou. Ze gaf één ruk. De slee schoot los. Ik liet de stok vallen en pakte een van de touwen vast. Toen begonnen we de zwaarbeladen slee door het bos te trekken. We moesten zo diep vooroverbuigen, dat onze knieën bijna de sneeuw raakten. Maar de slee bleef glijden terwijl we naar huis terugkeerden.

In een huis vol meisjes is er altijd onenigheid over het werk, over wíe wát moet doen. Toen papa te ziek was om buiten te werken, verwachtten ze natuurlijk dat ík voor het vee zorgde, de koeien molk en brandhout haalde. Maar toen papa heel erg ziek werd en niet opknapte, moest iemand ook hém verzorgen, want mama kon niet alles alleen doen. Er moesten dingen gedaan worden waar mijn zussen een hekel aan hadden: hem op de po tillen, hem eens per week wassen en hem omdraaien wanneer het beddengoed moest worden verschoond. Natuurlijk wilden ze dat ik het deed, want wie wil zijn eigen vader nou in de po zien poepen of wie wil hem helemaal wassen met een washandje?

Maar íemand moest het doen. En íemand moest mama helpen. En íemand moest 's nachts opblijven. Mama had die winter weer zoveel last van haar rug, dat ze haast niet kon tillen of vooroverbuigen.

Dus moest ik meestal bij papa zitten als het zo erg was met zijn longen dat hij 's nachts geen lucht kon krijgen. Nadat ik de hele dag buiten had gewerkt, kreeg ik maar een paar uur slaap. Soms in bed, en soms in een stoel. Om middernacht ging ik naast papa's bed zitten nadat alle anderen waren gaan slapen. Een mens kan met veel minder slaap toe dan je denkt. Soms bleef een van de anderen een tijdje op, of loste me in de loop van de nacht af. Maar ik moest er het langst zitten, op wacht, bij wijze van spreken.

Ik liet de hele nacht een lamp branden terwijl papa worstelde. Het was afschuwelijk om te zien en te horen. Een volwassen man die naar adem snakte zoals een kind met valse kroep. Ik denk dat de anderen daarom uit zijn buurt wilden blijven. Eind maart kon papa bijna geen lucht meer krijgen. Hij hijgde en hoestte alsof hij geen adem meer had om te hoesten en op het punt stond open te breken. Zijn gezicht werd rood en gevlekt als dat van een teringlijder.

De nacht waarover ik het heb was winderig. Het was eind maart. Overdag had het geregend, en toen was het koud geworden. De judasbomen stonden al in bloei, maar ik denk dat een deel van de bloesem door de wind was meegevoerd. Het waaide zo hard, dat er lucht door de schoorsteen naar beneden kwam en maakte dat het vuur flakkerde en een beetje rookte. Dat maakte het ademen er niet gemakkelijker op voor papa! Je kon de wind op de berg horen loeien, als duizend watervallen. Alle anderen waren naar bed. Bij elke windvlaag schudde het huis en rammelden de ruiten.

'Papa, wilt u dat ik water warm maak, zodat u de stoom kunt inademen?' zei ik.

'Zal... niet... hel... pen,' hijgde papa. Eerder had hij bloed opgegeven. In zijn mondhoek zat nog wat bloed.

'Wilt u dat ik stenen warm maak en ze onder het bed leg?' zei ik.

Hij schudde zijn hoofd. Het was net of hij de strijd had opgegeven nadat hij de hele winter had gevochten om zich van de zwakte in zijn borst te bevrijden.

Ineens hoorde ik iets vallen op de zolder. Het was donker op de lamp op het nachtkastje na.

Papa hoestte zo hard, dat zijn ogen uitpuilden. De hoest ging in golven door zijn lichaam. Zijn blik was leeg, alsof hij ver weg was.

'Wilt u wat siroop?' zei ik. 'Mama heeft verzachtende siroop gemaakt van honing en sterke drank met een beetje opium erin.'

Papa schudde zijn hoofd, maar ik haalde de fles toch en goot er wat van op een lepel.

'Geen... nut,' hijgde hij.

'U moet ophouden met hoesten,' zei ik, 'anders stikt u nog.' Ik stak de lepel in zijn mond. Maar hij hoestte en de siroop spoot er weer uit. Ik deed nog een poging, maar ook die mislukte.

Het probleem bij mensen met tuberculose, is dat ze geen longen meer over hebben om mee te ademen. Hun luchtwegen zijn zo aangetast, dat er niets is om lucht in te ademen en vast te houden. De longen denken dat ze het slijm kwijt kunnen raken als ze hoesten en ademen nog meer lucht in. Maar hoesten helpt niet. Het maakt het er alleen maar erger op.

Ik begon bang te worden. Het lamplicht was schel, scheller dan anders, en alles leek heel scherp. Ik rilde van angst om wat er gebeurde.

Ik vroeg me af wat ik kon doen. Ik kon papa niet helpen. Bang boog ik me over papa's bed en probeerde hem wat kwast te laten drinken. Ik wist dat hij dorst had. Hij was uitgedroogd door het hoesten en het hijgen. Hij probeerde te drinken, maar hij moest hoesten zodra de vloeistof zijn keelgat bereikte. Alles spoot er weer uit. Ik moest zijn gezicht en het beddengoed afvegen. Toen probeerde ik het nog een keer.

Het deed pijn om hem zo machteloos naar lucht en vocht te zien hunkeren. Ik hield het glas tegen zijn lippen. Hij hoestte opnieuw. De kwast droop over zijn kin. Zijn lippen waren gesprongen, zoals vaak het geval is bij zieke mensen. Zijn lippen barstten en bloedden wanneer hij hoestte. Het was moeilijk te zeggen wat opgehoest bloed was en wat bloed van zijn gesprongen lippen was. Het deed me denken aan Masenier die stikte terwijl hij hoestte. Ik vond het vreselijk om mijn vader zo te zien.

Papa was zijn hele leven een oersterke man geweest. Toen hij jong was had hij twee zakken kunstmest van elk honderd kilo kunnen optillen. Eenmaal had hij een volgeladen wagen opgetild terwijl zijn broer het wiel repareerde. Hij kon een hert uit het bos dragen na het te hebben neergeschoten. Nu was zijn borst ingevallen en verzwakt. Zijn armen waren sterk vermagerd, maar zijn handen waren nog steeds groot en ruw. Het sneed door mijn ziel hem zo te zien.

Mensen met een longziekte hebben een bepaalde geur. Het is de geur van bloed, slijm en koorts. Het is de geur van bloed vermengd met de lucht van een ziekenkamer. Het is de geur van oud bloed en bloed dat vers is en al oud. Het is de geur van een etterende wond.

Papa tilde zijn hoofd op van het kussen en probeerde op adem te komen. Hij hijgde alsof hij trachtte de hele wereld in te slikken om lucht in zijn mond te krijgen, aangezien er geen plaats was in zijn longen. Hij was nat van het zweet.

'God,' zei ik, 'laat papa alstublieft weer lucht krijgen. Ik kan het niet verdragen hem te zien sterven.'

Papa snakte nog twee keer naar adem. Toen viel zijn hoofd achterover op het kussen, alsof hij wat lucht in zijn borst had gekregen, alsof hij een beetje ontspande. Zijn lichaam lag stil onder de dekens, als dat van iemand die gaat slapen. Hij was zoveel afgevallen, dat hij er niet als een volwassen man uitzag. Hij leek op een kromme, oude vrouw.

'God, laat papa een beetje uitrusten,' bad ik. Ik bad haast nooit in mijn eentje, maar de woorden kwamen automatisch over mijn lippen.

Ik probeerde te bedenken of ik nog iets voor papa kon doen. Als ik hard genoeg nadacht kon ik vast wel iets zinnigs vinden. Het enige dat ik wilde was dat papa de nieuwe dag haalde. Ik wist dat de meeste mensen tussen middernacht en het ochtendgloren stierven. Ik stond op om nog een blok hout op het vuur te leggen, een van de houtblokken die Lou en ik hadden afgezaagd en door de sneeuw vervoerd. Het hout was te jong om volmaakt te branden, en daardoor rookte het vuur een beetje. Ik pakte een paar stukken oud pijnbomenhout, die ik als aanmaakhout had meegebracht, en gooide die ook op het vuur.

Toen het nieuwe blok hout vlam vatte, knalde het als een klappertjespistool en siste het alsof er een slang was in het bos. Toen knalde het opnieuw. Zodra ik een groene vlam uit het blok hout zag komen, besefte ik dat het vruchtbomenhout moest zijn. We hadden geen eik in stukken gezaagd, maar een dadelpalm. Geen wonder dat het hout zo hard was, harder dan eikenhout. Er zat ook iets blauws in de vlammen, maar ze waren voornamelijk lichtgroen. Ik geloofde niet meer dan andere mensen in spoken en voortekenen. Gewoonlijk luister ik niet eens als mensen spookverhalen vertellen. Maar mama had me lang geleden verteld, en zij had het weer van oma, dat groen vuur in een open haard betekent dat iets eindigt en dat iets anders begint. Een groene vlam is een teken, net als een groene loot in de lente of het groene licht dat soms de hemel na een storm kleurt.

Ik keek toe terwijl de groene vlam voortdanste en zijn vleugels spreidde. Het vuur kronkelde en wenkte, alsof het wilde dat ik het volgde. Het verspreidde zich over het hout, als vingers op een toetsenbord. Het hout knalde en siste. Het begon te jammeren en te kreunen, als iemand die treurt. Ik luisterde even naar al die treurigheid en draaide me daarna rillend om. Ik had geen tijd voor dat soort dingen.

En toen wist ik dat ik er niet tegen kon om papa te zien sterven. Ik was erbij geweest toen Masenier stierf. Ik had alles gezien omdat dat moest, omdat ik papa moest helpen Masenier naar het huis van de dokter te dragen. En nu stierf papa en was ik gedwongen toe te kijken.

'Ik doe het niet,' zei ik hardop terwijl ik op de vloer stampte. Ik was even bang als boos. Ik had papa moeten wassen en ik had bij hem moeten waken in plaats van te slapen. Ik had de blokken hout die het huis verwarmden, gezaagd, gespleten en versleept. Alles wat moeilijk en zwaar was moest ík doen. Alles wat niemand anders wilde doen moest ík doen.

'Ik doe het niet,' zei ik opnieuw en liep naar het raam. Het stormde. De bomen brulden als reusachtige dieren.

'Wát doe je niet?' vroeg iemand. Het was mama. Ze stond met een lamp in de deuropening.

'Ik doe dit niet langer,' zei ik.

'Wat bedoel je?'

Ik gaf geen antwoord. Ik wist niets te zeggen. Er waren geen woorden om te beschrijven hoe ik me voelde.

'Iemand moet bij papa waken,' zei mama.

Ik wilde zeggen dat ik papa niet langer wilde zien lijden, maar ik kon de woorden niet over mijn lippen krijgen. Ik had altijd gedaan wat mama me opdroeg en wat papa me opdroeg.

Ik had altijd gedaan wat van me werd verwacht. Ik pakte mijn jas van de kapstok naast de deur.

'Waar ga je heen?' vroeg mama.

'Ik ga nog meer hout splijten.'

'Midden in de nacht? We hebben hout zat.'

'Het enige hout dat we hebben is wat ik naar binnen heb gebracht,' zei ik. Ik kon niet tegen haar zeggen dat ik liever doodging dan papa te zien sterven.

'Het is te donker,' zei mama, 'en het waait hard.'

Rosie verscheen in de deuropening. Ze had een deken als een sjaal om haar schouders geslagen. 'Waar gaat Julie naartoe?' vroeg ze.

In de keuken pakte ik de stallantaarn en stak hem aan. Ik draaide de vlam zo hoog mogelijk en sloot de glazen houder voordat ik op de winderige veranda aan de achterkant van het huis ging staan. Ik rilde toen de wind in mijn gezicht blies en aan mijn jurk rukte. De vlam in de lantaarn flakkerde, maar hij ging niet uit. De wind voelde als lippen die koude lucht over mijn hele lichaam bliezen.

De houtstapel en de houtschuur waren aan de zijkant van het huis. Ik zette de lantaarn op de spaanders, niet al te ver van het hakblok. Wolken joegen rond het licht van een halve maan. De bergkammen waren net zwarte, oprijzende golven.

Vanaf de houtstapel kon je het verlichte raam zien van de woonkamer, waar papa lag. Ik wendde mijn blik af om mijn ogen aan de duisternis te laten wennen. Ik wilde niet zien wat daar gaande was. Ik had nooit geweigerd te doen wat mama me opdroeg, maar deze keer kon ik echt niet anders.

De lantaarn wierp zijn gele schijnsel over de spaanders op de grond. De spaanders verschilden van kleur omdat ze van verschillende bomen afkomstig waren: esdoorns, eiken, pijnbomen en hickory's. De spaanders lagen daar als overblijfsels van alle bijlslagen.

Lou en ik hadden het hout in de houtschuur opgestapeld. Ik nam een blok hout mee naar het hakblok en zette het erbovenop. De wind blies hard in mijn gezicht, behalve wanneer ik me vooroverboog. Als een houtblok minder dan twintig centimeter dik is, kun je het zonder wig splijten. Ik bracht de bijl omhoog en zwaaide hem naar beneden, op de plek waar ik dacht dat het hout was. Maar het blad schampte af. Alleen de omtrek van het hout was in het lichtschijnsel te zien. Ik bracht de bijl opnieuw omhoog. Het blad zonk diep weg in het hout en bleef erin vastzitten. Ik moest hard trekken om hem los te krijgen.

'Julie!' riep iemand in de wind. Ik keek om me heen, maar zag niemand op de veranda. Er was alleen licht achter het raam van de woonkamer. Ik tilde de bijl nogmaals op. Hij zonk nog dieper in het hout weg. Deze keer spleet het blok hout. Precies in het midden. Het was een bevredigend geluid. Ik liet de bijl opnieuw zakken, en krakend splitste het hout zich in tweeën.

'Julie!' riep iemand toen ik me naar het huis omdraaide. Maar er was niemand te zien. De stem scheen uit het bos te komen, of vanaf de bergkam. Misschien was het slechts de wind, maar het klonk of iemand me beschuldigde.

Ik legde de twee stukken gespleten hout opzij en ging een nieuw houtblok uit de houtschuur halen. Het gespleten hout rook fris en zuur. Ik kon het sap op het bijlblad ruiken. Ik zette het nieuwe blok hout op het hakblok en haalde de wig uit de houtschuur. Ik was hout aan het splijten, al had ik er een bloedhekel aan! Iets anders wist ik niet te verzinnen.

In plaats van naar de veranda te gaan om de moker te pakken, gebruikte ik de achterkant van het bijlblad om de wig in het hout te slaan. Ik gaf een harde klap met de bijl. Maar ik miste mijn doel, en de wig sprong uit het hout en viel op de grond. Ik haatte het geluid van staal op staal.

Ik was zo boos, dat ik tegen de spaanders schopte alvorens de wig op te rapen. Het ijzer was steenkoud. Maar deze keer drukte ik de wig dieper in het hout voor ik er een klap op gaf. Het blok hout viel in twee stukken uiteen, die ik ook weer halveerde.

'Ik doe het niet,' mompelde ik. De wind nam mijn woorden mee. Toen de maan achter een wolk verdween, merkte ik dat mijn ogen al een beetje aan het duister waren gewend. In het schijnsel van de lantaarn kon ik de grond zien en het houtblok dat ik had neergezet. Toen ik weer begon te splijten merkte ik dat ik de wig op de tast kon vinden. Ik sloeg op het staal, en sloeg, en sloeg. De stukken hout vielen als krakende dakspanen uiteen. Ik begon steeds vaker raak te slaan.

'Ik doe het niet,' zei ik opnieuw. Ik begon te zweten. Mijn jurk plakte aan mijn rug onder mijn jas.

'Julie!' riep een stem in de wind, maar ik reageerde niet. Het was misschien drie uur in de morgen, en ik moest nog een heleboel hout splijten.

Toen alle blokken hout klaar waren om naar binnen te worden gebracht, haalde ik een stuk pijnbomenhout uit de houtschuur om er aanmaakhout van te maken. Het was harsig, knoestig hout dat ik had verzameld op de bergkam boven papa's nieuwe grond. Ik hakte het broze stuk hout in kleine spaanders, die ik nodig had om 's morgens een vuur in het fornuis en de open haard te maken. Het pijnbomenhout glinsterde als suiker of gele kristallen in het licht van de lantaarn. Sommige spaanders waren niet groter dan lucifershoutjes. En andere hadden de afmeting van een mes en een vork. Het aanmaakhout lag netjes opgestapeld naast de lantaarn.

Mijn ogen waren nat, maar dat kwam niet door het zweten. Er stroomden tranen over mijn wangen terwijl ik opnieuw een stuk hout begon te splijten.

'Julie!' zei iemand in de wind. De stem was dichtbij. Ik bleef in het hout hakken, hoewel ik niet zo goed kon zien.

'Wat ben je aan het doen?' vroeg de stem. Het was Rosie, die achter me was komen staan, nog steeds in de deken gehuld.

'Ik ben hout aan het splijten, aangezien niemand anders het doet,' zei ik.

'Ben je om vier uur in de morgen nog meer hout aan het splijten?' zei Rosie.

'Iemand moet het huis warm houden voor papa,' zei ik.

'Papa is dood,' zei Rosie. 'Je kunt beter weer naar binnengaan.'

'Ik kom straks,' zei ik en gaf opnieuw een klap op het pijnbomenhout. In het licht van de lantaarn zag ik dat de bijl nat werd van mijn tranen.

Hoofdstuk 3

Na papa's dood waren de dingen niet zo erg veranderd als je zou denken. Papa was lang ziek geweest. Ik werkte al het meeste buiten, ik en Lou. Soms hielp mama. Rosie hield van huishoudelijk werk. Wanneer er buiten iets gedaan moest worden, op het veld of in het bos, klaagde mama en dan zei ze tegen Lou en mij dat wij het moesten gaan doen. Maar ík moest zorgen dat alles voor elkaar kwam. In elk huis is er altijd iemand die de last draagt. Mama zei: 'Julie, denk je niet dat het tijd is om de aardappels te poten?' Dan zei ik: 'Mama, dat heb ik gisteren al gedaan. Vandaag plant ik maïs.' Ze was nooit over de dood van Masenier heen gekomen. En toen stierf papa. Ze maakte een uitgebluste indruk, alsof ze het had opgegeven. Er zat niets anders voor me op dan het over te nemen en buiten te werken, of ik het leuk vond of niet.

In de berm van de weg lag de Spaanse eik die op de avond van papa's dood was omgewaaid. Ik had het 's zomers te druk gehad om de eik in stukken te hakken. Dus lag hij daar en droogde een beetje uit, wat het zagen makkelijker maakte.

De eerste keer dat ik Hank zag was ik te verward om iets te zeggen. Maar dat kwam omdat ik overrompeld was. Omdat verliefd worden het laatste was wat ik verwachtte. Het was laat in de zomer nadat papa in het vroege voorjaar was gestorven. Mama en ik waren de Spaanse eik aan het doorzagen aan de kant van de weg naar Crab Creek.

Ik denk dat niets ter wereld zo onaantrekkelijk is als de aanblik van twee vrouwen in lange jurken die elk aan een eind van een trekzaag staan. Het was nog steeds warm. Mijn haar was losgeraakt toen ik het zweet van mijn voorhoofd veegde. Mijn gezicht gloeide en onder mijn oksels zaten grote zweetplekken. Ik was zo hard aan het werk, dat ik het paard pas hoorde toen het snoof. Ik keek op en streek een haarlok uit mijn ogen. Op dat moment zag ik de wagen die door een kastanjebruine merrie werd getrokken. De wagen kwam tot stilstand. Een man, niet veel meer dan een jongen, een grote, sterke jongen, stond rechtop in de wagen met de teugels in zijn handen.

'Hallo,' riep hij tegen mama zonder veel aandacht aan mij te besteden.

'Goeiendag,' zei mama terwijl ze ging staan. Ze had de gewoonte aangenomen om 'goeiendag' te zeggen, zoals papa het altijd had gezegd.

Ik kan zonder enige twijfel zeggen dat de man in de wagen de knapste was die ik ooit had gezien. Hij had zwart haar, een hoog, rond voorhoofd en een hangsnor. Hij was zongebruind doordat hij de hele zomer op het veld had gewerkt. Maar wat me het eerst opviel waren zijn schouders. Zijn schouders waren heel recht en breed. Je kon zien hoe sterk hij was en hoeveel hij kon tillen. Het was zijn lichaamsbouw, en niet omdat hij nou zo groot was.

'Ik ben op zoek naar de Willards die zoete aardappels verkopen,' zei hij.

'Dan moet je nog een stukje doorrijden,' zei mama.

'Dat dacht ik al,' zei de man.

'Waar kom je vandaan?' vroeg mama. Dat zou ze nooit hebben gevraagd toen papa nog leefde. Ze vroeg het zoals papa het zou hebben gevraagd.

'Helemaal uit Painter Mountain,' zei de man. 'Ik ben Hank Richards.'

'Mijn naam is Delia Harmon,' zei mama. 'En dit is mijn dochter Julie.'

'Aangenaam,' zei de man terwijl hij de rand van zijn hoed aantikte.

Op dat moment voelde ik dat ik bloosde en ik begon hevig te zweten, want pas op dat moment besefte ik dat ik geen schoenen aanhad. Ik spaarde mijn schoenen voor de winter. En ik wilde geen zware werkschoenen dragen als ik alleen maar in de bladeren stond te zagen. En het was veel koeler om op blote voeten rond te lopen. Maar op dat moment wist ik dat ik niet wilde dat Hank Richards me blootsvoets zag, als een klein meisje of een bedelaar. Het was al erg genoeg dat hij me aan een zaag had zien trekken.

Ik streek het haar van mijn voorhoofd en probeerde hem niet aan te kijken. Zo onopvallend mogelijk drukte ik mijn voeten in de bladeren. Mijn jurk was lang, en ik hoopte dat de bladeren mijn vuile voeten zouden verbergen. Het was alsof ik naakt was, hoewel alles was bedekt, op mijn gezicht, handen en voeten na.

'Ik vond het heel erg toen ik het nieuws van uw man hoorde,' zei Hank.

'We moeten geloven dat God weet wat hij doet,' zei mama.

'Hoe moeilijk het ook is,' zei Hank hoofdschuddend. Hij praatte als een volwassen man. Ik kon zien dat hij dat niet gewend was. En hij praatte met mama ter wille van mij. In elk geval ten dele ter wille van mij. En hij was ook ter wille van mij gestopt, want hij moest heel goed hebben geweten waar de Willards woonden. Ik was zo blij met die gedachte dat ik waarschijnlijk nog meer begon te blozen.

Ik begreep wel dat Hank niet van plan was iets tegen me te zeggen. Hij sprak alleen met mama, zodat ik hem goed kon bekijken en horen praten en hij me heimelijke blikken kon toewerpen.

'Mr. Harmon was een bijzonder goed mens,' zei hij. Hij schudde zijn hoofd om te laten zien dat hij snapte hoe moeilijk het was om dingen die ons overkomen te begrijpen.

'Hij heeft zo lang mogelijk gewerkt,' zei mama.

'Hij was een man op wie je kon rekenen,' zei Hank. Hij spuwde tabakssap over de rand van de wagen. Het paard stapte opzij. 'Ho,' riep Hank.

'Ik vind het leuk kennis met je te maken,' zei mama.

'Zo vaak kom ik deze kant niet op,' zei Hank.

'Je moet eens een keertje naar de kerk op de berg komen,' zei mama. 'Volgende week zondag hebben we een zangdienst.'

'Misschien doe ik dat wel,' zei Hank.

'Ga na de kerkdienst met ons mee naar huis. Dan kunnen

we samen eten,' zei mama. Ze zei het precies zoals papa het zou hebben gezegd.

'Graag,' zei Hank. Hij keek me recht aan.

'Hou je van zingen?' zei mama.

'Ik zing liever dan dat ik perziken eet,' zei Hank.

'Kom eens een avond langs. Dan gaan we zingen rond het haardvuur,' zei mama.

Hank tilde de teugels op en legde ze over de rug van de merrie. Het was tijd dat hij verder ging. Het was niet beleefd om nu langer te blijven praten. 'Jullie moeten eens bij ons op bezoek komen,' zei hij.

'Painter Mountain is zo ver weg. We komen er nooit, alleen als we naar Greenville gaan,' zei mama.

'U bent altijd welkom,' zei Hank en tikte aan zijn hoed. Eerst voor mama en toen voor mij. Terwijl hij dat deed keek hij me diep in de ogen. Er ging een hevige schok door me heen, vanaf mijn nek tot aan mijn onderbuik, en mijn knieën trilden. Ik was zo opgetogen dat ik terugstaarde. Ik kon mijn blik niet afwenden.

Eén blik kan je meer zeggen dan honderden woorden, als het de juiste blik op het juiste moment is. Een blik kan door je gezicht en ogen heen gaan en in je binnenste kijken. De blik die Hank me schonk tilde me op en stak mijn hart in brand. Ik was een meisje dat weinig ervaring met jongens had. Ik had het te druk gehad met werken en me zorgen maken over papa. Ik denk dat papa in zekere zin de man was op wie ik verliefd was geweest, meer dan op iemand anders.

Ik weet niet waarom Hanks blik me zo diep raakte op dat moment. We weten nooit waarom we wel op de een verliefd worden en niet op de ander. Laten we zeggen dat ik gewoon een gezond meisje was dat – na papa's dood – klaar was om verliefd te worden. Hoe je het ook wilt zeggen, het komt steeds op hetzelfde neer.

Ik keek Hank aan. Ik kon mijn ogen niet van hem afhouden. Nooit eerder had ik zoiets brutaals gedaan, maar ik kon er niets aan doen. De blik heeft misschien maar een seconde geduurd, maar ik had het gevoel dat we aan elkaar vastzaten en niet konden ontsnappen. Ik was tegelijkertijd doodsbang en los van de aarde. Hanks blik vulde me met iets wat zoeter was dan de zoetste slaap als je moe bent. Hij gaf een ruk aan de teugels. Het paard begon te lopen. Ik keek naar de wagen die krakend over de stenen ratelde, en naar Hanks rechte rug. Hij stond rechtop te mennen.

'Die jongeman is trots op zichzelf,' zei mama toen hij buiten gehoorsafstand was.

'Dat denk ik ook,' zei ik. Mama keek me aan. Toen zag ze dat ik bloosde. Ik kon nooit iets voor mama verbergen. En ze moest de blik hebben gezien die Hank en ik hadden uitgewisseld.

'Haal je maar niks in je hoofd,' zei mama. 'Je bent nog maar zeventien en je weet dat we je hier nodig hebben.'

'Ik zou er niet over piekeren,' snauwde ik. Maar ik dacht niet na bij wat ik zei. Ik keek naar Hanks rechte schouders in het zonlicht dat tussen de eiken door scheen. Ik vroeg me af of hij mijn blote voeten had gezien. Ik bewoog mijn tenen in de bladeren.

'Pak de zaag beet,' zei mama. 'We moeten dit houtblok nog afmaken.'

'Natuurlijk,' zei ik.

De volgende zondag kwam Hank naar de kerk op de berg. Hij droeg een grijs pak, alsof hij uit de stad kwam. Hij moest het pak net hebben gekocht, want het zag er gloednieuw uit. Ik zag hem buiten de kerk staan toen we aankwamen. De andere jongemannen en jongens stonden links van de deur, Hank stond in zijn eentje rechts van de deur. De Willards zeiden altijd dat ze niet toe zouden staan dat jongens uit een andere gemeente meisjes op de berg het hof kwamen maken.

Hank tikte tegen de rand van zijn hoed toen ik hem passeerde. Ik vroeg me af of ik iets tegen hem moest zeggen of niet, want dan zouden alle andere jongens weten dat hij me het hof kwam maken. Ik wierp een blik op Hank en liep snel langs hem heen. Maar ik had die blik in zijn ogen gezien, alsof er niemand in de wereld was behalve hij en ik. Er borrelde iets uit mijn hart omhoog, als water uit een fontein.

Tijdens de hele dienst kon ik Hanks blik op mijn achterhoofd en nek voelen. Hij was op de achterste bank gaan zitten, bij de afvalligen, de zondaren en de meeste jongens van de gemeente. Ik neem aan dat ze elkaar probeerden weg te duwen en brandende lucifers op elkaars schoot gooiden, zoals altijd. Ze staken niets op van de preek. De andere kerkgangers negeerden hen.

Na afloop van de kerkdienst zag ik er tegen op naar buiten te gaan, want ik wist niet wat er zou gebeuren. Zouden de Willard-jongens op de vuist gaan met Hank? Zouden ze hem met rust laten? Ik wist dat het ruige, gemene jongens waren, en ik maakte me zorgen om Hank.

Maar zodra ik achter mama en Rosie de kerk uitkwam, stond Hank daar, met zijn hoed in zijn hand, als een venter. 'Goeiendag,' zei hij tegen mama. 'Goeiendag, ma'am.'

Toen ik hem passeerde zei hij: 'Miss Harmon, mag ik de eer hebben u thuis te brengen?' Hij klonk als een advocaat, een intellectueel uit de stad. Iedereen op het kerkplein luisterde. Ik wist niets te zeggen. 'Natuurlijk' zou niet juist klinken, en 'Ja' zou niet beleefd klinken. Alle andere meisjes, de Willard-jongens, mama, Rosie en de dominee stonden toe te kijken. Ik wist niets te verzinnen wat juist klonk. Dus knikte ik alleen maar. Hank bood me zijn arm aan.

Terwijl we wegliepen voelde ik de druk van alle ogen die op me waren gericht, als een harde wind in mijn rug die de stof van mijn jurk tegen mijn huid drukte. Ik weet niet of ik bloosde of niet. In het felle zonlicht maakte het niet uit.

Vraag me niet waar we het over hadden op weg naar huis. Ik was me er alleen maar van bewust dat ik Hanks sterke arm vasthield. Ik denk dat hij het over het spelen op een banjo had en hoe je een banjo moest maken van een kattenhuid. Ik denk dat hij vroeg of ik alt of sopraan zong. Ik zei dat ik een altstem had. Hij zei dat hij dat wel had gedacht. Mama en de andere meisjes liepen achter ons, zodat we geen kans kregen elkaar te kussen, als we dat hadden gewild. In die tijd kusten mensen elkaar pas als ze trouwplannen hadden.

Ik vroeg me af wat die Willard-jongens zouden proberen te doen. En ik vroeg me af of Lou en Rosie me zouden plagen. Al zou Hank nooit meer terugkomen, ik zou nooit vergeten dat hij me thuis had gebracht. Een knappe jongen uit Painter Mountain had me vanaf de kerk naar huis gebracht!

Toen we thuis waren, zette Hank zijn hoed af en ging op de veranda met Carolyn zitten praten, terwijl wij mama hielpen met de voorbereidingen voor de maaltijd. Mama had de kip al vóór de kerk klaargemaakt en in de oven warm gehouden. Mama vroeg Lou of ze met de emmer naar de bron wilde gaan om vers water te halen. Het was maar goed dat ik die ochtend een kip had geslacht, want we aten niet altijd kip op zondag. Ik had gehoopt dat Hank naar de kerk zou komen en met ons mee naar huis zou gaan.

Toen we eindelijk aan tafel zaten vroeg mama aan Hank of hij Gods zegen over de maaltijd wilde vragen. Hij zat aan het hoofd van de tafel, waar papa altijd had gezeten, en boog zijn hoofd. 'God,' zei hij, 'maak ons dankbaar voor wat we op het punt staan te ontvangen, en maak ons sterk en waardig voor de strijd om het bestaan, en maak ons nederig en dankbaar voor de schoonheid van de wereld.'

Het was een mooi gebed. Heel anders dan de gebeden die ik kende. Ik keek naar Hank toen hij zijn hoofd optilde, en ving zijn blik op. Hij knipoogde niet, maar het was net of hij een knipoog had gegeven.

Alles ging goed tijdens de maaltijd. Tot ik naar de keuken moest om de koffiepot te halen. Alles was lekker: de kip, de rijst, de doperwtjes en de perziken. Het maïsbrood was warm en zacht. Hank liet zich de maaltijd goed smaken.

'Mr. Richards, u had uw moeder moeten meebrengen,' zei mama tegen Hank.

'Zondags gaat ma alleen in Painter Mountain naar de kerk,' zei Hank.

'Ze zou hier van harte welkom zijn,' zei mama.

'Hebt u ooit met de trein gereisd?' vroeg Carolyn. Carolyn had haar ogen niet van Hank af kunnen houden sinds hij in ons huis was.

'Eén keer ben ik met de trein naar Chattanooga gegaan, op zoek naar een baan,' zei Hank.

'Hebt u in de trein geslapen?' vroeg Carolyn.

'Het is niet beleefd om te veel vragen te stellen,' zei mama.

'Ik heb niet in een bed geslapen,' zei Hank, 'maar gewoon op mijn zitplaats.' We lachten allemaal.

'Bent u weleens in Greenville geweest?' vroeg Rosie.

'Ik ga er elk jaar heen, mijn broers en ik, om ham en stroop te verkopen,' zei Hank.

'Ik zou dolgraag met de trein naar Mount Mitchell willen,' zei Carolyn. Ze droeg een van de roze, kanten jurken die mama voor haar maakte. Deze was met smokwerk versierd.

Ten slotte zei mama tegen me dat ik de koffiepot moest ophalen. Ze vroeg Rosie de kokoscake die ze had gebakken binnen te brengen. Als meisje had Rosie het al leuk gevonden om kokoscake te bakken. En niets smaakte lekkerder bij koffie dan kokoscake.

Het fornuis brandde nog. De koffie kookte. Ik nam de pot van het fornuis en droeg hem naar de eetkamer. Maar toen ik dicht bij de tafel was, vroeg ik me af of ik de eerste kop voor mama moest inschenken, die een vrouw en de oudste aan tafel was, of voor Hank, die onze gast was bij de zondagse hoofdmaaltijd. Ik kon maar niet tot een besluit komen. Dat maakte me nerveus. Ik deed een stap in de richting van mama, en toen bleef ik staan.

'Julie, schenk eens koffie voor Mr. Richards in,' zei mama. Dat loste het probleem op, maar het kwaad was al geschied. Mijn hand trilde toen ik de zware koffiepot boven Hanks kopje hield. Er kwam te snel koffie uit de tuit. Zijn kopje stroomde over en er spatte hete koffie op zijn knie. Hij sprong op. Ik moet hebben geschreeuwd terwijl ik terugdeinsde. Toen stootte ik tegen de kast. De koffiepot viel op de grond. Er verspreidde zich een grote plas dampende koffie over de vloer.

'O, Julie,' zei mama.

Hank stond op en sloeg de druppels koffie van zijn broek. 'Het geeft niet,' zei hij.

'Ben je verbrand?' vroeg ik.

'Nee, hoor,' zei hij.

Mama rende naar de keuken om handdoeken te halen. Ik hielp haar de gemorste koffie op te nemen.

'Ik zal je broek wassen,' zei ik tegen Hank.

'Het is maar een vlekje,' zei hij.

Toen ik klaar was met dweilen, bracht ik de koffiepot en de natte handdoeken naar de veranda aan de achterkant van ons huis. Door mijn onachtzaamheid had ik alles verpest. Alles! Zo gauw Hank met goed fatsoen kon vertrekken zou hij vast en zeker zijn hoed pakken en ontsnappen aan ons meisjes die hem aangaapten, en Carolyn die flirtte, en mama die hem Mr. Richards noemde. Ik wist dat veel meisjes heel wat mooier waren dan ik en veel dichter bij Painter Mountain woonden. Meisjes die niet zo onhandig en nerveus waren.

Maar ik had het mis. Hij pakte zijn hoed niet. Hij zei: 'Julie, laat me eens zien waar de bron is. Na die heerlijke, warme maaltijd heb ik een slok koud water nodig.'

Ik kon onmogelijk weigeren hem de bron te laten zien. Ik veegde mijn handen aan een droge handdoek af en hing die op de spijker naast het fornuis.

'Iemand kan een emmer vers water uit de bron gaan halen,' zei mama.

'Ik wil zo uit de bron drinken,' zei Hank.

Het was een ongekend stralende dag, zo helder als het alleen in de vroege herfst kan zijn. Het gras, de bladeren aan de bomen en zelfs het stof schenen te fonkelen. Ik weet niet of het door het licht kwam dat alles glansde of door het feit dat ik verliefd aan het worden was. De wereld zag er licht en stralend uit, en zo voelde ik me ook!

Onze bron was aan de voet van de heuvel achter het huis, onder de grote walnotenboom. De bron was verborgen achter laurierbomen, dus hij lag altijd in de schaduw. Het was de krachtigste en koudste bron op de berg. Er waren weinig hagedissen aan de rand van de bron, dat betekende dat het water erg zuiver was.

Hank pakte de lege kokosnoot die naast de bron lag, vulde hem met water en bood hem mij aan. Ik schudde mijn hoofd. Hij dronk het water langzaam op, alsof hij genoot van de smaak en de koelte. 'Dit water smaakt alsof het uit een rots komt, alsof het door robijnen en smaragden heeft gestroomd,' zei Hank.

Dat was mooi gezegd.

'Ik wou dat ik een robijn had. Dan zou ik hem aan jou geven,' zei Hank.

'Ik heb geen robijn nodig,' zei ik.

Hank vulde de kokosnoot opnieuw. Daarna zette hij hem weer op zijn plaats. 'Nu is mijn mond zoet,' zei hij. Hij keek in mijn ogen terwijl hij dichterbij kwam. Hij nam mijn handen, bracht ze een voor een naar zijn lippen en kuste ze. Niemand had ooit mijn handen gekust. Toen legde hij zijn handen op mijn ellebogen en trok me dichter naar zich toe.

'Je bent een bijzonder iemand,' zei hij terwijl hij me diep in de ogen keek. Ik kon niets verzinnen waarom ik bijzonder was geweest, behalve dat ik koffie op zijn broek had gemorst, maar dat zei ik niet. Hij raakte met zijn lippen de mijne aan. Het kietelde en mijn lippen gingen tintelen. Zijn lippen streken langs de mijne. Ik vond dat hij heel zacht en voorzichtig was voor zo'n grote, sterke man. Ik vroeg me af of mama of Rosie of een van mijn andere zussen vanaf de veranda naar ons stond te kijken. En toen herinnerde ik me dat de laurierbomen tussen ons en het huis stonden. Hank drukte zijn lippen op mijn mond. Het was een zoet gevoel, zoeter dan het verse water uit de bron. Toen knabbelde hij aan mijn bovenlip en aan mijn mondhoeken. Het puntje van zijn tong gleed over mijn bovenlip. Zoiets had ik nog nooit gevoeld.

Toen Hank zijn lippen hard op de mijne drukte en zijn armen om mijn schouders legde, had ik het gevoel dat ik heel hard ronddraaide en was afgesneden van de lucht en het licht om me heen. Het was alsof zijn armen een andere wereld om me heen maakte. Zijn armen en lippen, de druk van zijn lichaam tegen het mijne maakten ons los van het bos en de bron en de laurierbomen. Hij en ik waren in onze eigen wereld.

Ik voelde de kus overal. Hij ging door mijn armen en benen naar de toppen van mijn vingers en tenen. Dat was het raarste. Hank kuste mijn lippen en liet zijn tong over mijn mond dwalen, en ik voelde de zoetheid achter in mijn hoofd en onder aan mijn rug. Dus dit is nou kussen, dacht ik. Dit ben ik niet. Dit is beter dan ik. Dit is beter dan ik verdien. En ik dacht: nee, hier heb ik op gewacht. Zo zal de toekomst zijn.

Hank kuste me en we draaiden rond alsof we heel langzaam dansten. We draaiden rond, maar dat besefte ik amper. Ik had het gevoel dat het bos, de laurierbomen en het zonlicht allemaal draaiden. Alles draaide toen Hank me kuste. Met gesloten ogen liet ik me meedrijven.

Op het moment dat Hank me losliet om weer op adem te komen, haalde ik ook diep adem en opende mijn ogen. Toen ik over zijn schouder naar het bos keek, zag ik iemand tussen de bomen boven de bron staan. Het was een heel raar gevoel. Mijn ogen opendoen na mijn eerste kus, na een bovenaardse kus, en zien dat iemand vanaf de eikenbomen naar ons keek. Het was alsof je uit een zoete droom ontwaakt en merkt dat iemand je aandachtig bekijkt.

Ik wist dat het een van de Willard-jongens was. Clarence, denk ik. Hij moest de hele tijd naar ons hebben staan gluren. Ik kon niet weten hoe lang hij dat al deed. Maar als hij naar ons keek, zouden de anderen dat ook doen. Misschien werden we door een stuk of zes Willards bespied.

'Ik wil dat je voorzichtig bent,' zei ik tegen Hank. Ik wilde niet alles verpesten door te vertellen dat er naar ons werd gekeken.

'Voorzichtig waarmee?' zei hij.

'Wees gewoon voorzichtig als je de berg afdaalt,' zei ik.

En toen hoorde ik een prairiehondje blaffen. Maar het was geen gewone eekhoorn. Het blaffen was te regelmatig en een beetje te luid. Het was een van de Willards die dat geluid maakte, om ons te plagen. En toen hoorde ik de roep van een boomkwartel. Hoewel het als een boomkwartel klonk, was de roep te luid. Een andere Willard die de eerste Willard antwoord gaf.

Hank moet hebben gezien dat ik bezorgd keek, want hij begon te luisteren. Op dat moment schreeuwde een kalkoen. 'Er loopt hier veel ongedierte rond,' zei Hank lachend.

'Ga niet in je eentje de berg af,' zei ik.

Hank trok zijn jas opzij en liet me een pistool zien dat hij tussen zijn broeksband had gestopt.

'Misschien zijn zij ook gewapend,' zei ik. Ik wist dat de Willard-jongens met pistolen rondliepen. Vooral Webb. Soms, zondagsmiddags, liepen ze met een .22 op straat en schoten op stenen en blikjes.

'Maak je geen zorgen,' zei Hank. 'Door bezorgd te zijn heeft nooit iemand een seconde langer kunnen leven.'

We liepen hand in hand om het erf heen. Ik denk dat hij wilde dat wie ook naar ons keek ons samen zou zien. Ik liet hem de moestuin zien waar de tomaten zo rijp en talrijk waren, dat ze van de ranken waren afgebroken. De zomerpompoenen waren zo groot, dat ze net gele ganzen leken die in het onkruid lagen.

We liepen naar de rand van het maïsveld, dat Lou en ik na de maïsoogst hadden omgeploegd. 'Wie heeft al dat werk gedaan?' vroeg Hank.

'Ik,' zei ik. 'En Lou heeft geholpen en mama heeft ook wat gedaan.'

Hank keek me aan. Zijn vinger streek langs mijn wang. 'Je zult een goede echtgenote voor een man zijn,' zei hij. Ik kon hem niet aankijken. Ik kon het amper verdragen dat hij naar mij keek. Want ik wist dat ik dolgraag met Hank Richards getrouwd wilde zijn. Ik wilde dat hij en ik in één huis woonden. Ik wilde hem helpen in de velden te werken, kippen te fokken en appels te plukken om ze in de zon te laten drogen voor de winter. Als ik toch eens dag in dag uit, dag en nacht, bij hem kon zijn. Dat was te mooi om waar te zijn. Niets was zo volmaakt in deze wereld. En als ik het te graag wilde, zou het nooit gebeuren. De wereld was zo gemaakt dat mensen nooit kregen wat ze het liefst wilden. Of misschien wilden ze het liefst wat ze nooit konden krijgen.

'Jij zult een goede echtgenoot voor een vrouw zijn,' zei ik.

Ik hoopte maar dat hij niet dacht dat ik de maïs in mijn eentje had geoogst en het maïsveld omgeploegd. Ik schaamde me een beetje voor al het zware werk dat ik had moeten verrichten.

'Wie gaat je helpen de varkens te slachten?' zei Hank. We waren vlak bij het varkenskot gekomen. De stank ervan vermengde zich met de zoete geur van de tuin.

'Lou, mama en ik, neem ik aan,' zei ik.

'Ik zou hierheen kunnen komen om je een handje te helpen,' zei Hank.

'Dat hoeft niet, hoor.'

'Je zult hulp nodig hebben om de varkens op te tillen.'

Ik protesteerde niet, omdat ik wilde dat hij kwam wanneer

hij maar wilde. En ik wilde niet dat hij dacht dat ik helemaal in mijn eentje een varken kon slachten. We liepen langs de druivenranken, waar de bijen zich aan de rijpe Concords verzadigden.

'Heb je wel eens wijn gemaakt?' zei Hank.

'Papa maakte altijd braambessenwijn voor zijn reumatiek,' zei ik. 'Maar hij was de enige die de wijn dronk.'

'Karmozijnbessenwijn is beter voor reuma,' zei Hank. 'Het verwarmt de gewrichten en verzacht de pijn.'

Toen we de veranda aan de voorkant van het huis bereikten, verscheen mama. Ze zei dat ze een verse pot koffie had gemaakt en vroeg Hank of hij een kopje wilde.

'Dat zou geweldig zijn,' zei hij. 'Ik moet zo meteen gaan. Een kop koffie voor onderweg zal me goed doen.'

Mama kwam met een dienblad en twee bekers naar buiten. We gingen op de schommel op de veranda zitten. Normaal gesproken dronk ik alleen 's morgens koffie, maar nu deed ik mee voor de gezelligheid. Misschien was het omdat ik opgewonden was en verliefd, of omdat ik niet gewend was 's middags koffie te drinken, maar na een paar slokken was het net of er vuur door mijn aderen stroomde. Ik voelde het tot in mijn vingertoppen. En de tuin en de veranda werden nóg helderder. Alles was zo helder, dat het pijn deed aan mijn ogen. En Hank was zo knap met zijn zwarte haar, zijn snor, zijn bruine ogen en zijn hoge voorhoofd, dat alleen een blik op hem me al pijn deed.

Ik dacht dat ik Carolyn in het huis hoorde giechelen. Ze moest door het raam naar ons hebben staan kijken. Ze was bijna veertien en te groot om zo te giechelen. Maar ze was verwend. Ik denk dat ze jaloers was omdat Hank voor míj was gekomen en niet voor háár.

'Wat als ik je zou vragen...' zei Hank. Maar toen klonk er de roep van een nachtzwaluw op de heuvel boven de weg. Aangezien nachtzwaluwen alleen maar riepen als het donker was, trapten we er niet in. Het was een van de Willard-jongens. Dat kon niet anders.

'De logische klok van die vogel klopt niet,' zei Hank.

'Als je me wát zou vragen?' zei ik.

Er was de roep van een duif, langzaam en droevig, vanaf de plek waar de nachtzwaluw ook had geroepen. Toen was er een spotlijster op de heuvel, hij klonk als de andere vogels, en een raaf en een roodborstje. Er begon ook een vos te blaffen. 'Het bos is vol geluiden,' zei Hank.

'Als je me wát zou vragen?' zei ik nogmaals.

Er was opnieuw de roep van een boomkwartel, gevolgd door het geblaf van een vos en het gekrijs van een wilde kat. 'Wat als ik je zou vragen of je mijn vrouw wilt worden?' zei Hank. Ik kon mijn oren niet geloven. Die morgen was ik voor het eerst met Hank naar huis gelopen. Sommige meisjes moesten maanden, zelfs jaren op hun verloving wachten. Nog geen week geleden had ik Hank voor het eerst gezien, en nu vroeg hij me al ten huwelijk. Ik had het gevoel dat het allemaal een droom was.

Na elkaar ongeveer een uur te hebben gekust en diep in de ogen gekeken, terwijl we de vogelgeluiden op de heuvel en Carolyns gegiechel achter het raam negeerden, zei Hank dat hij moest gaan als hij vóór het donker aan de voet van de berg wilde zijn. 'Ik zou op een slang kunnen trappen,' zei hij.

'Ik maak me zorgen om je,' zei ik.

Hij kuste mijn voorhoofd. 'Doe wat ik je zeg,' zei hij.

'Wat wil je dat ik doe?' vroeg ik.

'Ik wil dat je mijn hoed vasthoudt,' zei hij. Hij zette zijn zwarte, breedgerande hoed af, liep naar de voordeur en bedankte mama voor de maaltijd.

'Ik hoop dat je broek niet verpest is,' zei mama.

'Goede stof kan heus wel tegen een koffievlekje,' zei Hank.

'Kom gauw terug,' zei mama.

'Dat zal ik doen,' zei Hank.

Buiten op het erf gaf hij me zijn hoed en zei dat ik bij het hek moest gaan staan en de hoed voor hem vasthouden.

'Waar ga je dan heen?' zei ik.

'Ik ben zo terug,' zei hij met een knipoog. Terwijl hij zijn jas uittrok en onder zijn arm stopte, liep hij het pad af naar de buiten-wc die achter de levensboom stond, aan de rand van het dennenbos. Ik hoorde de deur van de wc dichtslaan en glimlachte. Wat had Hank op een fijngevoelige manier aangegeven waar hij heen ging.

Met de hoed in de hand stond ik daar naast het hek. Mama had het erf aangeveegd en er zand over gestrooid, maar de kippen hadden het zand al bevuild. Vóór zaterdag moest ik nog meer zand van de beek naar het erf brengen. De schaduwen werden langer op het erf, en ik voelde de kilte van de avond in de lucht. In de pijnbomen op de heuvel kraste een raaf. Aan de voet van de berg blafte een hond.

Na een paar minuten begon ik me af te vragen wat Hank aan het doen was in de wc. Was hij ziek? Was hij door een spin gebeten? Het was raar dat hij daar was heen gegaan en zo lang wegbleef, terwijl ik met zijn hoed in de hand bij de weg stond te wachten. Ik keek naar de zachte, vilten hoed. Het was een grote maat, want Hank had een groot hoofd. Mama kwam de veranda op. 'Is hij weg?'

Ik schudde mijn hoofd en wees naar de wc. Rosie en Carolyn gingen achter mama staan. Ze keken in de richting van de levensboom. Ik hoopte maar dat Hank niet uit de wc kwam en zag dat iedereen naar hem stond te kijken.

Met de hoed in de hand keek ik de weg naar beneden af, maar ik zag niemand. Toen zag ik dat de weg naar boven ook leeg was. Op de heuvel klonk de roep van een duif, gevolgd door die van een boomkwartel. Ik keek naar de hoed in mijn hand en toen weer naar de levensboom. Ik glimlachte, want ik wist dat Hank weg was geslopen tussen de bomen en al vrij dicht bij de voet van de berg was. Ik was nog blijer dan ik al was bij de gedachte dat hij veilig was en dat hij zo slim was geweest.

'Nou, wat is er met hem gebeurd?' zei mama.

'Hij is weg,' zei ik.

'Hij zal moeten terugkomen voor zijn hoed,' zei Carolyn. 'Een heer gaat nergens heen zonder zijn hoed.'

Het begon al te schemeren. In de bomen op de heuvel krasten raven. Ik gooide de hoed in de lucht en ving hem weer op. Het was de gelukkigste dag van mijn leven.

Het huwelijk was anders dan ik had verwacht. Zoals alle meisjes stelde ik me iets geweldigs voor. Dat was het ook wel, maar anders dan ik had gedacht. Mama had altijd gezegd dat het huwelijk net als alle andere dingen was: het is werken, hard werken.

Zoals ik had verwacht was mama boos toen ik vertelde dat ik verloofd was.

'Je kent die jongen amper,' zei ze.

'Hoe goed zou ik hem dan moeten kennen?' vroeg ik.

'Goed genoeg om de naam van zijn moeder te weten,' zei mama.

Ik zei niets. Ik wist nooit zo goed iets te zeggen als iemand boos was. Bovendien kon ik niets zeggen om mama op andere gedachten te brengen.

'Wanneer gaan jullie trouwen?' zei Lou.

'Volgende maand,' zei ik.

'Waar gaan jullie heen op huwelijksreis?' zei Carolyn. Ze las altijd verhalen in tijdschriften over verkeringen en huwelijksreizen.

'Dat weet ik nog niet,' zei ik. 'Hij heeft me nog maar net ten huwelijk gevraagd.'

'Je hebt vorige week pas kennis met hem gemaakt!' zei mama.

'Ik zal een kokoscake voor je bakken,' zei Rosie.

'Wie moet hier het werk dan doen?' vroeg mama.

'De oogst is al binnen,' zei ik. 'Rosie, Lou en Carolyn kunnen u toch helpen?'

'Eerst papa dood in het voorjaar en nu dit,' zei mama. 'En je bent niet veel meer dan een kind.' Maar ik denk niet dat mama zo boos was als ze zich voordeed. Of ze was al over haar kwaadheid heen. Misschien zag ze het voordeel van een getrouwde dochter in. Of ze begreep dat ze niets kon doen om het huwelijk tegen te houden. 'Ik hoop maar dat hij een goede man is,' zei mama, 'hoewel hij in feite nog een jongen is.'

'Hij is achttien,' zei ik.

'Dat bedoel ik nou. Jullie zijn beiden nog kinderen.'

Hoofdstuk 4

In de week voor onze trouwdag huurde Hank een huis over de grens, in South Carolina. Het stond in een kleine vallei die Gap Creek heette. Ik was nog nooit zo ver van huis geweest. Hank zei dat hij daar wilde wonen omdat het er mooi was en goedkoop. En omdat hij er werk had, want ze waren in Lyman een katoenfabriek aan het bouwen. Vroeger had hij als timmerman en als leerling-metselaar gewerkt, en nu had hij een baan op het bouwterrein in Lyman gekregen. Hij hielp bij het maken van bakstenen. Later dacht ik dat hij naar South Carolina was verhuisd om aan zijn moeder te ontsnappen. Toen ik haar leerde kennen begreep ik waarom.

We trouwden op een zaterdag, bijna een maand na onze eerste ontmoeting. Die nacht sliepen we in mama's huis. Ik vond het vervelend om mijn eerste nacht als getrouwde vrouw in mijn eigen huis door te brengen, maar mama wist wel een oplossing. Aangezien er geen logeerkamer was zei ze tegen Hank dat hij op de bank in de woonkamer moest slapen. Ik deelde de slaapkamer met Lou, Rosie en Carolyn, zoals ik altijd had gedaan. Die nacht sliep ik amper. Lou giechelde en pestte me.

'Denk je dat Hank eenzaam is op de sofa?' zei ze.

'Sst,' zei ik quasi-slaperig.

De volgende dag liepen we helemaal naar Gap Creek.

Zoals elke bruid dacht ik dat mijn man wijs was en voor een goed inkomen zou zorgen. Toen ik Gap Creek zag, vond ik het een van de mooiste plekken van de wereld. Het huis was niet zo mooi, maar de smalle vallei met de steile bergen aan beide kanten leek een plaatje uit een tijdschrift. Het dal was nog steeds groen, hoewel het op de hogere hellingen al herfst was.

Het ergste van het huis was dat Mr. Pendergast, die het huis aan ons verhuurde, er zelf woonde. Hij woonde in de slaapkamer aan de voorkant van het huis. Onze huur waren de maaltijden die ik voor hem bereidde en het wassen dat ik voor hem deed. Hij was een humeurige, oude weduwnaar. Ik besefte dat ik voorzichtig met hem om moest springen. Ik was slechts een jonge bruid, en Hank had me meegenomen om het huis schoon te houden en voor de oude Pendergast te koken.

Mr. Pendergast was een kleine man met een enorme bos grijs haar. Uit zijn oren groeiden ook haren. Als hij sprak, keek hij je altijd loensend aan. 'Maak je geen zorgen om mij,' zei hij op de avond dat we arriveerden en ik zijn huis binnenkwam met al mijn kleren in een kartonnen doos en een kussensloop na het hele eind vanaf Mount Olivet te hebben gelopen. 'Ik eet haast niets,' zei hij, 'en ik ben zo stil, dat je niet eens zult merken dat ik er ben.'

Hij liet me zien waar de keuken was en waar alle potten en pannen stonden. Zijn vrouw was drie of vier jaar eerder gestorven. En zoals de meeste mannen had hij het huis verwaarloosd. Elke centimeter van de vloer moest worden geschrobd. Je hebt nooit zoveel vuil gezien als rond en achter zijn fornuis. Ik zou een week nodig hebben om het huis schoon te krijgen, zodat je er niet meer misselijk van werd.

'Wat wilt u als ontbijt hebben?' vroeg ik.

'Geef me maar wat broodjes met jus,' zei Mr. Pendergast, 'en een gepocheerd ei.'

Ik had wel eens van gepocheerde eieren gehoord, maar ik had er nooit een gemaakt. Ik zou Hank moeten vragen wat een gepocheerd ei was.

'We hebben pas spek als we het varken slachten,' zei Mr. Pendergast. 'Maar dat duurt niet meer zo lang.'

Later, toen we voor het eerst in onze zolderkamer naar bed gingen, durfde ik me bijna niet te bewegen. Ik was bang dat Mr. Pendergast beneden ons lag te luisteren naar elk geluid dat we maakten. De vloerplanken kraakten. Ook het bed kraakte toen we erin klommen. 'Sst,' zei ik tegen Hank.

'Pendergast is zo doof als een kwartel,' zei Hank. Hij liet zijn stem niet eens dalen.

'Zelfs een kwartel kan dit bed horen kraken,' zei ik.

Nadat Hank de lamp had uitgeblazen, lagen we in het gammele bed in de kamer die naar oud hout en rook stonk. Hank ging met zijn gezicht naar me toe liggen. De spiraal sloeg tegen de onderkant van het bed. Ik giechelde omdat ik een beetje nerveus was. Maar ik was niet bang of ongerust, zoals de meeste bruiden. Ik had mijn hele leven al aan deze eerste nacht in ons eigen huis gedacht, en nu het zover was maakte ik me alleen maar zorgen dat we Mr. Pendergast wakker zouden maken.

'Sst,' zei ik opnieuw.

Toen Hank zijn lippen langs mijn oor streek, was dat zo'n raar en lekker gevoel, dat ik begon te huiveren. En toen hij mijn tepel streelde, gingen er elektrische schokjes door mijn hele lichaam. Op het moment dat zijn hand van mijn schouder naar mijn buik dwaalde, had ik het idee dat er in het donker kleine vonken van mijn huid sprongen.

Ik voelde dat mijn nachtgewaad omhoog werd geschoven, over mijn knieën, mijn dijen en mijn buik. Ik giechelde. Het bed kraakte toen Hank over me heen boog. Ineens voelde ik iets heets en nats in mijn navel. Ik wist dat het Hanks tong was die kringetjes om mijn navel maakte. Hij likte de haartjes rond mijn navel en stak zijn tong in het gaatje. Ik hoopte maar dat het schoon was.

Het was allemaal zo vreemd en anders dan ik me had voorgesteld. Ik wist amper wat er gebeurde. Het was alsof de wereld op zijn kop was gezet en alsof de tijd stilstond of langzamer ging. Toen Hank op me ging liggen en het bed heen en weer deed schudden, werd ik bijna verpletterd door zijn gewicht. Ik hoorde het hoofdeinde van het bed tegen de muur stoten, en dacht aan Mr. Pendergast die beneden lag te luisteren. Ik vroeg me af of dit het was. Was dit nou waar iedereen over sprak en zoveel aan dacht?

Stop, wilde ik zeggen. Hou op! Maar ik kon het niet. Ik zei niet dat hij moest stoppen. Toen Hank zich sneller bewoog, schoven de bedstijlen over de grond. Wat hij deed, was een beetje pijnlijk, maar ook lekker. Een zoete kwelling, een hete zoetheid.

'O,' zei ik. En ik dacht: je zult moeten ophouden. We kunnen zo niet doorgaan, want ik begin in ademnood te komen. Hank had ook bijna geen adem meer. Hou op, dacht ik. Of misschien was het: hou niet op. Hou nou niet op. Hou niet op.

Alle kleuren begonnen door mijn hoofd te stromen. Paarse, groene, gele en zwarte tinten. Ze vloeiden in elkaar over, zacht en warm als vers stromende melk. Ze waren dieper en voller dan ik ooit voor mogelijk had gehouden. Ze vormden melodieën, als noten op een notenbalk.

Hou op, dacht ik. We moeten stoppen, anders zullen we de oude Pendergast wakker maken. We zullen de kippen in het kippenhok wakker maken. We zullen het paard wakker maken en het varken in het varkenskot. We zullen zelfs de sterren boven de bergen wakker maken, en de vogels onder de overhangende dakrand van de schuur. Maar de kleuren achter mijn ogen bleven stromen. Paars en blauw. Kruidige kleuren als oranje en geel. Geel is zoutig als boter en popcorn. Geel was vol en boterachtig. En er was een goudbruine kleur die het kruidigst van alles was.

En ik voelde dat er iets gebeurde daar beneden, alsof ik moest niezen, maar dan met mijn lichaam. Een nies die van binnenuit opwelde en niet te stoppen was. Ik nieste en nieste, zo overweldigend dat het pijn deed.

Hank duwde met zijn voeten tegen het voeteneinde van het bed, alsof hij liggend rende of danste. Ineens was er luid gekraak. We vielen met een dreun op de grond. Het klonk of het huis was ingestort, maar ik wist wat er was gebeurd, al was het donker en kon ik niets zien. Het oude bed was uit elkaar gevallen, en de plank van het voeteneinde had het begeven. De spiraal en het matras waren op de grond gegleden.

Terwijl ik op de vloer lag wist ik dat Mr. Pendergast wakker moest zijn geworden. Ik giechelde een beetje. Hank legde zijn hoofd in mijn hals en giechelde ook. We waren beiden doodop en het was lekker om stil te liggen. Ik luisterde of ik Mr. Pendergast beneden hoorde rondlopen. Maar het enige dat ik kon horen was mijn eigen ademhaling en die van Hank. Toen klonk er een dreun. Het was de plank aan het hoofdeinde van het bed die op de grond knalde.

'Goeie genade,' zei ik in het donker. Ik dacht dat ik iemand beneden hoorde lachen, maar ik wist het niet zeker. Misschien was het een kleine schreeuwuil in het bos geweest, of de wind in de dakgoot.

De volgende morgen was Mr. Pendergast voor het eerst lastig. Hank was vroeg opgestaan om naar de fabriek in Lyman te gaan, waar hij de steenovens brandende hielp houden. Ik had wat broodjes met boter en jam besmeerd om in zijn lunchtrommeltje te stoppen. Na zijn vertrek zette ik water op om het gepocheerde ei van Mr. Pendergast te koken. Hank had gezegd dat een gepocheerd ei hetzelfde was als een zachtgekookt eitje. Rosie zou ongetwijfeld weten hoe je dat moest doen.

Toen het water kookte, legde ik er een ei in dat ik een minuut lang wilde koken. Maar ik had geen zandloper of een klok met een secondewijzer. Daarom moest ik gokken. Toen ik het ei uit het water haalde en op tafel legde, naast Mr. Pendergasts bord, was Mr. Pendergast nog steeds niet uit zijn kamer gekomen. Ik bleef wachten. Ten slotte at ik mijn eigen ontbijt – gort met jus – op en dronk een kop koffie. Toen ik klaar was, was Mr. Pendergast nog steeds niet verschenen. Ik stond op en maakte water warm voor de afwas. Nadat ik de vaat had gedaan, was hij er nog steeds niet. Ik legde de broodjes weer in de oven. Het duurde niet lang of de gort werd koud en er kwam een velletje op. Kon Mr. Pendergast 's nachts zijn gestorven? De gedachte bezorgde me koude rillingen. Had hij 's nachts het bed horen vallen en vond hij het lastig om te voorschijn te komen? Was hij vroeg opgestaan en vertrokken? Of zou hij verwachten dat ik hem zijn ontbijt op bed bracht?

Ik ruimde de schone vaat op, pakte de bezem en veegde de keukenvloer aan. Het vuur in het fornuis begon uit te gaan. Ik legde er nog wat hout op. Intussen was het licht geworden. De vroege zon wierp een koperen gloed op de bergtoppen. Ik hoorde een geluid achter me en draaide me om. Daar was Mr. Pendergast. Zijn haar was nog niet gekamd. Zijn wijde werkbroek was slechts aan één bretel vastgemaakt. Hij strompelde naar de tafel.

'Ik zal koffie voor u inschenken,' zei ik. Ik haalde de pot van het fornuis. Hopelijk was de koffie nog warm! Het vuur laaide weer op, maar misschien had het de koffiepot nog niet voldoende verwarmd.

Mr. Pendergast nam een slok koffie. Toen zette hij zijn kopje neer. 'De koffie is koud,' zei hij.

'Ik zal hem opwarmen,' zei ik. Ik pakte zijn koffiekopje en goot de koffie terug in de pot.

'Een mens kan geen koude koffie drinken,' zei Mr. Pendergast.

Ik haalde de pan met gort van het fornuis en zette hem op de tafel naast het bord van Mr. Pendergast. Hij pakte de opscheplepel. Toen hij hem in de gort stak, zag hij dat er een vel op was gekomen. 'Wanneer heb je dit gemaakt? Gisteravond?' vroeg hij.

'Het spijt me,' zei ik. 'Ik heb de gort om zes uur gemaakt, voor Hank.'

'Ik zou die grutten niet eens aan een varken voeren,' zei Mr. Pendergast.

'Ik zal nieuwe gort voor u maken,' zei ik. Ik pakte nog meer houtblokken uit de kist en stopte ze in het fornuis.

'Doe geen moeite,' zei Mr. Pendergast. 'Ik neem alleen broodjes en een ei.'

Ik haalde de broodjes uit de oven en legde ze op tafel, naast de jam, de stroop en de boter. Mr. Pendergast keek naar het ei. 'Ik dacht dat ik had gezegd dat ik een gepocheerd ei wilde.'

'Ik kan een andere voor u maken,' zei ik.

Mr. Pendergast sloeg het ei tegen de rand van zijn bord en begon het af te pellen. Toen stopte hij. 'Het is nog rauw,' zei hij.

'Ik heb geprobeerd het een minuut te laten koken,' zei ik.

'Dit kan ik niet eten!' Hij keek me aan alsof hij mij de schuld gaf van alles wat er mis was in de wereld. Hij liet het ei op zijn bord vallen, alsof hij een rotte aardappel had aangeraakt.

Toen de koffie warm was, schonk ik opnieuw een kopje voor Mr. Pendergast in. Maar ik ontweek zijn blik. Hij had niet tegen me gezegd wanneer hij zou opstaan. Hij had me niet verteld hoe je een ei pocheert. Maar ik wilde geen ruzie met hem maken, omdat het zíjn huis was en ik erin moest wonen.

Ik zette weer water op, maar Mr. Pendergast zei: 'Vergeet het ei maar. Ik eet alleen broodjes met stroop.' Hij zat aan de tafel alsof hij gekrenkt was en zelfs niet naar me wilde kijken. Ik stond bij het fornuis terwijl ik me afvroeg waar ik heen kon. Het was zijn huis, maar ik moest ervoor zorgen. Ik kon nergens heen, behalve naar boven naar de slaapkamer om het bed op te maken. Maar het bed was uit elkaar gevallen en zou weer in elkaar gezet moeten worden. Daarna kon ik de woonkamer en de veranda vegen.

Ik verliet Mr. Pendergast, die warme broodjes zat te eten en koffie te drinken, en klom de trap op naar de slaapkamer. Het bed was kapot. De dekens en lakens zaten in de knoop. Ik schoof de gordijnen open om het daglicht binnen te laten. Alles ging verkeerd. Behalve dan de herinnering aan de nacht. Ik wilde dat ik weer in ons huis op de berg was. Ik wilde bijna dat ik naar buiten kon gaan en op het veld of in het bos kon werken, zoals ik gewend was. Mama en Rosie waren in elk geval niet zo moeilijk tevreden te stellen als Mr. Pendergast.

Ik overwoog mijn spullen in de kartonnen doos te pakken en ervandoor te gaan. Ik zou de hele dag bezig zijn de berg naar North Carolina te beklimmen en vervolgens de bergrug. Het was een prettige gedachte. Behalve dat ik, als ik er eenmaal was, hetzelfde oude werk zou hebben en de schande van een mislukt huwelijk. Rosie en Lou zouden lachen als ze me over de weg zagen sjokken met mijn spullen in de doos. Mama zou haar hoofd schudden omdat het allemaal zo triest was. En ik zou weer hout moeten hakken en het zou weer tijd zijn om het varken te slachten.

Door de gedachte aan het werk werd mijn hoofd wat helderder. Als ik dan toch zo hard moest werken, kon ik net zo goed voor Hank en mezelf werken. Ik was nu in Gap Creek en kon net zo goed híer werken.

Ik zette de plank van het hoofdeinde tegen de muur en haalde de zijkanten onder het matras vandaan. Ik zag dat het bed weer in elkaar gezet kon worden, maar waar de bedstijl was gebroken moest er getimmerd worden. Anders zou het bed opnieuw uit elkaar vallen. Ik liep naar het raam. Toen ik de breuk in het daglicht bekeek, zag ik dat het een oude breuk was. Degene die het bed had neergezet, had geweten dat het uit elkaar zou vallen zodra het heen en weer schudde. Ik was er zeker van dat Mr. Pendergast het bed had neergezet zonder de breuk te repareren. Hij moest 's nachts hebben liggen wachten tot hij hoorde dat het bed het begaf. En ik had hém horen lachen nadat we op de grond waren gevallen en alles stil was geworden.

Ik vloog de trap af en liep snel naar de keukentafel om te vragen waar ik een hamer kon vinden. Maar Mr. Pendergast was weg. Zijn koffiekopje, zijn vuile bord en bestek waren er wel, maar hij was verdwenen.

'Waar is een hamer?' riep ik. Niemand gaf antwoord. Ik keek op de plank achter in de keuken, en daarna op de veranda aan de achterkant van het huis. Daar hing allerlei gereedschap. Ik vond geen hamer, maar ontdekte wel een bijl met een hamerkop. Na nog wat langer te hebben gezocht vond ik een roestige spijker onder een bol bindtouw.

Na de spijker in de bedstijl te hebben geslagen, zodat die de zijkant zou houden, zette ik het bed in elkaar. Het was een oud bed en het zou kraken, wat je er ook aan deed. Maar ik maakte het zo stevig als ik kon. Aangezien Hank en ik er elke nacht in zouden slapen, wilde ik dat het zo min mogelijk zou kraken. Mr. Pendergast zou misschien wel elke nacht beneden liggen luisteren, maar het bed zou in elk geval niet opnieuw uit elkaar vallen.

Toen ik de keuken weer binnenkwam, zat Mr. Pendergast naast het fornuis een stuk aanmaakhout te besnijden. Met een mes schraapte hij over het dennenhout en holde het met de punt van het lemmet uit. Hij was bezig een figuurtje uit te snijden. Ik wilde niet meer met hem praten, omdat ik dacht dat hij me zou afblaffen. Hij zou er misbruik van maken als ik iets vriendelijks zei en me direct bevelen iets te doen. Hij wist dat ik een jong meisje was dat nooit van huis was weggeweest. Hij wist dat ik in het nadeel was omdat ik getrouwd was en voor het eerst in mijn leven in een vreemd huis woonde. Het leek me beter niets te zeggen.

'Ik heb wat kleren die gewassen moeten worden,' zei Mr.

Pendergast. Hij deed de deur van het fornuis open en gooide houtspaanders in het vuur.

Ik had niet gedacht te moeten wassen op mijn eerste dag in Gap Creek. Thuis hadden we alleen op maandag gewassen. Toen herinnerde ik me dat het maandag wás. We waren zaterdag getrouwd en we waren zondag naar Gap Creek gelopen.

'Waar zijn uw kleren?' vroeg ik.

'In de slaapkamer, achter de deur,' zei Mr. Pendergast.

Het was al negen uur volgens de klok op de schoorsteenmantel. Als ik kleren ga wassen, vind ik het prettig vroeg in de morgen water te verwarmen. Ik zou een vuur moeten maken en water uit de bron halen. Ik keek in de slaapkamer waar Mr. Pendergast sliep. Je hebt nog nooit zo'n rotzooi gezien! Zijn kleren lagen overal verspreid. De kamer leek een voddenpakhuis. Het bed was waarschijnlijk in maanden niet opgemaakt. Er lagen stapels kleren op de ladekast en het nachtkastje. De kamer stonk naar kamfer. Waarschijnlijk had Mr. Pendergast reuma en wreef hij zijn gewrichten met kamferolie in. Maar er was ook de stank van vuil en van kleren die lange tijd niet waren gewassen.

Ik keek achter de deur. Daar lag een berg kleren die tot aan mijn middel reikte. Werkbroeken, hemden, ondergoed en sokken. De stapel viel om toen ik de deur sloot. Mr. Pendergast moest in geen maanden kleren hebben gewassen. Ik zou drie keer met mijn armen vol op en neer moeten lopen om alle kleren naar de achtertuin te brengen.

'Waar is de wasketel?' zei ik toen ik de keuken weer binnenkwam.

'Ik wil een beetje stijfsel in mijn hemden,' zei hij.

Ik ging op de veranda aan de achterkant van het huis staan en keek naar de tuin. Zoals in elke achtertuin was er een houtschuurtje, een rookhok en een drooglijn. Rechts was een pad dat naar de wc leidde, en links was een pad naar de bron. Verder was er een schuur en een varkenskot. De wasketel stond op het pad naar de bron. Naast de ketel stonden een tafel en een houten kuip. Ik keek rond op de veranda en vond een wasbord en een emmer. Naast de emmer lag een stuk Octagon-zeep.

Ik pakte de emmer en vulde de wasketel met water uit de bron. Toen haalde ik aanmaakhout en hout uit de schuur en begon een vuur onder de ketel te maken. Het waaide een beetje, en het vuur flakkerde. Ik legde er meer dennenhout op om de vlammen hoog te doen oplaaien.

Ik moest vier keer heen en weer lopen om de kleren van Mr. Pendergast naar de wastafel te dragen. Met mijn armen volgeladen probeerde ik al die zure kleren niet te ruiken. Als je een vies karweitje moet opknappen, moet je meteen aanpakken. Dan is het maar gebeurd. Het kan geen kwaad je handen vuil te maken. Je kunt ze altijd wassen. Hoe sneller ik de kleren in het kokende water zou stoppen, des te sneller ik klaar zou zijn. Ik probeerde niet naar de vuile kleren te kijken, maar liet ze op de tafel vallen en ging terug om de volgende lading te halen.

'Kook mijn beddengoed niet samen met de werkbroeken,' zei Mr. Pendergast toen ik door de keuken liep. Ik kon zien dat hij bezig was het figuurtje van een naakte vrouw uit het stuk dennenhout te snijden. Met de punt van zijn mes pulkte hij aan de ronde billen. 'Ik wil niet dat alles verbleekt,' zei hij. Ik gaf hem niet eens antwoord. Hij woonde in zo'n zwijnenstal, en hij waste en poetste nooit. En nu maakte hij zich druk om het verbleken van zijn kleren! Alles wat ik zei zou hem tonen hoe boos ik was, en ik wilde geen ruzie maken op mijn tweede dag in Gap Creek. Ik had me het begin van het huwelijksleven heel anders voorgesteld.

Zodra het water kookte, kwakte ik er het ondergoed en de lichte hemden in. Ik maakte het extra heet om het vuil en het vet uit te koken. Niets zuivert en steriliseert zo goed als kokend water. Het water begon te schuimen. Ik smeet er de vieze hemden in, roerde ze om met de roerstok en liet ze een minuut koken. Daarna haalde ik ze er weer uit en kwakte ze op de wastafel. Ik vulde twee emmers met kokend water en leegde ze in de kuip met koud water. Toen pakte ik het wasbord en de zeep en begon elke onderbroek en elk hemd schoon te boenen. Ik wreef op en neer, op en neer over het wasbord. Mijn gezicht werd vochtig door de damp van het zeepwater, en mijn handen werden rood.

Als je met heet water wast, ontstaat er een chemische reactie. Het is net of het vuur alle viezigheid wegbrandt en de zeep het vuil in iets schoons verandert. De scherpe zeep doet vet en vuil smelten. Hoezeer je er ook een hekel aan hebt, de was doen geeft je het gevoel dat je opnieuw begint. Je hebt je gezicht in de damp gestopt en je handen in het vuile zeepwater. En dan haal je de kledingstukken eruit, spoelt ze uit in schoon water en wringt ze uit in de wind.

De kleren van Mr. Pendergast waren alleen nog maar vochtig op het moment dat ik ze aan de lijn naast het pad naar de bron hing. Eerst hing ik het schone ondergoed, de schone hemden en de schone sokken op. Daarna de broeken. Ze wapperden in de wind.

'Heb je mijn sokken gewassen?' riep Mr. Pendergast vanaf de veranda.

'Ja,' zei ik.

'Er mag geen sok kwijtraken!'

'Natuurlijk niet!'

Toen ik klaar was met wassen, voelde ik me een beetje beter. Ik liet me niet door Mr. Pendergast en zijn gemopper weerhouden dingen te doen. Ik wist niet wat ik tegen hem moest zeggen, maar als het wassen van zijn muffe kleren deel uitmaakte van mijn werk, dan had ik mijn plicht gedaan. Als hem verzorgen deel uitmaakte van mijn huwelijksleven, dan was ik die morgen aan mijn huwelijksleven begonnen.

Ik liet het vuur uitgaan en goot de twee kuipen leeg in het gras naast het pad. De was hing aan de lijn, als een leger dat in het zonlicht marcheerde. Maar het ondergoed en de hemden leken meer op engelen dan op soldaten. Ze marcheerden geluidloos en blikkerden in de zon.

Ik bracht de emmer en de zeep terug naar de veranda. Mr. Pendergast stond op het trapje naar me te kijken. Met de punt van zijn lemmet legde hij de laatste hand aan de stevige borsten van zijn naakte vrouw. Ik keek naar het figuurtje en wendde mijn blik meteen weer af. Ik wilde niet dat hij me naar het houtsnijwerk zag kijken. Hij hield de dennenhouten vrouw in het zonlicht. Ik kon zien hoe rond haar billen waren en hoe groot haar borsten. Het gezicht was nog onbewerkt, maar de vorm van het lichaam was al afgewerkt en zag eruit als een echt beeld. Toen ik naar het figuurtje keek, zag ik dat Mr. Pendergast me grijnzend stond aan te kijken. Zijn gezicht was een beetje rood geworden. Ik rende langs hem naar binnen. Het was tijd om het eten te bereiden.

Mijn handen waren zacht door het wassen. Ik wou dat ik wolvet had om ze in te smeren, maar dat had ik niet. De huid van mijn vingers voelde net zo zacht aan als die van een baby. Ik stopte hout in het fornuis, want ik wilde maïsbrood bakken en zoete aardappels. Maar eerst zou ik Mr. Pendergast moeten vragen waar de zoete aardappels werden bewaard. Ik had er een hekel aan om hem iets te vragen, aangezien het me het beste leek hem te mijden. Ik was er vrij zeker van dat de aardappels ergens in een kelder of een hok lagen, maar ik had geen tijd om te gaan zoeken. Niet als ik vóór etenstijd klaar wilde zijn. Toen het fornuis eenmaal brandde, ging ik naar de veranda aan de achterkant van het huis. Mr. Pendergast hield nog steeds zijn pop vast en bewerkte het gezichtje met zijn mes.

'Waar worden de aardappels bewaard?' zei ik.

Hij draaide zich langzaam naar me om. 'Je staat er bovenop,' zei hij grijnzend.

Ik wilde hem niet vragen waar het trapje naar de kelder was. Ik zou er zelf wel achterkomen. Hij keek naar me terwijl ik de tuin inliep en rechts van het huis keek. Ik zag geen trapje of deur. Vervolgens keek ik links van het huis. Aanvankelijk zag ik niets anders dan onkruid en de schoorsteen. Maar ineens zag ik een deur, als het deksel van een vat. Toen ik hem optilde, zag ik een trap die naar de kelder leidde.

De trap was gemaakt van houtblokken. Hij zat onder het stof en voerde naar de duisternis onder het huis. Ik wou dat ik een lamp of een lantaarn bij me had. 'Vooruit! Je hoeft nergens bang voor te zijn,' zei Mr. Pendergast. Hij was achter me gaan staan.

Er hingen spinnenwebben aan de deurpost. Terwijl ik naar beneden liep bukte ik om de vieze webben te vermijden. Het was zo donker binnen, dat ik aanvankelijk niets kon zien. Maar de stank was scherp. Het was de stank van oud hout en vochtige grond die lange tijd geen zon hadden gezien. Het was de stank van dode dingen, van dode ratten en dode muizen, en van de urine die muizen op nesten van stro achterlieten. Er zoemde iets bij mijn oor. Ik probeerde het weg te slaan. Een mot fladderde naar de deur achter me.

Ik zag ogen glanzen in het donker, maar ik wist dat het deksels van weckpotten moesten zijn. Op een plank bewoog iets, als een muis of een slang die over droge grond kroop.

'Zie je de aardappels niet?' riep Mr. Pendergast.

'Ik kan geen hand voor ogen zien,' riep ik terug.

'Rechts van je,' schreeuwde hij.

Ik stapte opzij en trapte op iets glads en zachts. En toen zag ik de aardappels. Ik pakte er een stuk of zes en legde ze in mijn schort. Voor ik vertrok liet ik mijn blik nogmaals door de kelder dwalen. Toen mijn ogen zich een beetje aan het donker hadden aangepast, zag ik planken vol weckpotten, kleine en grote, gevuld met jam en sperziebonen. Sommige waren verbleekt omdat ze te lang in het donker hadden gestaan. Uit een van de potten stak iets wat eruitzag als een slangenkop. Een tong flitste heen en weer in het halfduister. Toen ik me omdraaide naar de deur, stootte ik mijn hoofd tegen de lateibalk. Een spinnenweb bleef in mijn haar vastzitten.

'Heb je mijn lievelingsslang gezien?' vroeg Mr. Pendergast toen ik de trap op klom.

Het zonlicht deed pijn aan mijn ogen. Ik wilde de spinnenwebben wegslaan, maar Mr. Pendergast mocht vooral niet denken dat ik bang was! 'Ik heb geen slang gezien,' zei ik.

'Hij is een schatje van zo'n meter lang,' zei Mr. Pendergast.

Ik liep snel langs hem met de aardappels in mijn schort. Ik wilde niet dat hij dacht dat hij me boos kon maken.

Om maïsbrood te maken, om góed maïsbrood te maken, moest ik botermelk hebben. Ik wist dat de botermelk in het koelhuis boven de bron zou zijn. Ik pakte de emmer om hem met water te vullen en haastte me naar het koelhuis. Het was een laag, houten gebouwtje boven de beek. De vloer bestond uit water, op een rij stapstenen vanaf de deur na. In het water stonden aarden kruiken met melk en room, en tinnen emmers vol boter. Terwijl ik bukte om een kruik botermelk te pakken, zag ik dat er vanuit een hoek naar me werd gekeken. Het leek een harige slang. Maar ik wist dat het zoiets als een wezel moest zijn. Het dier was lang en zijn ogen glommen in zijn kleine, spitse snoet. Ik stampte met mijn voeten. Het dier schoot weg onder de drempel. Het moet een nerts zijn geweest, want het was te zwart en te lang voor een wezel.

Toen Hank die avond thuiskwam, zag ik dat hij moe was. Hij was helemaal naar Lyman gelopen. Toen had hij de hele dag bij de steenoven gewerkt, en daarna was hij teruggelopen. Zijn gezicht leek een beetje verbrand door de hitte van de steenoven.

Sinds het ontbijt had ik Mr. Pendergast de hele dag genegeerd, en ik bleef hem negeren nadat Hank was thuisgekomen. Hank ging de koe melken. Toen hij de warme melk binnenbracht, goot ik de melk door een doek in een van de aarden kruiken. In een kruik zou de melk kouder blijven dan in een weckfles. Ik bond een doek om de kruik en stond op het punt hem naar het koelhuis te brengen, toen Mr. Pendergast de keuken in kwam. Misschien was hij vergeten dat Hank er was. Ik weet het niet. Hij zei: 'Nee, nee, nee, dwaas. Zet niet alle melk in het koelhuis. Als je boter wilt, moet je wat melk bewaren om te stremmen.'

Hank had net zijn handen gewassen en ging aan tafel zitten. 'Je had haar geen dwaas moeten noemen,' zei hij tegen Mr. Pendergast. Ik had hem nog nooit zo dreigend horen praten.

Mr. Pendergast draaide zich razendsnel om. 'Iemand moet hier bevelen geven,' zei hij.

'Jíj geeft Julie geen bevelen,' zei Hank terwijl hij ging staan en de vinger tegen Mr. Pendergast ophief.

'Dit is míjn huis,' zei Mr. Pendergast.

'En zij is míjn vrouw,' zei Hank. 'Als íemand haar bevelen geeft, ben ík het.'

Ik wilde zeggen dat ik me door niemand liet bevelen, maar het leek me beter er het zwijgen toe te doen.

Mr. Pendergast keek stomverbaasd, alsof hij niet gewend was met een andere man te redetwisten. 'Ik ben niet gewend aan een meisje dat niets weet,' zei hij.

'Als de manier waarop zij de dingen doet je niet aanstaat, moet je op zoek gaan naar iemand anders om in je smerige rothuis te wonen,' zei Hank.

Mr. Pendergast draaide zich om. Het leek of hij weg wilde lopen. Toen keek hij mij aan. Ik zag dat hij iets wilde zeggen, maar hij zweeg.

'We kunnen ons boeltje pakken en vanavond nog vertrekken,' zei Hank. 'Zoek maar iemand anders om je vuile troep op te ruimen.'

'Wacht 's even!' zei Mr. Pendergast.

'We kunnen zo terugkeren naar de berg,' zei Hank. Hij dacht dat hij sterker stond dan Mr. Pendergast, en daar zou hij gebruik van maken. Dat had ik Hank nog nooit zien doen.

'Wacht 's even,' herhaalde Mr. Pendergast.

'We kunnen wel iets beters vinden dan dit huis in Gap Creek,' zei Hank. Zijn stem trilde, maar ik wist niet of hij werkelijk zo boos was. Mr. Pendergast hoorde het trillen van zijn stem ook.

'Ga dan weg als je dat wilt,' zei Mr. Pendergast.

'Ik wil niet dat je Julie bevelen geeft,' zei Hank. 'En ik wil niet dat je je met ons bemoeit.'

'Ik zal in mijn eigen huis doen wat ík wil, verdomme,' zei Mr. Pendergast. Zijn stemming sloeg om.

Ik zag dat Hank klem zat, want we konden niet vertrekken na slechts één dag in Gap Creek te hebben gewoond. We konden nergens heen. Hij had gedacht dat hij sterker stond dan Mr. Pendergast, maar dat bleek niet zo te zijn. Ik wachtte om te kijken wat hij zou zeggen.

'Als Julie hier het huishouden moet doen, zouden we niet voor het eten moeten betalen,' zei Hank.

'Je hoeft niet voor het eten te betalen,' zei Mr. Pendergast. 'Maar ik zeg in mijn eigen huis wat ik wil, verdomme.'

'Kijk uit tegen wie je het zegt,' zei Hank.

'Jíj moet uitkijken tegen wie je het hebt,' zei Mr. Pendergast. Maar Mr. Pendergast en Hank moesten ophouden, want al waren ze boos, geen van tweeën kon zich nog meer ruzie veroorloven. Mr. Pendergast zou waarschijnlijk niemand anders kunnen vinden om zijn huis schoon te houden en voor hem te koken, en Hank en ik konden nergens anders heen. Hank liep zwijgend naar buiten. Mr. Pendergast zat met neergeslagen ogen aan tafel. Hij bleef zo zitten tot het eten klaar was.

De volgende week, toen ik opnieuw de was deed, hoorde ik een stem aan de voorkant van het huis. Aanvankelijk negeerde ik het. Ik dacht dat het een krassende kraai was aan de overkant van de beek of een blaffende vos in het bos. Soms draagt een geluid heel ver als de wind in de juiste richting waait.

'Piiendergaaasss!' riep iemand. Er was iets aan de hand met de stem. Hij klonk zo langgerekt en verdraaid. 'Piieendergaass!' zei de stem opnieuw, alsof de persoon die stond te roepen niet normaal kon praten.

Voor zover ik wist was Mr. Pendergast thuis. Hij zat in de keuken te ontbijten. Als ík de stem kon horen, kon hij dat zéker!

'Piieendergaaasss!' schreeuwde de man, alsof hij in de naam stikte terwijl hij hem uitsprak.

Ik begon naar de voorkant van het huis te rennen om te zien wie het was, maar iets in de stem hield me tegen. We kregen niet veel bezoekers in Gap Creek. Ik vloog naar de achterdeur en keek in de keuken, maar Mr. Pendergast zat niet aan de keukentafel. Ik probeerde mijn ogen aan het zwakke licht te laten wennen, maar ik zag hem nergens.

'Mr. Pendergast.' Ik fluisterde bijna. Ik wilde niet dat degene die stond te roepen me hoorde.

'Piieendergaassss!' brulde de man vanaf de voortuin.

Ik liep naar de woonkamer om te kijken wie het was, maar in de deuropening botste ik bijna tegen Mr. Pendergast op. Hij stond voorovergebogen, met zijn vinger op zijn lippen.

'U wordt geroepen,' zei ik.

'Sst,' zei Mr. Pendergast. Het leek of hij probeerde zich zo klein mogelijk te maken.

'Piieendergaasss, ik weet waar je bééént,' riep de stem.

'Wie is dat?' vroeg ik. Het sloeg nergens op dat Mr. Pendergast zich in zijn eigen huis verstopte! Ik liep naar het raam om naar buiten te kijken.

'Laat hij je niet zien!' siste Mr. Pendergast.

'Wat wil hij?' vroeg ik.

'Piieendergaasss, je staat bij me in het krijtttt,' schreeuwde de man.

'Het is Timmy Gosnell,' zei Mr. Pendergast. 'Hij is weer eens dronken.'

Ik hoorde een dreun op de veranda, alsof er een steen of een stuk ijzer op de planken vloer was gevallen en was doorgerold tot hij tegen de muur sloeg. Ik had een koud, onaangenaam gevoel in mijn maag.

'Kunt u niet vragen of hij weggaat?' zei ik.

'Hij is in de lorum,' zei Mr. Pendergast. 'En als Timmy in de lorum is, is hij stapelgek.'

'Piieendergaasss!' schreeuwde de man. 'Je moet het rééécht-zetten.'

Ik keek door een kiertje tussen de gordijnen. De man droeg een lange, zwarte jas zonder knopen. Het leek of zijn broek slechts aan één bretel hing. Zijn hoed zat als een uitgeputte vogel op zijn hoofd, en in zijn voorhoofd was een snee. Hij leunde voorover, alsof hij zich tegen een harde wind schrap zette. Met zijn hand boven de ogen keek hij naar het raam.

'Piieendergaasss!' brulde hij.

'Gaat u niet met hem praten?' zei ik tegen Mr. Pendergast.

'Dat heeft geen zin,' zei Mr. Pendergast. 'Als Timmy Gosnell dronken is, kun je niet verstandig met hem praten.'

De man in de voortuin raapte een steen op en gooide hem naar de deur. De knal bezorgde me bijna een hartstilstand. Ik had weinig ervaring met dronken mannen. Papa had slechts een beetje braambessenwijn voor zijn reuma gedronken. En als een van de Willard-jongens dronken was en bij ons binnen wilde komen, had papa hem altijd weten over te halen naar huis terug te keren.

'Piieendergaasss,' riep de man. 'Als je doodgaat zal er rook uit je graf kóóómen!'

'Wat bedoelt hij?' zei ik.

'Hij denkt dat ik hem nooit voor de ginseng heb betaald,' zei Mr. Pendergast. 'Dat heb ik wel gedaan, maar hij kan het zich niet herinneren omdat hij toen straalbezopen was.'

Er knalde een steen tegen de voordeur. Ik schrok me een

ongeluk. Het was afschuwelijk als er naar je werd geschreeuwd terwijl je in je eigen woonkamer stond.

'Ik ga naar buiten,' zei ik.

'Niet doen! Timmy kan heel lastig zijn als hij dronken is.'

Met heel veel moeite klom Timmy Gosnell de trap van de veranda op. Een stok die Mr. Pendergast als wandelstok gebruikte stond tegen de deurstijl. De dronken man pakte hem beet en begon op de deur te bonken. Het maakte een verschrikkelijke herrie. Het huis schudde op zijn grondvesten.

'Ga weg!' riep Mr. Pendergast.

'Róóók zal uit je graf kóóómen,' brulde de dronkaard. Hij ramde op de muur, alsof hij het huis strafte.

'Bent u van plan helemaal níets te doen?' zei ik. Ik hapte naar adem. Mijn oren gonsden.

'Je staat bij me in het krijttt,' schreeuwde Timmy Gosnell. Hij sloeg op het hout alsof hij de doden op de verre heuvel wakker wilde maken. Ik kon er niet meer tegen. Het kabaal maakte me woest! Ik stormde naar de deur en smeet hem open. De dronkaard deinsde vol verbazing terug terwijl hij de stok liet vallen. Toen legde hij zijn hand boven de ogen om te zien wie ik was.

'Je bent niet Piieendergaasss,' zei hij.

'Je moet je schamen!' riep ik. Ik trilde van woede en angst. Ik kon de dronken man ruiken. Hij stonk naar verzuurd fruit en vieze lompen en urine. Hij stond met samengeknepen ogen naar me te kijken.

'Ben je de hoer van Piieendergaasss?' zei hij.

'Maak dat je wegkomt!' zei ik. Ik pakte de wandelstok, alsof ik van plan was hem een mep te verkopen. Ik had zin met de stok in zijn grauwe gezicht te slaan.

'Piieendergaasss is een lafaard,' zei hij. 'Hij laat een vr-vrvrouw het voor hem opnemen.'

'Maak dat je wegkomt!' schreeuwde ik.

De dronkaard keek naar de deur. Toen naar mij. En vervolgens naar de weg. Hij deed net of hij zich niet kon herinneren waar hij was of wat hij deed. Hij keek naar de grond alsof daar een aanwijzing zou kunnen zijn. Toen stak hij een hand in zijn jaszak, haalde een fles te voorschijn, trok er de kurk uit en nam een slok. Daarna stopte hij de fles weer terug. 'Piieendergaasss!' brulde hij.

'Schiet op, verdwijn!' zei ik. Maar ik trilde terwijl ik de stok vasthield en hem achteruit weg zag lopen. Ik wist niet wat ik moest doen als hij me naar de keel zou vliegen. Eén keer stopte hij en wilde iets zeggen, maar toen maakte hij een handgebaar, alsof het geen zin had, en liep verder. Ik keek hem na tot hij helemaal naar de bocht in de weg was gewankeld.

Zodra Hank thuiskwam, vertelde ik wat er was gebeurd. Hij was zo boos, dat zijn gezicht eerst wit en toen rood werd. Hij draaide zich snel naar Mr. Pendergast om en zei: 'Heb je hem stenen naar het huis laten gooien?'

'Hij heeft niets gebroken,' zei ik.

'En heb je Julie naar buiten laten gaan om een dronken man aan te pakken?' zei Hank.

'Ik smeekte haar het niet te doen,' zei Mr. Pendergast. 'Ik zei tegen haar dat het geen zin had.'

'Ik zei dat hij weg moest gaan, en dat deed hij,' zei ik.

Hank was zo boos, dat hij heen en weer beende in de keuken terwijl hij met zijn vuist in zijn handpalm sloeg. 'Ik wou dat ík hier was geweest.'

'Met een dronken man kun je niet verstandig praten,' zei Mr. Pendergast, 'niet met Timmy Gosnell.'

'Niet als je je in je huis verstopt,' zei Hank.

'Het had niet veel om het lijf,' zei ik. Ik had er spijt van Hank het hele verhaal te hebben verteld.

'Ik hoop dat ik de volgende keer wél thuis ben,' zei Hank.

'Dat hoop ik ook,' zei Mr. Pendergast.

Maar ík hoopte dat Timmy Gosnell nooit meer naar het huis van Mr. Pendergast zou komen. En ik hoopte dat, als hij wél kwam, Hank níet thuis zou zijn.

'Die man heeft iemand nodig die hem zo'n oplawaai geeft, dat hij op slag nuchter wordt,' zei Hank.

'En daar ben jij precies de juiste man voor,' zei Mr. Pendergast.

Hoofdstuk 5

Na ons huwelijk had Hank tegen me gezegd dat zijn moeder, ma Richards, een paar weken bij ons zou komen logeren. Ze zou een lift krijgen vanaf Painter Mountain. Ik had ma Richards nooit ontmoet. Ik verheugde me op haar bezoek, want sinds we naar Gap Creek waren verhuisd had ik maar weinig vrouwen gezien. Het was al laat in de herfst, tijd voor het slachten van de varkens.

Op een dag kreeg Hank een brief van zijn moeder. Met potlood had ze op een papiertje gekrabbeld: 'Hank, kom me zaterdag halen. Om tien uur sta ik klaar.' Dat was de hele brief.

'Waarmee ga je haar ophalen?' zei ik. Hank had geen paard, laat staan een buggy of een wagen. Elke dag ging hij te voet naar de fabriek in Lyman. Mr. Pendergast had een oude merrie die een zere voet had. Hank betwijfelde of het paard de berg op en af zou kunnen komen. In de schuur stond een oude buggy, begraven onder een dikke laag stof, paardentuig en andere rommel.

'Je zult een brief naar je moeder moeten sturen en zeggen dat je niet kunt komen,' zei ik. 'Ze zal het wel begrijpen.'

'Ze verwacht me,' zei Hank, alsof er geen keus was.

We haalden de buggy onder het hooi en de rotzooi vandaan. Ik pakte een emmer met warm water en een doek en boende het hele ding schoon. Er was een arm van de disselboom gebroken. Hank sneed een nieuwe van hickoryhout en maakte hem glad met een stuk glas. Hij haalde de wielen eraf en smeerde vet op de uiteinden van de assen. Daarna verving hij een spaak in een van de wielen.

'Het enige dat je nu nog nodig hebt is een paard,' zei ik.

'Ik héb een paard,' zei Hank. Hij haalde de merrie van Mr. Pendergast uit de wei en liet me de wond op haar rechter voorvoet zien. Er kwam pus uit. 'Ze zal het kalm aan moeten doen,' zei hij. 'Bovendien zal ik een sok om haar voet binden.'

'Een sok? Hoezo?'

Hank pakte een stuk leer en stopte er katoen in. Toen bond hij het leer om de voet van de merrie. Het was net of ze een gezwollen hoef had.

Ik had niet verwacht dat ik nerveus zou zijn omdat ma Richards op bezoek kwam, maar ik was het wel! Nadat Hank nog voor het ochtendkrieken naar Painter Mountain was vertrokken, begon ik aan alle verhalen te denken die ik over schoonmoeders had gehoord. Dat ze zo gemeen waren voor een meisje dat met hun zoon trouwde. Ik sloot toch al niet zo makkelijk vriendschap met een vrouw.

Terwijl ik wachtte tot Hank terugkwam met zijn moeder, vroeg ik me af wat ik tegen haar zou zeggen, en wat ze van mijn kookkunst en mijn huishoudelijke kwaliteiten zou vinden. Ik bracht de slaapkamer naast die van ons in gereedheid. Ik ruimde de troep op en maakte alles schoon. Toen ging ik naar de vliering om een eenpersoonsbed te zoeken. Mr. Pendergast had gezegd dat daar een bed stond, maar toen ik op de vliering was geklommen, was het er zo'n puinhoop dat ik het bed aanvankelijk niet zag. Er waren jampotten en oude stoelen. En het stikte er van de spinnenwebben. Aan de daksparren hingen wortels. Ik dacht dat het ginseng was, maar alles zat onder het stof.

Toen ik eindelijk het kleine bed vond, moest ik het met water en zeep schoonboenen. Ook maakte ik de vloer van de kleine slaapkamer schoon, evenals het enige raam, waar ik een gordijn voor hing. Mr. Pendergast keek toe. Hij zei niet veel. Sinds de ruzie met Hank, op de tweede avond, was hij een beetje kalmer, hoewel hij het nog steeds leuk vond me af en toe af te blaffen. Op sommige dagen kwam hij pas na het middaguur uit bed. Als hij aan de keukentafel zat terwijl ik aan het werk was, klaagde hij dat hij geen goede verstandhouding met zijn stiefkinderen had, dat ze hem nooit kwamen opzoeken.

'Hoe lang is Mrs. Pendergast al dood?' vroeg ik.

'Vier jaar. En sinds de begrafenis heb ik mijn stiefkinderen niet meer gezien.'

Ik heb er moeite mee om op iemand te wachten. Dan word ik zenuwachtig, krijg het warm en denk aan alles wat er mis zou kunnen gaan. Hoe nerveuzer ik ben, des te meer zorgen ik me maak en hoe prikkelbaarder ik word. Als ik lang op iemand moet wachten, kruipt de tijd tergend langzaam voorbij en heb ik het gevoel dat ik het niet vol zal houden. Het enige dat je kunt doen is níet wachten, maar gewoon doorgaan met waar je mee bezig bent.

Nadat ik de slaapkamer voor ma Richards in orde had gemaakt, slachtte ik een kip en bereidde hem voor de avondmaaltijd. Terwijl de kip lag te braden, bakte ik broodjes en een appeltaart van appels van een boom naast de wei. Ik maakte me zorgen over mijn kookkunst, want thuis had Rósie altijd gekookt. Ik had nooit leren koken, behalve wat ik mezelf had bijgebracht.

Ik dekte de tafel. Toen het donker werd kwam Mr. Pendergast de keuken binnen en ging zitten. Ik liet de kip op het fornuis staan, met een deksel op de pan, zodat hij niet uitdroogde. Ik legde een doek over de broodjes om ze warm te houden. De klok gaf aan dat het al over zessen was.

'Misschien zijn ze omgekomen,' zei Mr. Pendergast.

'Het brengt ongeluk om zulke dingen te zeggen,' zei ik.

Buiten hoorde ik lawaai. Ik rende naar het raam. Maar het was iemand anders die in een wagen passeerde.

'Het heeft geen zin op de uitkijk te staan,' zei Mr. Pendergast.

'Wat heeft dan wél zin?' vroeg ik.

'Misschien zijn ze in een ravijn gestort,' zei Mr. Pendergast.

In plaats van op zijn avondeten te wachten pakte Mr. Pendergast de pot met stroop en maakte een paar warme broodjes met boter en stroop voor zichzelf klaar. Daar was hij dol op. Ik hoopte maar dat hij niet alle broodjes opat voor Hank en ma Richards arriveerden.

'We verheugen ons altijd op de komst van mensen,' zei Mr. Pendergast, 'en daarna verheugen we ons op hun vertrek.'

Tenslotte, het was bijna zeven uur, werd de deur geopend. Daar stond Hank. Naast hem een klein vrouwtje. Omdat Hank groot was, verwachtte ik dat ma Richards ook groot zou zijn. Maar ze leek op een bantammerkip, met haar donkere ogen en spitse kin. Ze had een sjaal om haar hoofd gebonden. Ze liep de kamer binnen alsof ze hem voor zichzelf opeiste.

'Ik heb het koud en ik sterf van de honger,' zei ze. Ze liep door de keuken en liet haar blik over de legplanken, het fornuis en de broodkast dwalen.

'We zijn er heel trots op dat u bent gekomen,' zei ik. Ik wist niet of ik al dan niet mijn hand moest uitsteken. Ze keek me aan. 'Je bent niet zo lang als ik had verwacht,' zei ze. Ik had net gedacht dat zij zo klein was, maar ik zei niets.

'Dit is Mr. Pendergast,' zei Hank. Mr. Pendergast hield op met eten en veegde zijn handen aan zijn broek af. Maar toen hij ma Richards een hand toestak, nam ze die niet aan.

'Ben jij de Pendergast die door een paard omver is gelopen?' zei ma Richards.

'Dat was mijn broer,' zei Mr. Pendergast. 'Hij is al twintig jaar dood.'

Ma streek met een vinger over een plank. Daarna keek ze of er stof op zat. Ze tilde het deksel van de braadpan op. Er kwam stoom uit. 'Zullen we gaan eten?' zei ik.

'Ik heb het zo koud, dat ik een kop koffie nodig heb,' zei ma.

'Het duurt slechts een minuut om koffie te maken,' zei ik.

'Zijn de bonen al gemalen?' vroeg ma.

'Nee, maar het duurt slechts een seconde om de bonen te malen. Als u zo lang kunt wachten.'

'Mooi, want ik hou niet van oude koffie,' zei ma. Ze was zo veeleisend en arrogant, dat ik het nauwelijks kon geloven. Ik wilde tegen haar zeggen dat ze haar eigen koffie had moeten meebrengen, maar ik zweeg.

Hank en ma gingen bij Mr. Pendergast aan tafel zitten. Ik nam een lantaarn mee naar de veranda aan de achterkant van het huis en maalde wat koffiebonen. Toen ik weer terug was en de koffie begon te koken, ging ik ook aan tafel zitten.

'Een vrouw moet altijd voorbereid zijn op haar gasten,' zei

ma Richards. Ze smeerde boter en stroop op een broodje. 'Ze moet weten wat ze nodig zullen hebben.'

'Het spijt me,' zei ik. Ik weet niet waarom ik dat zei. Het flapte er gewoon uit. Ik denk dat ik te boos was om te zeggen wat ik werkelijk voelde. Meer dan een uur geleden had alles al klaargestaan!

'We zijn zo laat omdat er een as is gebroken,' zei Hank.

'We boffen dat we nog leven,' zei ma Richards. Ze hield een lepel in het lamplicht en bekeek hem nauwkeurig. Ik was blij dat ik al het tafelzilver had gepoetst.

'Ik moest het probleem met een stuk hickoryhout oplossen,' zei Hank.

'Ik ben nog nooit zo bang geweest in mijn leven,' zei ma Richards. 'We waren op de rand van de klif toen het wiel van de buggy brak. Trouwens, hoe kwam je aan die buggy?'

'Hij is van mijn vader geweest,' zei Mr. Pendergast.

'Weet je zeker dat het niet je gróótvader was?' vroeg ma Richards lachend. Mr. Pendergast lachte met haar mee.

Nadat ik aan de tafel was gaan zitten, met ma Richards aan het hoofdeinde, waar ik gewoonlijk zat, sprak Hank een langer gebed uit dan anders. En de toon waarop hij het deed was ook eerbiediger. 'God, maak ons dankbaar en waardig...' begon hij. Wat gedraagt hij zich omzichtig in haar nabijheid, dacht ik. Ze is zo'n klein vrouwtje, en toch gedraagt hij zich als een jongetje dat haar probeert te behagen.

'Ik ben zo overstuur dat ik geen trek heb,' zei ma Richards toen het gebed voorbij was. Ik reikte haar de schotel met kip aan. Ze pakte een kippenboutje, hield het in het lamplicht en keek naar de korst, die vochtig was geworden door het lange wachten in de pan.

'Een korst blijft niet knapperig als er te veel meel op het vel zit,' zei ze.

Ik stond op het punt te zeggen dat de korst zacht was geworden omdat de kip zo lang in de pan had liggen wachten, maar ik hield me in. Ik wilde geen ruzie met ma Richards. Ze was niet alleen mijn schoonmoeder, maar ook mijn gast. En ik was nog lang geen volleerde kok.

Ma pakte een broodje en sneed het door. Het broodje was

ook zachter geworden door al dat wachten. Ma hield het broodje in het lamplicht. 'Een broodje dat niet lang genoeg is gebakken wordt nooit knapperig,' zei ze. Ik voelde dat mijn wangen begonnen te gloeien. Ma Richards stelde me op de proef in het bijzijn van Hank en Mr. Pendergast. Ik was niet van plan me door haar op stang te laten jagen. Ik reikte haar de rijst en de sperziebonen aan. Daarna de boter en de stroop. Toen ik zag dat de koffie kookte, stond ik op en schonk een kopje koffie voor haar in. Ik vroeg Mr. Pendergast of hij ook koffie wilde.

'Als ik 's avonds koffie drink, kan ik een week lang niet slapen,' zei hij.

'Iemand met een zuiver geweten kan altíjd slapen,' zei ma Richards.

Mr. Pendergast wilde antwoorden, maar kennelijk wist hij niets te zeggen. Hij kon niet toegeven dat zijn geweten niet zuiver was, en hij kon ook niet zeggen dat het wél zuiver was. Er was niets tegen ma's opmerking in te brengen. Ik ging weer zitten en schepte wat rijst voor mezelf op.

Ma Richards nipte van haar koffie, alsof ze hem keurde. 'Is dit het huis waar een vrouw aan tbc is gestorven?' zei ze.

'Dat was mijn vrouw,' zei Mr. Pendergast.

'Ik heb gehoord dat ze lang ziek is geweest,' zei ma.

'Bijna drie jaar.'

Ma keek om zich heen, alsof ze verwachtte Mrs. Pendergast in een donkere hoek van de keuken te zullen zien. 'Ik heb gehoord dat tbc-bacillen jarenlang in een huis blijven,' zei ze.

'Ik heb er geen last van gehad,' zei Mr. Pendergast.

'In welke kamer is ze gestorven?' zei ma. Ze dronk van haar koffie en nam een hap van haar broodje met stroop.

'In de slaapkamer aan de voorkant, waar ik nog steeds slaap,' zei Mr. Pendergast.

'Dan heb je geluk gehad,' zei ma. Ze nam een hap van haar kip. Daarna legde ze het kippenboutje neer en smeerde nog meer stroop op haar broodje.

'Hoe is jouw man gestorven?' zei Mr. Pendergast met zijn mond vol kip.

Ma Richards keek Mr. Pendergast aan alsof hij haar ergens

van beschuldigde. Ze nam nog een hap brood en zei: 'Hij is op de veranda gestorven. Hij hielp me met karnen en toen viel hij ineens voorover, de tuin in. De karnton viel om. De kippen kwamen naar de veranda gerend om de zure melk op te pikken.'

'Is hij aan een beroerte gestorven?' vroeg Mr. Pendergast.

'Een beroerte of een hartaanval,' zei ma Richards.

'Hij moet iets verkeerds hebben gegeten,' zei Mr. Pendergast.

'Hij at wat ik voor hem maakte: eenvoudige, gezonde kost.'

'Ik kreeg een waarschuwing dat pa zou sterven,' zei Hank.

'Wat voor waarschuwing?' vroeg Mr. Pendergast.

'Mijn broer Russ en ik zaten buiten te wachten tot pa terugkwam van de molen,' zei Hank. 'Hij was laat. De zon begon al onder te gaan. We keken naar de wei beneden ons. Toen zag ik pa de helling opkomen. Maar hij droeg een nieuw pak, niet zijn werkbroek. Hij is waarschijnlijk naar de stad geweest om een nieuw pak te kopen, dacht ik.'

'Droomde je?' vroeg Mr. Pendergast.

'Russ zag hem ook,' zei Hank. 'Als het een droom was, droomden we beiden. We zagen pa over de wei lopen. Toen hij zo dichtbij was dat ik met hem kon praten, wilde ik vragen waarom hij een nieuw pak had gekocht. Maar op het moment dat ik mijn mond opende, was hij verdwenen.'

'Waar naartoe?' vroeg ik.

'Hij was gewoon verdwenen. Zowel Russ als ik had hem gezien, en toen verdween hij gewoon in het niets.'

'Hebben jullie hem nooit meer gezien?' zei Mr. Pendergast.

'We keken overal,' zei Hank. 'Na een paar minuten zagen we pa opnieuw door de wei lopen. Maar deze keer droeg hij zijn werkbroek, zijn oude, zwarte hoed en een zak meel over zijn schouder.'

'En wist hij niets van het nieuwe pak?' vroeg ik.

'We vroegen hem ernaar. Hij dacht dat we hem voor de gek hielden.'

'Hebben jullie het niet uitgelegd?' zei Mr. Pendergast.

'We zijn er nooit achter gekomen hoe het precies zat,' zei Hank. 'Enkele weken later stierf pa plotseling. Het was een voorteken, maar we begrepen het niet.'

‘De Heer stuurt ons een waarschuwing,’ zei ma, ‘maar we luisteren niet.’

‘Er was een waarschuwing vóór pa stierf, en ook eentje erna,’ zei Hank.

‘Hoezo?’ vroeg Mr. Pendergast.

‘Oom Calvin heeft pa na zijn dood gezien,’ zei Hank.

‘Hoe kan dat nou?’

‘Nadat pa gestorven en begraven was heeft oom Calvin hem zondags tijdens de kerkdienst gezien. Hij zat op zijn gebruikelijke plaats te zingen,’ zei Hank.

‘Heeft je oom hem gesproken?’ vroeg Mr. Pendergast.

‘Na de dienst was hij weg. Oom Calvin heeft hem de volgende twee zondagen ook gezien. Maar daarna niet meer.’

‘Het was een teken,’ zei ma Richards.

‘Waarvan?’ vroeg Mr. Pendergast.

‘Een teken dat hij het vreselijk vond om ons te verlaten, ook al ging hij naar de Heer,’ zei ma. ‘Het was een teken dat hij altijd over ons zou waken.’ Ma haalde haar zakdoek te voorschijn en depte haar ogen. Toen stopte ze de zakdoek weer in haar mouw en begon boter op een broodje te smeren.

‘Ik denk dat de doden de hele tijd over ons waken,’ zei Mr. Pendergast.

‘Natuurlijk doen ze dat,’ zei ma Richards. ‘Daarom moeten we oppassen met wat we doen en zeggen. Ze zijn bij God en waken over ons. Tenminste, sommigen zijn bij God.’

‘We weten geen tiende van wat er te weten is,’ zei Mr. Pendergast. ‘Zelfs geen zesde.’

Het was zo warm in de keuken, dat ik naar buiten moest. Ik liep naar de veranda om de taart te halen die ik daar had neergezet om af te koelen. Zodra ik de deur opende, voelde ik de koude wind. Het was fijn om de keuken uit te zijn, maar ik rende snel terug met de appeltaart.

‘Er waait een vrieswind,’ zei ma Richards.

‘Als het gaat vriezen, moeten we het varken slachten,’ zei Mr. Pendergast.

‘Als je wilt dat ik je help, moet het op een zaterdag gebeuren,’ zei Hank.

'Als jij me helpt het varken te slachten, deel ik het vlees met je,' zei Mr. Pendergast.

'Ik zal je helpen,' zei Hank. 'En Julie kan ook helpen.' Hij klonk net als papa of mama vroeger. Als er zwaar werk moest worden gedaan, was het heel normaal dat ík het deed. Maar we hadden het vlees beslist nodig.

'Ik help ook,' hoorde ik mezelf zeggen.

Op een maandag hielp ik Mr. Pendergast met het slachten van zijn varken. Hank moest in de steenfabriek in Lyman werken, anders was hij gebleven om het zware werk te doen. Het slachten moest in een vorstperiode gebeuren. Als het vlees eenmaal was gezouten, maakte het niet uit of het koud of warm weer was.

'Een meisje hoort niet bij het slachten van varkens te helpen,' zei ma Richards die morgen.

'Ik heb papa altijd geholpen,' zei ik. 'Er was niemand anders die dat kon.' Ik hield niet van varkens slachten, maar als het toch gedaan moest worden kon ik het beter maar meteen doen. En ik wilde geen raad van ma Richards opvolgen.

'Varkens slachten is geen werk voor een meisje,' zei ma, alsof ze verwachtte dat de kous daarmee af was. Ze was gewend bevelen te geven en door haar zonen te worden gehoorzaamd. Hank ging niet met haar in discussie, dus ik ook niet.

'Kun je niet beter tot zaterdag wachten?' zei Hank tegen Mr. Pendergast.

'Dan is het misschien warmer geworden,' zei Mr. Pendergast.

'Ik kan vandaag helpen,' zei ik zonder ma Richards aan te kijken.

Hank moest vroeg weg. Ik stond op om gort te maken en eieren te koken. Ik vulde zijn lunchtrommeltje met broodjes en gekookte eieren. Vóór Hank vertrok maakte ma Richards het trommeltje open om te kijken wat erin zat. 'Een man die de hele dag werkt moet goed eten,' zei ma terwijl ze me aankeek.

Meteen na het ontbijt nam Mr. Pendergast zijn geweer mee naar het varkenskot. De dag ervoor had hij 'broeiplanken' naast de wasketel gelegd. Daar zou het varken na het slachten met heet water worden begoten om er de borstels af te krijgen.

'Het is makkelijker om het varken op de broeiplanken neer te schieten,' zei ma Richards.

'Als jij weet hoe je een vuil varken daar moet krijgen, ga je je gang maar,' zei Mr. Pendergast.

Het gras was wit van de rijp. Ik had een jas en handschoenen aangetrokken. Mijn adem dampte in het eerste ochtendlicht. Plassen waren bevroren. In de kou rook je de stank van het varkenskot pas als je dichtbij was. Ma Richards bleef in de keuken achter.

Ik keek niet terwijl Mr. Pendergast het varken in zijn kop schoot. In plaats daarvan maakte ik een vuur onder de waskettel. Ik haalde een paar emmers water en vulde de ketel. En ik sleep twee slagersmessen en twee schilmesjes om het haar van het varken af te schrapen. Dat gaat het beste met een dun mesje.

Er klonk een schot. Toen ik bij het varkenshok aankwam, was Mr. Pendergast bezig een touw om een poot van het varken te binden. Het beest lag op zijn zij. Uit zijn doorgesneden keel stroomde donker bloed. Er was niets voor me te doen. Ik hoefde alleen nog maar door de troep te waden en een touw om de andere achterpoot binden.

Mr. Pendergast en ik moesten beiden aan de touwen trekken om het varken over de bevroren grond naar de broeiplanken te slepen. Het water in de ketel kookte al. Er was geen wind. De stoom en de rook stegen recht omhoog naar de hemel. Ik goot een emmer heet water over het varken. Het karkas dampte.

Nadat ik één kant had uitgewassen en schoon geschraapt, rolden we het varken om. De romp trilde als pudding en de ogen staarden leeg in het vroege ochtendlicht. Ik gooide een paar emmers water over de huid en boog mij over het beest om de resterende haren weg te scheren. Wat haatte ik toch die stank van huid en haar! Het was een walgelijke geur van nat haar en halfgekookt vlees. Ik schraapte de huid, maakte het mes schoon aan de rand van een broeiplank, en schraapte nog wat meer. Mr. Pendergast stond bij het vuur toe te kijken. Met 'helpen' bedoelde hij dus dat ík het werk deed. Hij leek zo buiten adem, dat hij misschien ook niet meer kon doen.

Als een varken is schoon geschraapt begint het echte werk. Wat daarvóór komt, is slechts een opwarmertje. Nu het varken schoon en geschoren was, nam ik een slagersmes en sneed in de achterpoten om ruimte te maken tussen de botten en de pezen. Toen sleepten we het varken naar een paal die tussen de takken van een appelboom hing. Ik pakte een slagershaak en sloeg de scherpe uiteinden door de achterpoten van het varken. Met vereende krachten en de nodige inspanning sjorden Mr. Pendergast en ik het vastgemaakte varken omhoog, tot het boven de grond hing. Toen knoopte ik de haak stevig vast aan de boomtakken, en was het tijd om aan de slag te gaan.

Met een geslepen slagersmes sneed ik in het buikvet van het varken. Ik ging niet te diep, want ik wilde de darmen onbeschadigd laten. Daar stond ik dan, ik had altijd het slachten van varkens gehaat en nu was ik getrouwd en deed ik het opnieuw! Met één snijbeweging door de huid en het vet sneed ik van de ene kant van het varken naar de andere. En toen hakte ik met de bijl het borstbeen doormidden. Nog hete darmen stulpten naar buiten. Ik moest ze weer naar binnen duwen tot we de waskuip onder het varken hadden gezet. Toen trok ik, met opgestroopte mouwen, de rokende darmen eruit en liet ze in de waskuip vallen, samen met al het andere dat in het varken verborgen was: het darmkanaal dat eruitzag als een grote blaar, mestresten met wormen erin, de lever, het hart, de longen, de maag. Ik nam de bijl, sloeg het laatste deel van het borstbeen doormidden en haalde de rest van de ingewanden eruit.

De hulp van Mr. Pendergast was nodig om de kuip de tuin in te trekken, waar de ingewanden begraven konden worden. Ze verspreidden een misselijkmakende geur van bloed en mest. Ik zat tot aan mijn ellebogen onder het bloed.

'Ik heb nog nooit een vrouw zien werken zoals jij,' zei Mr. Pendergast.

'Werk is gewoon werk,' zei ik.

De volgende klus was het afhakken van de kop. Ik wist dat Hank dol was op gebakken varkenshersens, dus wilde ik de hersens er ongeschonden uithalen. Ik nam het slagersmes en stroopte de huid van de kop af tot aan de ruggengraat. Toen hakte ik met de bijl de botten door. De varkenskop was zo zwaar, dat ik er slechts met moeite in slaagde hem naar de wastafel te dragen. De schedel zou later moeten worden gebroken.

De zon stond al hoog boven de bergkam en gaf alles een gouden glans, toen ik begon met het verwerken van het karkas. Eerst moest ik de schouders afsnijden, die je als één geheel in het rookhok kon ophangen, net als de hammen. Daarna moest je aan de slag met de verschillende stukken vlees uit het buik- en ruggedeelte. Met de bijl hakte ik door de ribben en de ruggengraat. Stukjes vet en bloed en bot vlogen in het rond en spatten op mijn kleren.

'Wat zie je eruit,' zei iemand achter mij. Het was ma Richards, die een grote pan op de wastafel had gezet. Ik dacht hoe makkelijk het zou zijn om de bijl naar haar te gooien. Maar ik schaamde me meteen voor die gedachte. Ik moest een beetje op mezelf letten, want van hard werken raakte ik snel geïrriteerd.

'We hebben elke pan en emmer in huis nodig,' zei ik.

Voor het fijne werk van het snijden van de ribstukken en de varkenshaas aan de rugzijde haalde ik een zaag uit de schuur en zaagde de ribben in delen van ieder tien centimeter. Maar in plaats van het zagen van karbonades sneed ik de varkenshaasjes van het bot los, zodat ze zonder het bot in kleine delen konden worden gebakken.

Het laatste karwei, los van het zouten van de hammen, de schouders en het spek, was het scheiden van het vet van het vlees dat daaronder lag. Met een schilmesje sneed ik het doorregen spek los, dat we voor het koken konden gebruiken. Ik sneed het vet in stukken van ongeveer vijftien centimeter breed en dertig centimeter lang. Mijn handen werden zo glibberig, dat ik nauwelijks een mes vast kon houden. Ik vulde drie waskuipen tot aan de rand toe met stukken vet.

'Ik begin meteen het vet in dobbelsteentjes te snijden als iemand het even naar de keuken brengt,' zei ma Richards.

'Ik kan geen emmer met vet dragen,' zei Mr. Pendergast.

Zowel Mr. Pendergast als ik was nodig om de waskuipen en de pannen met vet naar de keukentafel te slepen. Het leek wel een grot, zo donker was het in huis wanneer je uit het verblindende zonlicht kwam.

Mr. Pendergast haalde een doos met zout uit het rookhok. We bestrooiden de hammen, de schouders en delen van het spek voordat we ze naar de planken in het rookhok droegen. We wreven het vlees aan alle kanten met zout in. Toen we klaar waren keek ik naar de chaos rond de slachtplek. Het vuur smeulde in de zon, en er lagen plukken haar over het gras verspreid. De tafel was bedekt met bloed, stukken vet en huid. Bebloede emmers, waskuipen en messen lagen op het gras. Ik kon nog steeds de geur van de ingewanden en de geschraapte huid ruiken.

Mijn handen waren spekglad en zaten onder het bloed. Ik liep naar de beek en waste ze zo goed mogelijk. Het was tijd om de varkenshaas en de ribben naar binnen te brengen. Het was tijd om het vet uit te smelten en worst te maken. Ik was al voor zonsopgang begonnen met werken, en inmiddels was het ver na etenstijd.

Ma Richards had drie weckketels op de keukentafel gezet. Ze was bezig het vet uit de waskuipen en de afwasteilen in dobbelsteentjes te snijden. 'Ik sterf nog liever dan dat ik nog meer vet uitsmelt,' zei ze. Haar handen glommen al van het vet.

'Ik kan het wel in mijn eentje af,' zei ik.

'Wees niet zo trots,' ze ma. 'We zullen er beiden hard tegen aan moeten willen we vóór donker klaar zijn.'

Ik wilde tegen ma zeggen dat trots niet de reden was waarom ik zo hard werkte, maar ik hield me in. 'Ik zal varkenshaas bakken en gort maken,' zei ik. Een van de genoegens van het slachten van varkens was dat je vers vlees had. Ik had honger. Ik gooide nog meer hout in het fornuis, sneed een stuk varkenshaas af en legde dat in een pan. Toen zette ik water op voor de gort. Mr. Pendergast kwam de keuken binnen. 'Gaan we nog niet eten?' vroeg hij.

‘Over een minuutje is het klaar,’ zei ik. Er zat nog een beetje koude koffie in de pot. Ik gooide het in de achtertuin. Terwijl het vlees braadde en de gort kookte, maalde ik koffiebonen op de veranda. Ik was zo moe, dat ik haast geen gevoel meer in mijn armen had. Ik wilde alleen nog maar zitten en uitrusten. Over een paar uur zou Hank al thuiskomen en dan wilde hij natuurlijk eten. Maar daarna zou ik weer aan de slag moeten om het vet uit te smelten.

Wanneer je moe bent, is het net of alles tegen zit. Zelfs kleine dingetjes kosten extra inspanning. Je hebt het gevoel dat er wilskracht nodig is om adem te halen. Als ma Richards iets hatelijks zei, zou ik ongetwijfeld in tranen uitbarsten.

‘Er zit spek in dit vet,’ zei ma Richards.

‘Dat zal het vet geen kwaad doen,’ zei Mr. Pendergast.

‘Het is een verspilling van spek,’ zei ma.

‘We hebben spek zat,’ zei ik.

‘Het is een verspilling, dat is het enige wat ik ervan zeg,’ zei ma.

‘Ik zal proberen het de volgende keer beter te doen,’ zei ik zo droog mogelijk. De vermoeidheid maakte me traag en kalmer dan ik verwachtte. Ik draaide de varkenshaas om en roerde in de gort. De koffie begon te koken.

‘Niets ruikt beter dan verse varkenshaas,’ zei Mr. Pendergast. Terwijl het verse vlees bruin bakte rook het nog lekkerder dan taart. Vers vlees heeft een eigen, aangename geur. De stoom die uit de braadpan kwam vulde de keuken met een heerlijk aroma, vermengd met de geur van kokende koffie. Ik werd er een beetje licht van in mijn hoofd.

Toen ik plaats maakte op de tafel en de gort en de varkenshaas neerzette, haalde Mr. Pendergast een stoel uit een hoek van de keuken en ging zitten. Ik schonk drie kopjes koffie in en zette drie borden neer. Plus bestek. Mr. Pendergast legde een stukje varkenshaas op zijn bord. Ik zette boter op tafel en ging ook zitten.

‘Alleen heidenen eten zonder te bidden,’ zei ma Richards.

‘Bidt u maar,’ zei ik. Voor zover ik wist bad Mr. Pendergast niet. Tenminste, ik had hem nooit horen bidden. Sommige mannen bidden hardop en anderen niet.

Ma boog haar hoofd en sloot haar ogen. 'Heer, maak ons dankbaar,' zei ze. 'Vergeef onze onnadenkendheid en onwaardigheid. Bestraf onze fouten, maar vergeef onze zondigheid, want we zijn allemaal grote zondaren. En vergeef de dwaasheid van de jeugd en de dwaasheid van de ouderdom.'

Zonder twijfel zinspeelde ma op mijn jeugd en mijn dwaasheid in haar gebed, maar je kunt niet redetwisten over iets wat een mens in een gebed zegt. Wat ze in een gebed zeggen is tussen hen en God. Ik reikte ma de varkenshaas aan en daarna nam ik zelf een stukje. Ik had het vlees gebraden tot het aan de buitenkant goudbruin en knapperig was, maar van binnen wit en mals. Het was zo mals, dat het bijna smolt op je tong. Ik deed boter op de warme gort en roerde. Ik had de broodjes die van het ontbijt waren overgebleven in de oven opgewarmd. Ik sneed er eentje door en smeerde er boter op.

'Niets is lekkerder dan gort met varkenshaas,' zei Mr. Pendergast. Het was waar. Het verse vlees paste heel goed bij gort en boter. Ik goot een beetje melk in de koffie en nam een slok. De smaak van de koffie verschilde van de zoetheid van het vlees en de gort, en toch was het er lekker bij.

'De koffie is te sterk,' zei ma Richards.

'Je kunt er melk in doen,' zei Mr. Pendergast.

Ma roerde boter door haar gort en nam een hap, maar ze zei niets. Ik dacht dat ze goedkeurend bromde. Ze sneed een stukje varkenshaas af en stopte het in haar mond, maar ze zei nog steeds niets.

Ik nam een slok koffie en voelde de energie door mijn lijf stromen. de gort, de boter, het vlees en de broodjes maakten me warm van binnen. Maar de koffie maakte dat de lucht in de keuken scheen te blinken, zelfs de emmers met vet zagen er schoon en helder uit.

'Ik krijg nooit genoeg van varkenshaas,' zei Mr. Pendergast.

'Varkenshaas is lekkerder met jus,' zei ma Richards, maar ze bleef gort met boter eten.

'Varkenshaas is met álles lekker,' zei Mr. Pendergast.

Ik schepte nog een keer gort op en nam nóg een stukje vlees. Je kon je haast niet voorstellen dat deze verrukkelijke geur nog maar een paar uur geleden het stinkende varken was geweest.

Ik probeerde de stank van gebroeide huid te vergeten.

'Het beste vlees hebben varkens die met eikels zijn vetgemest,' zei Mr. Pendergast. 'Toen varkens nog vrij rondliepen smaakten ze beter.'

'Ik kan me geen varkenshaas herinneren die beter smaakte dan deze,' zei ma Richards.

'We zouden eikels kunnen verzamelen en ze naar het varken brengen,' zei ik.

'Het zou een week duren voor je een zak eikels had,' zei Mr. Pendergast.

'Vroeger doodden ze duiven en gaven die aan de varkens te eten,' zei ma Richards. 'Het ging om miljoenen duiven per jaar. Dat was vóór mijn tijd, natuurlijk.'

'Voor míjn tijd ook,' zei Mr. Pendergast. Hij had vet op zijn kin, maar hij nam niet de moeite het weg te vegen.

Ik vond dat eten het beste was wat er was. Mensen die samen eten voelen zich met elkaar verbonden, zoals in de bijbel staat over het breken van brood.

'Ik ben vrijwel zonder varkensvlees de oorlog doorgekomen,' zei ma Richards.

'Ik ook, behalve dat we een varken stalen uit een boerderij die we passeerden,' zei Mr. Pendergast.

'Daarom hadden we geen vlees,' zei ma. 'De guerrillastrijders stalen onze varkens.'

'We waren geen guerrillastrijders,' zei Mr. Pendergast. 'Het leger kon ons niets anders geven dan een beetje havermout.'

Al vanaf mijn vroege jeugd had ik verhalen over de Burgeroorlog gehoord. Ik wilde aan iets prettigers denken. 'Nu zijn de tijden beter,' zei ik.

'Na afloop van de oorlog waren de tijden erger,' zei ma. Ze schepte nog wat gort op. 'Toen Fate uit het leger terugkwam en we trouwden, hadden we geen rooie cent. We zijn zonder paard of koe in het huisje op Painter Mountain begonnen. Lange tijd kookte ik soep in de wasketel. We moesten het paard van Fates vader lenen om een moestuin aan te leggen. Ik moest koffie maken in een emmer. Alle anderen waren bijna even arm.'

Ik had ma nooit zoveel horen praten. De zoete varkenshaas,

de gort en de koffie maakten haar meer ontspannen. Ze was spraakzamer en sprak op minder scherpe toon.

'Tot tien jaar na de oorlog kon je nog geen stuiver vinden,' zei ma. 'Mensen betaalden elkaar in natura. Toen ik eindelijk een half dozijn kippen had bemachtigd, ruilde ik hun eieren voor koffie en suiker. We hadden niets anders dan wat we fokten. Toen Dave werd geboren hadden we nog steeds geen koe. Maar toen Hank ter wereld kwam hadden we het ergste achter de rug.'

'Hank vertelde dat hij klein was bij zijn geboorte,' zei ik.

'Hij woog niet veel meer dan twee pond,' zei ma. 'Hij is bijna twee maanden te vroeg geboren. Het is een wonder dat hij het heeft gehaald.' Ze nam nog een stukje varkenshaas en een slok koffie. En ze beboterde een broodje. 'Niemand verwachtte dat hij in leven zou blijven. Zonder de suikerspeen zou dat ook niet zijn gelukt.'

'Wat voor suikerspeen?' zei ik.

'Het was een vod dat in melk of in honing werd gedoopt en waar we hem op lieten zuigen. Ik doopte hem in een beetje kippenbouillon en liet hem erop zuigen. Dat heeft hem in leven gehouden. Hij was de kleinste van mijn kinderen, en hij groeide uit tot de grootste man.'

'Ik weet dat dat bij honden gebeurt,' zei Mr. Pendergast. 'De kleinste van de worp groeit uit tot de grootste van de meute.'

'De Heer heeft zijn eigen manier om dingen te doen,' zei ma.

'Hank lijkt beslist niet op een ondermaats hondje,' zei ik.

'Ik heb Hank verwend omdat hij zo klein was,' zei ma. 'Ik gaf hem beter te eten en liet hem nooit hard werken, zoals de andere jongens. Daarom is hij nu zo groot.'

'Hank werkt hard,' zei ik.

'Hij werkt hard, maar hij maakt niet af wat hij is begonnen. Hij verliest te gemakkelijk zijn kalmte. Het moeilijkste is om vol te houden waar je aan begonnen bent.'

Ik wilde voor Hank opkomen, maar ik wist niet wat ik moest zeggen. Ma Richards kende hem langer dan ik. En ik wilde geen ruzie maken terwijl we aten. 'Hank werkt keihard in de steenfabriek,' zei ik.

‘Wij werken keihard bij het slachten van het varken,’ zei ma Richards.

Ik weet niet hoe het kwam dat we in zo’n vriendschappelijke sfeer bijeen zaten. Misschien kwam het door de varkenshaas, de gort en de koffie, of doordat we samen het varken hadden geslacht. Het was net of we een bijzondere verwantschap hadden terwijl we in de keuken zaten. Aan een tafel vol met waskuipen en afwasteilen met varkensvet. Misschien was het de vermoeidheid die me een beetje lichthoofdig maakte. Plus het vooruitzicht dat er nog veel werk moest worden gedaan.

‘Als er iets beters is dan verse varkenshaas heeft de goede God dat voor zichzelf gehouden,’ zei Mr. Pendergast. Het klonk of hij het eerder had gezegd. Zoals alle bekende gezegden school er waarheid in.

‘De goede God heeft de wereld zo gemaakt, dat we ons geluk konden verdienen,’ zei ma. ‘Maar er is geen enkele garantie dat we ooit gelukkig zullen zijn.’

‘Er is nergens garantie voor, behalve dat we zullen sterven,’ zei Mr. Pendergast.

‘Laten we vet gaan uitsmelten,’ zei ik.

Het was tijd om aan het werk te gaan. De zon stond al vrij laag aan de hemel, en ma had nog niet zoveel vet in dobbelsteentjes gesneden. Ik bracht onze borden naar de veranda, waar ik ze later zou afwassen. Toen pakte ik een schilmesje en sleep het aan de steen naast Hanks scheerriem.

Je snijdt een groot stuk vet in repen. Dan leg je de repen op een plank en maakt er kleine blokjes van. Die kun je sneller klaarmaken dan grote stukken. Ik maakte het mes zo scherp mogelijk en begon te snijden. Ik haalde het lemmet keer op keer door het witte, geleiachtige vlees. Zodra ik een stel dobbelsteentjes had gesneden, gooide ik ze in de weckketel.

Nadat de ketel grotendeels was gevuld, zette ik hem op het fornuis, dat al warm was. Dan gooide ik nog meer hout op het vuur en begon opnieuw vet in dobbelsteentjes te snijden. Ik schatte dat er drie volle weckketels moesten worden uitgesmolten. Dat zou misschien tien emmers vet opleveren en voldoende kaantjes om de hele winter kaantjesbrood te kunnen eten.

Wanneer varkensvet warm begint te worden, gaan de dobbelsteentjes zweten. Terwijl ze smelten beginnen ze te glimmen door de olie die eruit komt. De olie smelt er gewoon uit. De ketel stoomt en borrelt als de olie gaat koken. Niets is zo gevaarlijk als het uitsmelten van vet, vanwege al dat hete vet op een fornuis. Als een weckketel omvalt, verbrand je. Als het vet in het vuur valt, explodeert het. Vet brandt als petroleum.

Waar ik me het meeste zorgen om maakte was door het vet te worden verbrand. Soms spatte er vet uit een weckketel en dan verbrandde je. Als je een ketel omstootte, spatte het vet er sneller uit dan kokend water, en verbrandde je levend. Ik had ieder jaar vet uitgesmolten met mama, en ik wist hoe onaangenaam kokend vet was.

'Zet de ketel verder naar achteren op het fornuis,' zei ma Richards. Haar stem klonk weer net zo snibbig als vóór het eten.

'Er moet ruimte voor de andere ketel overblijven,' zei ik.

'Je hebt geen ruimte nodig als deze ketel omvalt en je het vet over je heen krijgt,' snauwde ma. Ze was weer haar oude zelf geworden.

In plaats van te antwoorden begon ik nog meer vet te snijden. Het mes gleed er makkelijk doorheen, als door dikke room of gelei. Mijn linkerhand was zo glad van het vet, dat ik niets anders dan de blokjes vet kon oppakken. Ik ging harder dan nodig was met het mes over de plank, om te laten zien hoe vastbesloten ik was de klus te klaren en ma te negeren.

Er zat ook een beetje bloed op de plank. Ik merkte amper iets op het moment dat ik mijn wijsvinger bezeerde terwijl ik in het vet sneed. Maar toen ik het heldere bloed op het witte vet zag, wist ik dat ik me had verwond. Er viel een druppel bloed van mijn vinger, en toen nog een. 'Oh, nee!' zei ik.

'Wat heb je gedaan?' vroeg ma.

'Het is maar een sneetje,' zei ik.

'Zorg dat er geen bloed op het vet komt.'

Ik pakte een theedoek en veegde het vet van mijn vinger. In het topje van mijn wijsvinger zat een piepklein sneetje. Maar het bleef bloeden. Helderrode druppels. Ik maakte mijn linkerhand schoon met de doek en scheurde een reep van een schone linnen doek. Toen verbond ik de vinger zo goed mogelijk om het bloed te stelpen.

'Dat komt er nou van als je te gehaast bent,' zei ma.

'Ik zal voorzichtiger zijn,' zei ik. Ik was niet van plan tijd te nemen om boos op ma te worden, en ik was niet van plan me tot het niveau van haar hatelijkheden te verlagen. Met het verband om mijn vinger ging ik verder met snijden tot de tweede wasketel vol was. Toen zette ik de zware ketel – met veel moeite – op het fornuis. Terwijl ik dat deed duwde ik hem te ver naar rechts en raakte de ketel die er al stond. Het kokende vet schommelde heen en weer, alsof er een golf doorheen ging. Ik deinsde terug. Ik zag dat er kokend vet over de rand spatte toen de golf tegen de zijkant van de ketel klotste. Het vet lag sissend op het fornuis en veranderde in knetterende bolletjes en rook. Toch moet er voldoende vet zijn geweest om vlam te vatten, want ik zag vuur op het fornuis. Dat zou niets om het lijf hebben gehad, ware het niet dat het klotsen in de ketel doorging en er opnieuw hete olie over de rand spatte en in de vlammen terechtkwam. Met veel gesis flakkerde het vuur op. Ik denk dat er nog steeds niets aan de hand was geweest en dat de olie slechts verbrand was op het ijzeren fornuis ware het niet dat er nog meer vet uit de ketel spatte en vlam vatte. Toen sloeg de vlam in de ketel zelf. Ineens brandde alle hete olie. De vlammen schoten omhoog naar het plafond en verlichtten de keuken.

'Goeie genade,' zei ma.

Ik keek om me heen, op zoek naar iets om de vlammen mee te doven. Er was nergens een deken of een sprei. Er was niets wat groter was dan een theedoek.

Het vuur van brandend vet is erger dan een gewoon vuur. Het sist en de vlammen springen van de ene plek naar de andere. Het hele fornuis en de hele keuken zaten onder het vet.

Ma rende naar de veranda en haalde de wateremmer. Ik had gehoord dat water gooien op kokend vet het ergste is wat je kunt doen. Ik riep dat ze moest stoppen. Maar ze gooide het water op de brandende ketel. Je zou denken dat koud water een vuur uitdooft, maar er klonk luid gesis en het kokende vet spatte in alle richtingen uiteen. De vlammen volgden het spoor van het water. Het vuur verspreidde zich. Vlammen vielen op de tweede ketel met vet en op de afwasteilen vol vet die op de tafel stonden. De hele keuken werd één vlammenzee. De gordijnen vatten vlam. De hitte verschroeide mijn gezicht.

'We moeten maken dat we wegkomen,' gilde ik tegen ma. Ik trok haar mee naar de achterdeur. De rook was al zo dik, dat je haast alleen maar de vlammen in de keuken zag.

Mr. Pendergast kwam met nog een emmer water aangerend. Hij moet naar de bron zijn gegaan. 'Geen water gooien,' brulde ik. Maar hij gooide het water op het vuur, waardoor zich nog meer rook en stoom ontwikkelden.

'Ik moet mijn geld pakken,' schreeuwde hij.

'Wat voor geld?' vroeg ik. Het was zo heet, dat ik amper in de deuropening kon staan.

'Het geld van mijn oorlogspensioen,' brulde hij.

'Kom terug,' zei ik terwijl ik hem bij de arm greep. Maar hij had zich al losgerukt. Hij kroop onder de rook door naar voren. Ik knielde neer, op de grond was de minste rook, en zag dat hij zich een weg baande naar het fornuis.

'Kom terug!' riep ik.

'Hou hem tegen!' schreeuwde ma.

Ik wist dat Mr. Pendergast een blik petroleum achter het fornuis bewaarde, dat hij af en toe gebruikte om een vuur te maken, maar ik was het vergeten. Hij reikte achter de houtkist en haalde een glazen pot te voorschijn. Ik denk dat hij het zou hebben gered als er geen ontploffing achter het fornuis was geweest. De petroleum moet hebben vlamgevat. Ik gilde toen Mr. Pendergast door de vlammen werd overspoeld.

'Laat hem liggen!' schreeuwde ma. Maar ik kon Mr. Pendergast niet in het vuur laten liggen. Ik moest proberen hem te helpen. Hij gilde het uit. De vlammen schenen zijn hoofd te hebben bereikt.

'Pak zijn voet vast,' riep ik tegen ma, maar ze was al weg. Ze stond op de achtertrap te hoesten en naar adem te snakken.

'Hou zijn voet vast,' zei ik.

Ik pakte de voeten van Mr. Pendergast vast en trok zo hard mogelijk. Hij bewoog een beetje. Ik hoestte ook. Ik stikte bijna in de rook. Toen ik nog harder trok, lukte het me Mr. Pendergast half over de drempel te hijsen. En toen pakte ma een van zijn voeten vast en hielp me hem naar de veranda te slepen.

Het haar van Mr. Pendergast stond in brand. Een deel van zijn hemd stond in brand. Ik had niets anders dan mijn schort. Ik legde mijn schort over zijn haar en doofde de vlammen. Ik verbrandde mijn handen een beetje, maar het vuur ging uit. Op dat moment kwam ma aangelopen met een emmer warm water uit de wasketel. Ze gooide het water over zijn hemd. Toen we Mr. Pendergast op de natte veranda op zijn rug rolden, zagen we hoe erg zijn gezicht en voorhoofd waren verbrand. De huid op zijn voorhoofd en zijn schedel, waar zijn haren hadden gezeten, was zwart. Zijn wenkbrauwen waren verbrand. Zijn wangen waren rood en ontveld, en op sommige plekken was er bloed onder het roet.

Ik dacht: we moeten iets op zijn gezicht en zijn rug smeren, waar zijn hemd is verbrand. Wat je op brandwonden smeert is boter, varkensvet of een ander soort vet of olie. Er is boter in het koelhuis, maar het vet ligt in de keuken te verbranden. En toen dacht ik: nee, ik kan beter eerst proberen het vuur te doven. Als het kan moet ik het huis redden. Ik ging staan en wierp een blik in de keuken.

'Niet naar binnen gaan,' schreeuwde ma Richards. 'Je kunt níets doen.'

Uit de deur en de ramen kwam rook. Je kon niets zien in de keuken. Zelfs de vlammen niet. Daardoor dacht ik dat alleen het vet in brand stond, en dat kon misschien worden geblust. Toen ik rondkeek op de veranda, zag ik een stapel jutezakken naast het tuingereedschap liggen. Ze waren waarschijnlijk gebruikt om meel naar de molen te brengen. Ik pakte een stuk of tien zakken en rende naar de wasketel.

'Wat ga je doen?' riep ma Richards.

'De brand blussen,' riep ik terug. Ik dompelde de zakken in de ketel en haalde ze weer uit het warme water. Met mijn armen om de druipende zakken rende ik naar de achterdeur.

'Niet naar binnen gaan,' krijste ma.

Ik vloog het trapje op en rende langs Mr. Pendergast de keuken in. De rook was zo dik, dat ik heel weinig kon zien. Diep gebukt liep ik naar het fornuis en gooide natte zakken op de brandende weckketels. Toen werd de rook nog erger en kon ik amper zien wat ik deed.

Ik rende weer naar buiten naar de stapel zakken, pakte er nog een stuk of negen en droeg ze naar de wasketel.

'Niet naar binnen gaan!' schreeuwde ma. Maar ik lette niet op haar. Ik hield de warme, druipende zakken tegen mijn borst en rende door de achterdeur. Als het huis gered kon worden moest ik het proberen. De brand was door míj ontstaan en ík moest er een einde aan maken. Ik stapte over Mr. Pendergast heen, die op de veranda lag. Hij begon bij bewustzijn te komen en te roepen.

Terwijl ik me – met veel moeite – een weg door de rook baande, hield ik mijn adem in. Ik legde zakken op het brandende vet op de tafel. Ik gooide zakken op het brandende blik petroleum en gebruikte de rest van de zakken als schild toen ik naar de brandende gordijnen liep om ze naar beneden te trekken en te doven.

Ik begon te hoesten. Telkens wanneer ik hoestte ademde ik meer rook in. Ik had branderige ogen door de rook, zodat ik niets kon zien. Met een hand boven mijn ogen begon ik naar de deur te lopen. Om niet nog meer rook in te ademen hield ik mijn adem in. Het leek of mijn borst op barsten stond. En toen kon ik de deur niet vinden. Overal was rook. Mijn ogen prikten. En ik kon niet ademhalen om te hoesten. De rook was zo dik, dat ik niet meer wist wat boven of beneden was, waar de deur was of de tafel. Ik was zo zwak, dat ik amper kon blijven staan. Mijn knie stootte tegen iets hards. Mijn hoofd stootte tegen een scherpe hoek. Het enige dat ik kon inademen was rook. Vieze, vette rook.

Iemand gaf me een duw en tilde me op. Even later strompelde ik de trap naar de tuin af, waar de lucht koel was. Het was Hank die me hielp. De lucht was fris, maar telkens wanneer ik ademhaalde, hoestte ik. Rook brandde in mijn longen en mijn keel. Ik boog me voorover en voelde iets nats in mijn keel. Toen merkte ik dat ik stond over te geven. Ik probeerde alle rook die ik had ingeslikt uit te braken, maar ik gaf varkenshaas, gort en boter over. Nu smaakte alles zuur en bitter. Ik braakte tot de tranen in mijn ogen sprongen. Ik was zo zwak, dat ik beefde.

'Wat is er in godsnaam gebeurd?' vroeg Hank.

'Julie stootte tegen een weckketel en toen vloog het vet in de hens,' zei ma Richards.

'De brand is geblust,' zei Hank. Hij keek door de deuropening naar de rook. 'Je hebt het vuur net op tijd gedoofd, vóór de vloer of de muren vlam zouden vatten.' Hij ging op de veranda staan terwijl hij met zijn hand de rook deed uitwaaieren. Ik keek door de achterdeur. De rook in de keuken zakte, zag ik. De bovenste helft van het vertrek was al helder. En ik zag dat Mr. Pendergast op de vloer van de veranda lag te kreunen. Zijn gezicht zag er afschuwelijk uit door de brandwonden, maar hij hield nog steeds de glazen pot vast. In de pot zaten bankbiljetten en munten. Een zilveren dollar was uit de pot op de veranda gerold.

We moesten Mr. Pendergast met z'n drieën naar zijn slaapkamer dragen. Terwijl de rook nog steeds zakte, droegen we hem naar de voordeur. Hank hield zijn ene schouder vast en ik de andere. Ma Richards droeg zijn voeten. Mr. Pendergast was half wakker. Hij kreunde.

'Ik wil boter op uw gezicht en handen smeren,' zei ik tegen hem.

'Je hebt bijna zijn huis afgebrand,' zei ma. Ma was het type mens dat altijd iemand de schuld gaf. Als er iets mis ging, had ze meer belangstelling voor het aanwijzen van een schuldige dan voor het oplossen van het probleem. Ik heb veel van zulke mensen ontmoet, maar niemand was zo erg als ma Richards.

'Hoe is de brand begonnen?' vroeg Hank toen we Mr. Pendergast de trap aan de voorkant van het huis op droegen.

'Er spatte vet op het fornuis,' zei ik, 'toen ik met de ene weckketel tegen de andere stootte.'

'Iedereen weet dat je zuiveringszout op brandend vet moet strooien,' zei ma.

Voor ik het wist gaf ik antwoord. Ik was niet van plan geweest me tot haar niveau te verlagen, maar ik was doodop. 'U maakte de brand nóg erger door een hele emmer water op het vet te gooien,' zei ik.

'Ik probeerde tenminste íets te doen,' zei ma.

'U dacht evenmin aan zuiveringszout als ik,' zei ik.

Hank opende de deur. We wurmden ons naar binnen. Zodra we in de donkere woonkamer waren, vulden mijn neusgaten zich met de bittere stank van rook. Het huis stonk naar as.

'Iemand moet een dokter halen,' zei ma Richards toen we Mr. Pendergast de slaapkamer binnen droegen.

'Ik weet niet eens waar ik een dokter kan vínden,' zei Hank.

Op het bed van Mr. Pendergast lag een berg verfrommeld beddengoed. Nadat we hem neer hadden gelegd, probeerde ik het bed op te maken, zodat hij in elk geval onder de dekens lag. Zijn handen waren verbrand, maar hij hield nog steeds de pot met geld vast. Ik probeerde de pot uit zijn handen te trekken.

'Nee!' riep Mr. Pendergast. Hij trok de pot terug. 'Dat is het geld van mijn oorlogspensioen.'

Hank stak de lamp op het nachtkastje aan. Ik boog me dicht naar Mr. Pendergast toe. 'Niemand zal uw geld afpakken,' zei ik. 'We zullen het hier op het nachtkastje zetten, waar u het kunt zien.'

Ik denk niet dat Mr. Pendergast me geloofde. Hij zou niemand zijn geld hebben toevertrouwd. Maar hij had zoveel pijn, dat hij niet meer kon denken. Ik nam de pot uit zijn handen en zette hem op het nachtkastje. De vellen hingen aan zijn handen. Hij had ze in het vuur gestoken om het geld te pakken. 'Ik ga boter op uw brandwonden doen,' zei ik.

'Nee!' riep hij uit.

'Hij is buiten zichzelf,' zei ma Richards.

'Hij heeft pijn,' zei ik.

Ik rende naar het koelhuis om verse boter te halen. Het begon donker te worden. Hank was de koe gaan melken. Ma Richards zat in de woonkamer bij de open haard. 'Ik kan er niet tegen om een blik in die keuken te werpen,' zei ze.

Ik zag geen andere manier om de boter op de brandwonden van Mr. Pendergast te smeren dan met mijn vingers. Ik wist dat de brandwonden gevoelig zouden zijn, maar toen ik de boter op mijn vingers liet smelten en mijn hand op het voorhoofd van Mr. Pendergast legde, schrok ik van zijn gebrul. Ik had een man nog nooit zo horen schreeuwen. Toen papa ziek was en pijn had, was hij altijd kalm en beheerst geweest. Bijna tot het eind.

'U zult zich hier beter door voelen,' zei ik. Ik probeerde hem opnieuw met de boter aan te raken, maar gillend deinsde hij terug.

Ik knielde naast het bed neer, met boter op mijn linkerhand, en probeerde een oplossing te bedenken. Het was de zwaarste en langste dag van mijn leven. Ik was bekaf door het slachten van het varken, het snijden van het vlees en het vet en het bestrijden van de brand. Ik was verzwakt door het overgeven. En de brand was míjn schuld, zoals ma Richards had gezegd. En het was míjn schuld dat Mr. Pendergast brandwonden had, al had ik geprobeerd hem ervan te weerhouden zijn geldpot uit de vlammen te halen. Het was míjn taak al het mogelijke te doen om te helpen, om goed te maken wat ik fout had gedaan.

De stenen vloer deed pijn aan mijn knieën. 'Ik probeer u te helpen,' zei ik. Maar praten tegen iemand die sterft van de pijn is hetzelfde als praten tegen een kind of een hond. Ze willen zich alleen maar beter voelen en kunnen niet helder denken. En ze willen niet luisteren naar wat je te zeggen hebt. Iemand die lijdt is net zo egoïstisch als een baby.

De lippen van Mr. Pendergast waren gesprongen en bloedden. 'Ik verga van de dorst,' riep hij.

Ik wilde ma Richards roepen en vragen of ze een maatkan, een scheplepel vol water wilde brengen, maar ik bedacht me. Ik veegde mijn handen af aan mijn schort en rende naar de bron om een emmer met koud water te vullen. Het was donker, en het pad was al bevroren.

'Wat ben je aan het doen?' riep Hank vanuit de koestal.

'Ik haal wat te drinken voor Mr. Pendergast,' zei ik.

'Hij heeft een borrel nodig,' zei Hank.

Toen ik de emmer de slaapkamer binnenbracht, hield ik de scheplepel tegen de lippen van Mr. Pendergast. Hij dronk gulzig, als een stervende in de woestijn. Het vuur had hem verbrand en uitgedroogd, en hij brandde vanbinnen. Hij dronk als een dolle hond die zijn dorst probeert te lessen. Zijn lippen waren zo gesprongen en gevoelig, dat de aanraking van de scheplepel al pijn deed. Zijn ogen verwijdden zich terwijl hij nog sneller probeerde te drinken. Zijn wenkbrauwen en wimpers waren verbrand. Op zijn huid, die afbladderde als oude verf, zat roet en bloed.

'U wordt ziek als u te snel drinkt,' zei ik.

'Ik ben al ziek,' hijgde hij.

Mr. Pendergast dronk drie scheplepels water. Toen liet hij een boer en gaf over. Hij was zo zwak, dat hij zijn hoofd niet kon optillen. Terwijl hij braakte kwam het water uit zijn mondhoeken en stroomde over zijn verbrande wangen. Ik pakte een handdoek en probeerde zijn wangen af te vegen, maar hij gilde en duwde me weg. Hij lag krijsend te kronkelen op het bed, en duwde me weg.

Ik moest iets doen om de pijn te verlichten. Op dat moment herinnerde ik me de plank in de keuken waarop allerlei flessen, potten en blikken stonden. Ik had er eens in zitten snuffelen, op zoek naar kruiden en specerijen. Maar een aantal had ik niet opengemaakt. Ik pakte de lamp en begon de slaapkamer uit te lopen.

'Laat me niet alleen,' riep Mr. Pendergast.

'Ik ga alleen maar iets halen,' zei ik.

'Laat me niet alleen,' zei hij opnieuw. Ik zag dat hij bang was in het donker. Ik zette de lamp weer op het nachtkastje en ging een andere lamp in de woonkamer halen.

Ma zat bij de haard. 'Hij zal sterven,' zei ze.

'We moeten de pijn verzachten,' zei ik.

'Hij zal hoe dan ook sterven,' zei ma.

De keuken was één grote puinhoop. Natte zakken, half verbrand vet, roet en geschroeide vloerplanken. Het vuur in het fornuis was uit. Het was al koud in de keuken. Ik klom op een stoel om naar de plank te kijken. Je hebt nog nooit zo'n verzameling oude blikken en flessen gezien als Mr. Pendergast daar had. Er was salie, thijm, peper, piment, kamfer, ontsmettingsalcohol, kruidnagelolie voor kiespijn, bitterzout, wonderolie en lobeliatinctuur voor slangenbeten. Ik maakte diverse potten en flessen open en rook eraan. Soms kon ik de geur niet thuisbrengen.

Er was één donkerblauwe stopfles. Ik haalde de kurk eruit en rook eraan. Hij rook naar alcohol, maar ook naar iets anders, een inktachtige, aardachtige, muskusachtige geur. Ik had de geur eerder geroken. Als ik het me goed herinnerde was het de geur van laudanum. Ik nam de fles mee naar de slaapkamer van Mr. Pendergast.

'God, help me!' riep Mr. Pendergast.

'Als u tot God bidt, zal hij u helpen,' zei ma Richards. Ze was achter mij de slaapkamer binnengekomen. Er zaten blaren op het gezicht van Mr. Pendergast, met opgedroogd bloed en vellen verbrande huid.

'God, help me alstublieft,' zei Mr. Pendergast.

'Neem hier een lepel van,' zei ik. Ik vulde een eetlepel met vloeistof uit de fles. Het was bruin en koud en verspreidde een chemische geur. Ik hield de lepel tegen zijn lippen, maar hij wendde met een ruk zijn hoofd af, alsof de koude lepel pijn deed aan zijn lippen.

'Niet morsen,' zei ik. 'Ik heb niet meer dan dit flesje.'

'Hij is zo koppig als een ezel,' zei ma Richards.

'Help me,' zei Mr. Pendergast. Hij rolde met zijn ogen.

'Ik probeer u te helpen,' zei ik. 'Drink dit gauw op. U zult ervan opknappen.' Ik bracht de lepel naar zijn mond, maar hij wendde opnieuw zijn hoofd af.

'Er zit een duivel in hem,' zei ma Richards.

'Ik heb het ijskoud,' zei Mr. Pendergast. Zijn tanden klapperden van de kou. Ik had weleens gehoord dat mensen die verbrand waren het gevoel hadden dat ze doodvroren, maar ik had het nog nooit meegemaakt. Mr. Pendergast beefde alsof hij naakt in de sneeuw lag.

'Hier wordt u lekker warm van,' zei ik. Ik hield de lepel vlak boven zijn lippen. Zodra hij zijn mond opende, goot ik de vloeistof naar binnen.

'Water,' riep Mr. Pendergast. Ik pakte de scheplepel en gaf hem wat te drinken. Toen hij het water doorslikte, kon je een verandering bij hem zien. Zijn ogen werden donkerder en vochtiger in het lamplicht. Zijn nek en hals begonnen er minder verbrand uit te zien.

'Hij heeft slaap nodig,' zei ma Richards.

Hank kwam in de deuropening staan en keek naar Mr. Pendergast. 'Dit is een mooie troep,' zei hij. Ik had hem nog nooit zo vol afkeer zien kijken.

'Je moet een dokter halen,' zei ma Richards.

'Waar? Ik weet niet eens waar een krúidenvrouwtje woont!'

Hank had de hele dag gewerkt. Hij was naar Lyman gelopen en weer terug. En toen had hij me ook nog uit de rook gered. Hij was net zo moe als ik. 'Misschien kunnen we morgenochtend een dokter halen,' zei ik.

'De oude man zal niet tot morgenochtend leven, tenzij hij door een dokter wordt behandeld,' zei ma Richards.

Het was allemaal zo ellendig, dat ik niet meer wist wat ik moest beginnen. De keuken was half verbrand. Het vet was verbrand. De worst was niet gemaakt en ik was zo bekaf, dat ik niet mezelf was. Ma Richards had kritiek op alles wat ik deed. En Mr. Pendergast was zo erg verbrand, dat hij pijn had en in levensgevaar verkeerde. En ík was gedeeltelijk de schuld van dat alles. Maar het had geen zin over schuld na te denken. Dat had ma Richards me getoond. Eerst moesten we voor Mr. Pendergast zorgen. De rest kon wachten. Al het andere kon de volgende dag of de volgende week worden geregeld.

'Er is vast wel een dokter in Tigerville,' zei ik. 'Of iemand die je kan vertellen waar je er eentje kunt vinden.'

Hank ging dichter bij Mr. Pendergast staan. 'Waar is je familie?' vroeg hij luid, alsof Mr. Pendergast hardhorend was.

Mr. Pendergast mompelde iets. Ik kon niet verstaan wat hij zei.

'Waar zijn uw kinderen?' vroeg ik. Hij mompelde opnieuw, maar ik kon er geen touw aan vastknopen.

'Dat kunnen we morgen wel uitzoeken,' zei ik.

Nadat Hank zijn jas had gepakt en was vertrokken, zei ik tegen ma dat ze beter naar bed kon gaan. 'Ik blijf op tot Hank terugkomt,' zei ik.

'Mensen lijden en sterven meestal in de kleine uurtjes,' zei ma.

'Het zal niet lang duren of Hank is terug met een dokter,' zei ik.

Ik nam een lamp mee naar de uitgebrande keuken en zocht naar een fles sterke drank die ik op de plank had zien staan. Ik verwachtte dat de combinatie van sterke drank en laudanum Mr. Pendergast rustiger zou maken. De lamp wierp zijn gele licht en schaduwen op de tafel. Daar lagen nog de koude broodjes en de varkenshaas van onze avondmaaltijd. Nog maar een paar uur geleden hadden we daar gezellig zitten eten. Op de broodjes en de gort zat roet. Toen ik de fles vond, nam ik hem mee naar de slaapkamer.

Helaas, Mr. Pendergast was niet gaan slapen. Zijn ogen waren open. Toen hij me zag binnenkomen, riep hij: 'Nee! Je krijgt me niet te pakken!'

'Ik zal zorgen dat u zich beter voelt,' zei ik.

'Nee,' zei hij. Hij lag te kronkelen in het bed, alsof hij aan me probeerde te ontkomen.

'Alles is goed,' zei ik. 'Morgen zult u zich beter voelen. U zult zich al beter voelen als u hier een slok van hebt genomen.'

Mr. Pendergast keek naar me alsof ik probeerde hem te vergiftigen. Hij schoof naar achteren. Zijn ogen waren wijd open van angst. 'Ik ben Julie maar,' zei ik. Ik goot wat sterke drank in de lepel en bracht die naar zijn mond.

'Nee!' gilde hij. Hij schoof nog verder naar achteren.

'Wie denkt u dat ik ben?' vroeg ik.

'Ik weet wie je bent. Je bent de engel des doods.'

'Ik ben helemaal geen engel,' zei ik terwijl ik de lepel vlak bij zijn lippen hield.

'In het gevangenkamp was een doodsengel,' zei Mr. Pendergast. 'Nu ben je teruggekomen om me te halen.'

'Drink dit op. Dan zal ik boter op uw brandplekken smeren,' zei ik. Maar hij dronk niet.

Na een korte stilte zei hij: 'Ik heb de onvergeeflijke zonde begaan.'

'Die bestaat niet.'

'Je neemt me mee naar de hel.'

'Ik geef u alleen wat te drinken tot de dokter komt.'

'Ik heb de onvergeeflijke zonde begaan zonder het te weten,' zei hij.

'Wat hebt u gedaan?' Ik wilde hem zo rustig mogelijk houden tot de dokter arriveerde.

'Ik heb tegen de Heilige Geest gezondigd.'

'Onzin! U bent alleen maar verbrand terwijl u naar uw geld zocht.'

'Waar is mijn geld?' Hij keek paniekerig.

'Hier. Kijk maar,' zei ik. Ik wees naar de glazen pot op het nachtkastje, naast de lamp en de fles laudanum.

'Als je me met rust laat, mag je het geld hebben,' zei hij.

'Ik wil uw geld niet,' zei ik. Ik bracht de eetlepel weer naar zijn mond. Hij dronk wat van de witte vloeistof en hoestte. Hij nam een grote slok en hoestte opnieuw. Ik hoopte dat hij een beetje kon slapen nu hij sterke drank én laudanum had gedronken, en dat ik boter op zijn brandwonden kon doen. Ik reikte naar de boter. Maar voordat ik er wat van op mijn vingers smeerde, zat hij alweer rechtop.

'Ruik je het?' vroeg hij.

'Wat? Het enige dat ik ruik is maïswhisky.'

'Het is de hel, de stank van zwavel als brandende, rotte eieren.'

'Het is alleen maar de rook van de brand in de keuken,' zei ik. 'Ik zal wat boter op uw brandwonden smeren.'

Er stroomden tranen uit zijn bloeddoorlopen ogen. 'Het is het vuur dat nooit dooft,' snikte hij. Hij huilde hartverscheurend. Ik had een man nog nooit zo zien huilen. 'Ik zal voor eeuwig branden,' zei hij.

Het was alsof de sterke drank en de laudanum de pijn in zijn gezicht, hoofd en handen minder hadden gemaakt en de pijn in zijn geweten erger. Hij was écht bang. 'U moet slapen,' zei ik.

Het was stil in huis, op hier en daar een krakend geluid op de zolder na. Ma Richards moest naar bed zijn gegaan, want ik hoorde haar niet rondlopen. Het was hard gaan waaien. De wind deed de ruiten rammelen.

'Ruik je de stank niet?' vroeg Mr. Pendergast.

'Ik ruik alleen maar verbrand vet en roet uit de keuken.'

'Het is de stank van de hel,' snikte hij. Het zout van zijn tranen prikten in de brandwonden op zijn wangen. Met een hand die opgezwollen en vol blaren was veegde hij over zijn gezicht. De vellen hingen aan zijn vingers.

'Ik zal boter op uw handen smeren,' zei ik terwijl ik zijn hand vastpakte. Als dát lukte, zou hij me vast wel toestaan ook wat op zijn gezicht te smeren.

'Nee,' zei hij. Hij rukte zijn hand los.

'Niets anders zal u helpen genezen,' zei ik. Ik was zo moe, dat het klonk of een ander dat zei. Ik zweefde min of meer. Ik wist dat ik in zou storten als ik stopte. Ik voelde me zo ellendig om wat ik had gedaan, dat ik mezelf niet kon toestaan te denken. Ik moest bezig blijven. Dat móest gewoon. Al het afschuwelijke en kwade in de wereld hing in de lucht, als de stank van het vuur. Angstaanjagend, alsof geesten me achtervolgden en zich meester van mijn gedachten wilden maken. Ze wilden achter mijn ogen binnenkomen, waar de ergste pijn was. De duivels verzamelden zich rond mijn hoofd en bespotten me.

'Ik ben in het allesverterende vagevuur!' riep Mr. Pendergast.

'U bent in uw eigen bed, in uw eigen huis,' zei ik. 'En ik ben hier om te helpen. Ik zal boter op uw brandwonden smeren en dan zult u vast en zeker opknappen.' Maar wat hij vooral nodig had was geruststelling.

'Het was niet mijn bedoeling tegen mijn broer Jonathan te liegen,' hijgde Mr. Pendergast. Het was alsof hij tegen een rechter sprak. 'En ik heb papa's horloge niet expres kapotgemaakt.'

'Het is zó lang geleden,' zei ik.

'Het was niet mijn bedoeling met mezelf te spelen,' zei hij.

'Mr. Pendergast, kwel uzelf niet zo.' Ik wilde niets meer horen. De pijn in zijn ziel was ondraaglijk.

'Ik lachte de dominee uit,' zei hij. 'Dus zondigde ik tegen de Heilige Geest.'

'Luister, Mr. Pendergast,' zei ik.

'De oude dominee Liner riep: "En de helft zal nooit worden verteld". Toen brak een van zijn bretels. Ik barstte in lachen uit. De dominee wees naar me en zei: 'Zij die het Woord bespotten zondigen tegen de Heilige Geest.'

'U was nog maar een jongen,' zei ik.

'Zij die de Heilige Geest bespotten komen in de hel,' citeerde Mr. Pendergast.

'Het is u vast en zeker vergeven,' zei ik. 'Het was maar iets kleins.'

'Ik zal voor eeuwig branden,' zei Mr. Pendergast. Het was alsof hij het had opgegeven. Hij was zelfs trots op zijn verdoemenis. Het was alsof hij troost uit zijn angst putte. Ik hoorde de klok op de schoorsteenmantel twee uur slaan. Het was de donkerste en eenzaamste tijd van de nacht. De wind gierde om het huis, en ik hoorde een muis of een rat achter het bed van Mr. Pendergast. Het klonk alsof het beestje aan een noot of een stuk hout knaagde. Toen ritselde er iets bij het plafond. Het klonk alsof een drie meter lange slang over de lambrisering gleed.

'Help me, alsjeblieft,' riep Mr. Pendergast.

'Ik ben hier om u te helpen.' Ik legde mijn hand op zijn schouder.

'Mijn voeten staan in brand,' zei hij.

'Er is niets aan de hand met uw voeten. Ze liggen in dit koele bed,' zei ik.

'Ik heb het ijskoud,' gilde hij.

'Ik zal nog een deken voor u halen.'

'Het vriest in de hel,' zei hij. Zijn tanden klapperden. Het leek of hij iets in de lucht voor hem zag. 'Ga terug,' brulde hij.

'Buiten ons tweeën is hier niemand,' zei ik.

'Laat me met rust,' schreeuwde hij.

Ik legde mijn beide handen op zijn schouders en probeerde hem achterover, in het kussen, te duwen. Toen hij me met zijn verbrande hand een klap in het gezicht gaf, kreunde hij van de pijn. 'Ik ga niet,' fluisterde hij.

'U hoeft nergens heen te gaan,' zei ik. Ik zag dat de laudanum was uitgewerkt. De pijn kwam terug en was erger dan ooit. Ik pakte de blauwe fles van het nachtkastje en goot wat van de koude vloeistof op de eetlepel. 'Drink op,' zei ik.

'Het zal niet helpen,' zei hij.

'Eerder heeft het wél geholpen.'

'Je wilt me vergiftigen,' schreeuwde hij.

Ik moest een manier zien te vinden om hem de laudanum te laten opdrinken, anders zou hij van pijn sterven. Al moest ik hem misleiden, ik moest zorgen dat hij het spul naar binnen kreeg. 'Als u dit niet opdrinkt, moet ik weggaan,' zei ik.

'Nee,' schreeuwde hij.

'Ik zal u moeten verlaten en dan bent u helemaal alleen als u roept,' zei ik. Ik vond het afschuwelijk om te liegen, maar ik kon niets anders verzinnen om te zorgen dat hij de laudanum opdronk. Hij sloot zijn ogen en opende zijn mond. Ik goot de vloeistof tussen zijn lippen. Er druppelde wat uit zijn mondhoek, maar het grootste deel gleed door zijn keelgat. Het was een grotere dosis dan de eerste. Nu was de laudanum op.

'De duivel heeft lange, vieze klauwen,' zei Mr. Pendergast, 'en ze zijn giftig.'

'Hij zal niet met zijn klauwen aan u zitten,' zei ik. Het was net of ik tegen een klein kind sprak.

'De duivel probeert in mijn bed te komen,' zei Mr. Pendergast.

'Ga liggen en slaap,' zei ik. Ik duwde hem zachtjes achterover in het kussen.

'De duivel zal me doen stikken,' zei hij.

'Buiten ons tweeën is hier niemand,' zei ik.

Toen de laudanum begon te werken, zag ik zijn ogen vochtig en glazig worden, en donkerder dan ooit. Hij was nog steeds angstig, maar verdoofd door de tinctuur. Zijn ogen dwaalden door de kamer alsof hij probeerde te kijken waar de boze geest zich schuilhield.

'U moet gaan slapen,' zei ik.

Ik hoorde hem diep inademen. Het was het soort ademhaling dat je hoort als mensen slapen. Je verwacht dat ze in- en uitademen. Ik wachtte zonder echt te weten waarop. Maar Mr. Pendergast ademde niet uit. Zijn ogen waren open maar bewogen niet.

'Mr. Pendergast,' zei ik. Ik legde mijn hand voor zijn neusgaten, maar voelde geen adem. Ik legde mijn oor op zijn borst, maar hoorde geen hartslag. Mr. Pendergast was dood. Het ene moment was hij levend en bang, en het volgende was hij dood. Ineens. Verbazingwekkend hoe makkelijk er een einde aan een mensenleven komt. Iemand kan sterven zonder dat je het echt in de gaten hebt. Ik drukte zijn ogen dicht. Op dat moment hoorde ik Hank binnenkomen.

De dag na de dood van Mr. Pendergast voelde ik me tien jaar ouder. De dokter die Hank aan de andere kant van Tigerville had gevonden, had gezegd dat hij dacht dat Mr. Pendergast een stiefzoon in Californië en een stiefdochter in Colombia had. Maar adressen wist hij niet. Hij wist ook niet hoe ze heetten. Ik was doodop en de keuken was een puinhoop. Ma Richards gaf mij de schuld van alles. Dat leek me heel erg oneerlijk. Ik had inderdaad het vet op het fornuis laten spatten, maar ík had Mr. Pendergast uit de brandende keuken gesleept, en ík had de vlammen met natte zakken gedoofd. Hank was geïrriteerd, omdat hij niet wist wat hij met het huis moest doen en hoe hij de familie van Mr. Pendergast moest bereiken.

'Misschien hebben we straks geen dak meer boven ons hoofd,' zei hij op de morgen na de dood van Mr. Pendergast.

'We weten niet eens waar we hem moeten begraven,' zei ma Richards.

Daar zaten we dan, in South Carolina, in het huis van iemand anders, met zijn lijk in de slaapkamer. We zouden er kunnen worden uitgegooid, en ik zou van de brand in de keuken kunnen worden beschuldigd. Of van het doden van Mr. Pendergast. Het zag er allemaal zo slecht uit, dat ik het bijna niet meer aankon.

'Draag hem naar de keuken,' zei ik tegen Hank. Ik maakte de grote keukentafel leeg en schoon. Het was de enige schone plek in de keuken. De rest was zwart van het roet.

'Jij kunt geen dode afleggen,' zei ma Richards. 'Dat moet een oudere vrouw doen.'

'Ik heb papa helpen afleggen,' zei ik.

'We weten niet wat zijn familie met hem wil doen,' zei Hank.

'Hij moet hoe dan ook worden afgelegd,' zei ik.

'Je hebt niets om hem op te leggen,' zei ma Richards.

'We zullen de tafel moeten gebruiken,' zei ik.

Ik maakte het fornuis schoon met zeep. Toen ik er hout in stopte en het aanstak, begon de bovenkant van het fornuis naar verbrand vet en zeep te ruiken, maar dat duurde niet lang. Ik bracht een ketel water aan de kook. Er moest zoveel gedaan worden, en ik moest het allemaal zélf doen. Maar hoe meer ik deed, des te kalmer ik werd. Al schrobbend verwijderde ik het roet en het vet van de vloer. Toen droegen we het lichaam van Mr. Pendergast naar binnen. Ik trok zijn kleren uit. Aangezien hij al stijf begon te worden, moest hij op iets plats en hards liggen.

Ik waste zijn hele lichaam met water en zeep en legde een in kamfer gedrenkte zakdoek op zijn gezicht, zodat het niet bruin werd. Dat had ik bij papa en Masenier zien doen. Daarna wreef ik zijn huid in met olie. Mr. Pendergast had ontlasting gehad nadat hij was gestorven. Ook dát moest ik opruimen.

'Je zou dat niet moeten doen,' zei Hank. Ik had nooit iets tegen Hanks wil gedaan. Ik wist niet eens of ik dat wel kon, of een vrouw iets moest doen wat haar man verbood. Maar als Hank alleen maar mopperde, zoals hij gewoonlijk deed, voelde ik me gerechtigd door te gaan met wat ik deed.

'Iemand moet een kist maken,' zei ik.

'Ik moet naar het kruispunt en de dominee waarschuwen,' zei Hank. 'Er zal een kerkdienst moeten zijn.'

'Er zal een kist moeten zijn,' zei ik.

'Denk je dat je dat ook kunt?' vroeg Hank.

'Ik dacht dat jíj dat kon,' zei ik, maar ik wou dat ik het niet had gezegd.

'Ik zal zelf beslissen wát ik doe en wannéér ik het doe,' zei Hank met een boze blik. Ik werd ijskoud van binnen. Hank en ik hadden nog nooit ruzie gehad. De onverwachte dood van Mr. Pendergast en de aanwezigheid van ma Richards maakten dat hij zijn kalmte verloor.

'Hank,' zei ma Richards. Ik had niet gemerkt dat ze in de deuropening stond. 'Hank,' zei ze, 'je moet laten zien wie de baas is in huis.'

'Lijkt het dan of ik dat níet ben?' vroeg Hank.

'Je bent gewend dat alles van een leien dakje gaat,' zei ma Richards.

In plaats van te antwoorden liep Hank de keuken uit. Hij sloeg de deur met een klap achter zich dicht.

Ik keek ma aan, en toen ik wendde mijn blik af. Ik was zo boos, dat ik niets wist te zeggen. Ik bleef doorgaan met het wassen van de benen van Mr. Pendergast. Ik boende zijn voeten, tussen de tenen en onder de voetholtes. Zijn teennagels waren zwart, maar ik besloot ze niet te knippen of schoon te maken. Zodra ik klaar was met het wassen van zijn lichaam, maakte ik zijn haar nat en kamde het met een kam die ik in zijn kamer vond.

Het aankleden van het lichaam was moeilijker dan het wassen. Ik vond een lange onderbroek in de slaapkamer en een hemd dat ik zelf had gewassen. En ik vond een pak dat verkreukeld aan een spijker hing. Ik maakte de wollen stof een beetje vochtig, verwarmde het strijkijzer op het fornuis en streek het pak. Het was een heel gedoe om het lichaam aangekleed te krijgen. De armen en benen waren zo stijf als een plank. De ogen gingen open toen ik het hoofd bewoog. Ik moest ze weer dichtdrukken.

Hank was naar de achtertuin gegaan. Ik hoorde hem zagen en timmeren. In de schuur was een stapel oude planken. Ik zag dat hij een kist van kastanjehouten planken stond te maken. Toen het lijk aangekleed op de keukentafel lag, begon ik aan ontbijt te denken. Sinds gisteren had we niets gegeten. Ik vond het vreselijk om eten klaar te maken terwijl het lijk daar lag, maar er zat niets anders op. We moesten eten. We moesten gewoon verder. Ik wilde ma Richards laten zien dat ik door kon gaan, wat ze ook zei.

Ik veegde het roet van het deksel van de meelton en schepte er meel uit.

'Je gaat toch niet koken terwijl dat ding hier ligt?' zei ma Richards.

'Ik zal het lichaam niet aanraken,' zei ik.

'Ik ga niet eten met een lijk naast me,' zei ma Richards.

Ik gaf geen antwoord. Ik was niet gewend oudere mensen tegen te spreken. En ik zou er niets mee opschieten als ik tegen haar snauwde. Ik maakte de koffiepot schoon en goot er vers water in. 'Wilt u koffie malen?' vroeg ik. Zonder iets te zeggen nam ze het blik koffiebonen mee naar de veranda aan de achterkant van het huis.

Ik haalde verse krabbetjes uit de afwasteil waar ze de hele nacht in hadden gelegen. Ze waren zwart van het roet en gedeeltelijk gekookt door de brand. Ik verwijderde de roetdeeltjes en legde een stuk of negen krabbetjes in de braadpan. Het duurde niet lang of de keuken rook naar gebraden vlees, verse koffie en vers gebakken maïsbrood. Hank was nog steeds aan het timmeren toen ik hem binnenriep.

'Waar gaan we eten?' vroeg Hank. Mr. Pendergast lag op de keukentafel, alsof hij voor het bezoek was opgebaard.

'We kunnen nergens met het lichaam heen tot jij een kist hebt gemaakt,' zei ik.

'Ik ben nog lang niet klaar,' zei Hank.
'Ik ga niet eten met dat ding hier in de keuken,' zei ma Richards.
Ik gaf iedereen een bord en diende maïsbrood, stroop en krabbetjes op. We gingen zo ver mogelijk van de tafel vandaan zitten en aten met het bord op schoot. Ik had honger als een paard. Hank en ma Richards rammelden ook van de honger. We aten alles op wat ik had klaargemaakt, en dronken de hele koffiepot leeg. Na de eerste hap deed het er niet meer toe dat het lijk van Mr. Pendergast daar lag.
'Het is net een dodenwake,' zei ma Richards met haar mond vol brood.
'We zijn net 'zonde-eters',' zei Hank.
'Ik heb nooit in zoiets vreselijks geloofd,' zei ma Richards.
'Wat zijn zonde-eters?' vroeg ik.
'Mensen die door de familie worden betaald om een maaltijd van een lijk af te eten, alsof ze daarmee alle zonden van de dode wegnemen,' zei Hank.
'Wat een afschuwelijk idee!' zei ik.
'Het is maar een verhaal,' zei Hank.

Toen Hank klaar was met de kastanjehouten kist en we Mr. Pendergast er, met zijn handen gevouwen, in legden, zetten we de kist op twee stoelen in de woonkamer. Daar lag Mr. Pendergast tot de begrafenis op woensdag. Ik bleef in kamfer gedrenkte zakdoeken op zijn voorhoofd leggen. Ik probeerde niet naar hem te kijken terwijl ik aan het werk was. Maar het was moeilijk geen blik op het gezicht onder de zakdoek te werpen, alsof ik verwachtte dat het wakker werd en iets zei.
Een van de buren, George Poole, de eigenaar van de winkel bij het kruispunt, kwam langs. Ik vroeg naar de kinderen van Mr. Pendergast. George Poole was een lange man met een dikke buik. 'Het laatste wat ik gehoord heb is dat Butch ergens in Californië woont,' zei hij.
'Weet u niet in welke stad?' vroeg ik.
'Ik weet alleen dat hij naar Californië is gegaan,' zei Mr. Poole.
'En hoe zit het met zijn stiefdochter?' vroeg ik.
'Caroline woont ergens in Colombia,' zei Mr. Poole. Hij keek aandachtig naar Mr. Pendergast. 'Iedereen ziet er jonger

uit als hij dood is. Ik vraag me af hoe dat komt.'

'Omdat ze zich niet langer zorgen maken,' zei ma Richards. 'Alle leed wordt uitgewist als ze naar de hemel gaan.'

'Weet iemand het adres van Caroline?' vroeg ik. 'Zijn er hier in Gap Creek ook neven, nichten, tantes of ooms?'

'Caroline en Butch waren stiefkinderen,' zei Mr. Poole. 'Ik geloof niet dat ze veel contact met elkaar hadden.'

'Was zijn vrouw eerder getrouwd geweest?' vroeg ma Richards.

'Dat moet wel. Ze had de kinderen al toen ze hier kwam.'

George Poole bleef een paar uur met ons zitten praten terwijl hij naar de kastanjehouten kist keek. Het was zijn manier om zich een goede buur te betonen en de dodenwacht te houden. Maar het was allemaal een beetje vreemd. We waren geen familie van Mr. Pendergast, en George Poole en Mr. Pendergast waren ook geen dikke vrienden geweest.

'Pendergast was een eenling,' zei George Poole. 'Hij groef ginsengwortels uit en zette vallen voor muskusratten. Hij deed alles in zijn eentje. Hij hield er niet van om zich onder de mensen te begeven. De afgelopen twee jaar was hij te zwak om vaak het bos in te gaan. Dan kocht hij ginseng van anderen.'

'Ik heb hem nooit verder zien gaan dan de koestal,' zei Hank.

'Hij verstopte zijn geld,' zei Mr. Poole. 'Iedereen denkt dat hij een boel pensioengeld heeft verstopt.'

Ik zei niets over de pot met geld van Mr. Pendergast. En Hank begon er ook niet over. Het ging George Poole niets aan.

'Waar bewaarde hij zijn geld?' vroeg ik aan George Poole.

'Men zegt dat hij het ergens in zijn tuin heeft verstopt.'

'Misschien is het niet meer dan een gerucht,' zei Hank.

'Mensen kletsen altijd,' zei ma Richards.

'Ik vertel jullie alleen maar wat andere mensen zeggen,' zei Mr. Poole.

De begrafenis van Mr. Pendergast was een armzalige aangelegenheid. Het was een koude, regenachtige dag. Er waren slechts een stuk of tien mensen aanwezig. Mr. Pendergast had geen familie in Gap Creek. De stem van de dominee weergalmde door de lege kerk van Gap Creek. Ik verwachtte dat er vleermuizen en ratten in de dakspanten boven ons rondscharrelden.

Dominee Gibbs en zijn vrouw zongen een uitermate droevig en langzaam lied. *'On Jordan's Stormy Banks'*. Zo'n lied kan je soms een prettig gevoel van droefheid geven. Door muziek besef je dat het leven kostbaar is. Maar door de manier waarop ze *On Jordan's Stormy Banks* zongen, was het alsof al het leven en alle vreugde uit de wereld wegstroomden. Er was niets meer om op te hopen. Het was het slechte soort droefheid. Het was de droefheid van zonde, niet de droefheid van liefde en trouw.

'Wanneer we aan het eind van het pad komen,' zei dominee Gibbs, 'wat voor goeds zullen we dan over onszelf kunnen zeggen?' Door de toon waarop hij sprak voelde je dat niemand iets goeds over zichzelf zou kunnen zeggen, dat het vanaf het begin hopeloos was. Ik heb altijd al de pest aan dat soort preken gehad, vooral bij een begrafenis. Want voor de doden kun je niets meer doen. En de doden kunnen zichzelf niet meer veranderen. Dat soort preken kunnen andere mensen alleen maar een ellendig gevoel geven. Na afloop van een begrafenis zijn ze nog ongelukkiger dan voor die tijd. Een begrafenis zou mensen blij moeten maken omdat ze nog in leven zijn.

'Het loon der zonde is de dood,' galmde de dominee. Zijn woorden donderden in de dakspanten, waar ze door de stilte en de duisternis werden opgeslokt. 'Addergebroed,' zei dominee Gibbs.

Ik voelde me afschuwelijk terwijl ik naar Mr. Pendergast keek die daar in zijn kist lag zonder familie om hem te betreuren en te begraven, en luisterde naar de dominee die sombere, harde woorden tegen de lege kerk zei. Het was alsof we aan het eind van alles waren gekomen, bijna voor mijn leven en mijn huwelijk waren begonnen. Ma Richards zat rechts van mij, en Hank links. Ik kon nergens heen, behalve voorwaarts in de tijd naar de dood. De bodem viel uit de wereld. De bank waarop ik zat was er nog steeds en de vloer onder mijn voeten was stevig. Maar alles wat belangrijk was verdween. Toen ik mijn ogen sloot had ik het gevoel dat ik in een kuil viel en met de woorden van de dominee op mijn hoofd werd geslagen.

Na afloop van de kerkdienst werd de kist door de vier

aanwezige mannen naar het kerkhof op de heuvel achter de kerk gedragen. Na de woorden van de dominee voelde zelfs de koude regen geruststellend aan. Ik had hoofdpijn en mijn buik deed zeer, alsof ik een onrijpe appel had gegeten. Aan de hickory's hingen nog steeds gele bladeren. Een kraai kraste in het dennenbos verderop. De bergen aan beide kanten van Gap Creek waren zo steil, dat het net leek of we op de bodem van een groot graf stonden.

Hank had het graf die ochtend gegraven. De berg aarde naast het gat was zo rood dat die scheen te glinsteren in het grijze licht. De vers gedolven aarde rond een graf had altijd iets schokkends, alsof het een hongerige mond was die mensenvlees te eten kreeg.

'Eerst komt de dood,' zei de dominee, 'en daarna het Laatste Oordeel.'

In de pijnbomen krasten de kraaien.

'De sterveling – zijn dagen zijn als het gras, als een bloem des velds, zo bloeit hij; wanneer de wind daarover is gegaan, is zij niet meer, en haar plaats kent haar niet meer.'

Toen Hank en drie andere mannen de kist in het gat lieten zakken, zongen de dominee en zijn vrouw *Shall We Gather at the River*. Ik moet zeggen, het was een voortreffelijk lied om bij een graf te zingen. Ik hield van het lied. Ondanks de regen en de natte aarde begon ik een beter gevoel over de begrafenis én de dominee te krijgen. Dominee Gibbs deed gewoon wat alle dominees op een begrafenis doen. Het was de koude, lege kerk die zijn woorden zo somber hadden gemaakt en mij zo'n droevig gevoel hadden gegeven. Dominee Gibbs en zijn vrouw bleven in de regen staan zingen. Ze zongen alle verzen van het lied. Ze hadden mooie, heldere stemmen.

Terwijl we na de begrafenis naar huis liepen was ma vrolijker dan ooit. Ik denk dat het feit dat ze ouder was dan Mr. Pendergast en toch nog leefde, haar had opgevrolijkt. Je zou denken dat zijn begrafenis een eerbetoon aan háár was. Ze liep kwiek voort. Glimlachend, alsof ze een speciaal geheimpje had. Ze had er nog nooit zo lief uitgezien. Ik was doodop, aan het eind van mijn Latijn, en zij liep als een vijftienjarige over Gap Creek Road.

Hoofdstuk 6

Toen we weer thuis waren, liet ik me op de sofa vallen. Ik was uitgeput. In het midden van de woonkamer, waar de kist had gestaan, stonden nog steeds twee stoelen tegenover elkaar. Het huis had een schoonmaakbeurt nodig en de keuken moest vanaf het plafond tot aan de vloer worden geschrobd. De kamer van Mr. Pendergast moest worden schoongemaakt en zijn spullen gesorteerd en gewassen. Maar het huis was niet eens van ons, en ik wist niet wie al dat werk zou moeten doen.

'Blijf jij maar zitten,' zei ma Richards tegen mij. 'Ik zorg voor het eten.'

'Het gaat zo wel weer. Ik moet alleen mijn voeten even rust geven,' zei ik.

'Hank, jij moet voor Julie zorgen,' zei ma Richards. Hank stond bij de open haard zijn handen te warmen. We waren allemaal koud en nat.

'Ik red me best,' zei ik.

'Je bent zwanger,' zei ma Richards, 'tenzij ik de plank missla.'

'Is dat waar, Julie?' zei Hank. Hij was duidelijk in verwarring. Of misschien overviel het hem.

'Ik weet het niet,' zei ik.

'Hoe lang al?' vroeg ma Richards.

'Bijna twee maanden,' zei ik.

'Dat is dan geregeld,' zei ma Richards, alsof ze de leiding over het huishouden had genomen. Haar gezicht straalde en haar ogen glommen. Plotseling begreep ik waarom ze zo vrolijk was geweest. Alleen al de gedachte dat ze oma zou worden had haar opgevrolijkt.

'Wát is geregeld?' vroeg Hank.
'Dat ik hier blijf en Julie help,' zei ma Richards.
'Ik heb geen hulp nodig,' zei ik. Ik kreeg koude rillingen. Ik had gedacht dat ma over een paar dagen zou vertrekken. Het was het enige dat me opbeurde, de gedachte dat ze weg zou gaan en dat Hank en ik weer ons eigen leventje zouden leiden.
'Je zult veel hulp nodig hebben,' zei ma.
Ik keek naar Hank. Hij zweeg. Hoewel ik het nooit had gezegd, was ik er zeker van dat hij wist hoe ik me aan ma Richards aanwezigheid ergerde. Ik kon niets tegen zijn moeder zeggen, maar ze irriteerde me. En hem irriteerde ze ook, maar hij was een man en hem behandelde ze anders. Bovendien had hij nooit een andere moeder gekend.
'Ik weet niet eens zeker of ik in verwachting ben,' zei ik. Als ma Richards nog langer bij ons bleef, zou ik zélf moeten vertrekken. Ik zou terugkeren naar mijn ouderlijk huis en weer bij mama en mijn zussen gaan wonen.
'Je bent in verwachting,' zei ma Richards, alsof het, op de een of andere manier, háár verdienste was. Ik hapte naar adem. Als ik ma niet uit het huis kreeg, zou ik moeten weglopen.
'Waarschijnlijk blijven we hier niet,' zei ik. 'We weten niet wie nu de eigenaar van dit huis is.'
'Je verhuist toch niet in haar toestand?' zei ma tegen Hank, alsof ik een klein meisje was en zij voor me moesten beslissen. Dat was wat ze wilde, de baas over het huis en over Hank zijn. Ze wilde me als een klein kind, haar kind, behandelen. En ze wilde de baas zijn over míjn kindje nog voor het was geboren.
'Ik weet niet wat we zullen doen,' zei Hank.
'Misschien moeten we hier weg,' zei ik.
'Jullie kunnen blijven tot een van de erfgenamen van Mr. Pendergast komt opdagen,' zei ma. 'Ik snap niet waarom jullie dat niet zouden doen.'
'Als er geen erfgenaam verschijnt, zal het district dit huis verkopen voor de belasting,' zei Hank.
'Dan betaal je de belasting en koop je het huis,' zei ma.
'Ik heb niet genoeg geld,' zei Hank. Hij spuwde zijn tabakssap in het vuur. Zijn kaken spanden zich altijd wanneer hij het over geld had. Hij hield er niet van om over geld te praten.

'We weten niet waar we zullen wonen,' zei ik, 'en we weten niet of ik werkelijk in verwachting ben.'

'Nou, als ik hier niet gewenst ben, het is echt niet mijn bedoeling me op te dringen,' zei ma.

Ik gaf geen antwoord, want ik wilde haar niet vragen te blijven.

'We willen dat je zo lang mogelijk blijft,' zei Hank. Hij keek me aan. 'Maar misschien gaan we met je mee terug naar Painter Mountain.'

'Mee terug?'

'Waar moeten we anders heen?' zei Hank.

'Ik zou de zolder voor jullie in orde moeten maken. Dat is de enige plek waar jullie kunnen slapen,' zei ma.

'Inderdaad,' zei Hank. 'Ik zal je naar Painter Mountain brengen en dan kun je de zolder voor ons klaarmaken.'

'Jullie hebben hier een boel hulp nodig,' zei ma. 'Julie kan dit huis niet in haar eentje schoonmaken.'

'Misschien gooien ze ons er binnenkort uit,' zei Hank. 'Bovendien zal ik haar helpen met wat er moet gebeuren.' Hank wist hoe hij ma Richards aan moest pakken. Hij kende haar door en door en wist wat hij moest zeggen.

'Wanneer wil je gaan?' vroeg ma Richards. Alle vrolijkheid was uit haar verdwenen.

'Ik dacht aan zondag, want dan hoef ik niet te werken,' zei Hank.

'Ik heb er een hekel aan om op de dag des Heren te reizen,' zei ma.

'God zal het wel begrijpen,' zei Hank.

Maar ma Richards moest het laatste woord hebben. 'Iemand zal voor dit huis moeten zorgen.'

'Dat lukt me heus wel,' zei ik.

Ik had het gevoel dat ik opnieuw verliefd op Hank werd, omdat hij had begrepen hoe graag ik wilde dat ma Richards vertrok, en omdat hij me had geholpen. Ik wilde hem om de hals vliegen en hem kussen. Hij was me dierbaarder dan ooit. Hij had me van zijn moeder gered. Al het andere werd me uit handen geslagen, maar ik zou in elk geval het huis weer voor mezelf hebben. Dat was voor mij het belangrijkste van alles.

Als ik maar alleen in het huis kon zijn om mijn werk te doen en mijn hoofd helder te maken, zou ik me weer gelukkig kunnen voelen.

Zondagmorgen spande Hank het paard voor de buggy en hielp ma Richards instappen. Ik stond op het erf te zwaaien toen ze wegreden.

'Je mag je niet inspannen,' riep ma.

'Ik red me wel,' zei ik.

'Wanneer je moe bent moet je gaan zitten,' zei ma.

'Ik ben zeventien jaar!' zei ik.

'Daarom maak ik me zorgen om je.'

'Zit maar niet over me in,' zei ik.

'En vergeet niet dat bijna alle vrouwen last hebben van ochtendmisselijkheid,' zei ma.

Ik keek hen na en zag de buggy kleiner en kleiner worden. Hoe verder hij weg was des te beter ik me voelde. Toen het paardenhoofd en daarna de hoofden van ma en Hank om de bocht verdwenen, daalde er een enorme rust op me neer, alsof alle stof en roet waren gaan liggen en de lucht helder en fris was.

Een week na de dood van Mr. Pendergast werd het opnieuw koud. Hank ging weer aan het werk in de katoenfabriek in Lyman, en ik was bijna elke dag misselijk. Elke morgen gaf ik over in de slaapkamer of op de veranda aan de achterkant van het huis. Daarna zat ik in de keuken warme thee te drinken. Na al die dagen ma Richards op bezoek te hebben gehad, en na me zorgen over Mr. Pendergast te hebben gemaakt sinds we onze intrek in het huis hadden genomen, genoot ik elke dag van de rust en de stilte zodra mijn maag tot rust was gekomen.

Het was ongelofelijk hoe goed ik me voelde als de misselijkheid over was. Ik deed de afwas, droogde af en zette alles op de plank. Dan pakte ik een emmer en een doek en maakte de vloer schoon. Door op die ruwe planken neer te knielen voelde ik me sterk. Het was als een ochtendgebed, op de koude plankenvloer knielen en achterwaarts kruipen om stof en vuil te verwijderen. Op die momenten besefte ik hoeveel het betekende om een thuis te hebben, een huis om dag na dag en nacht na nacht in te wonen.

Terwijl ik de vloer boende, boende ik ook een deel van de wereld. En ik boende mijn hoofd om het helder te maken. Het was werk dat me helder deed denken en me nederig maakte. Ik kon nooit zo goed praten. Ik kon nooit tegen mensen zeggen wat ik bedoelde of wat ze voor me betekenden. Ik kon mijn gevoelens nooit in woorden uitdrukken. Ik kon alleen met mijn handen, rug en schouders zeggen wat ik voelde. Ik moest met mijn armen en mijn sterke handen praten.

Toen ik klaar was met de vloer, bracht ik de emmer vuil water naar de veranda en gooide hem leeg. Toen ik hem met vers water omspoelde, zag ik een buggy tot stilstand komen op de weg. Aanvankelijk lette ik er niet zo op, want van tijd tot tijd kwamen er venters en kopers van ginseng en kruiden langs. Deze buggy zag er nieuw uit. De zwarte bovenkant en de zijkanten glommen. Het paard dat de buggy trok was zwart. Zijn flanken glansden alsof ze met schoenpoets waren gepoetst. Mijn keel kneep dicht, zoals altijd wanneer ik een vreemde zag.

Ik spoelde de emmer uit en gooide het water met één snelle beweging over het erf. Een kip werd geraakt. Het dier rende kakelend weg. Een andere kip kwam aanrennen om uit de plas water te drinken. De buggy stopte op het erf. Ik zette de emmer neer en haastte me erheen.

'Goeiendag,' zei de man op de bok, die een zwart pak droeg. Hij tikte de rand van zijn hoed aan.

'Goeiendag,' zei ik.

Hij stak de zweep in de houder en maakte de teugels vast aan een ring aan de zijkant van de buggy. 'Mijn naam is Jerrold James,' zei hij. 'Ik ben een advocaat uit Greenville.'

'Aangenaam kennis te maken,' zei ik. 'Mijn naam is Julie Richards.' De rillingen liepen me over de rug. Ik wist dat een advocaat geen goed nieuws kon brengen.

'Is dit huis het eigendom van Vincent Pendergast?' vroeg hij.

'Dat klopt,' zei ik. 'Maar Mr. Pendergast is vorige week gestorven. Woensdag is hij begraven.'

'Inderdaad,' zei de advocaat. 'Inderdaad.'

'Ik heb voor Mr. Pendergast en het huis gezorgd,' zei ik. Het waaide hard in de vallei. Ik begon het koud te krijgen zonder sjaal.

'Ik heb de overlijdensadvertentie van Mr. Pendergast in de krant zien staan,' zei de advocaat. Hij haalde een vel papier uit zijn aktetas.

'Vertegenwoordigt u de erfgenamen van Mr. Pendergast?' zei ik.

'Eigenlijk niet,' zei Mr. James. 'Aangezien Mr. Pendergast geen testament heeft – tenminste, er is geen testament gevonden – is het niet duidelijk wie zijn erfgenamen zijn. Het is de vraag of zijn stiefkinderen, waar ze ook mogen zijn, wettelijk recht op het huis hebben.'

'Juist ja,' zei ik.

'Voor zover ik weet heb jij er net zo goed aanspraak op als zij.'

'Aanspraak?'

'Ja, op grond van het huurrecht,' zei hij. 'Dat zou een rechtbank moeten beslissen.'

'Zouden we naar de rechtbank moeten?'

'Inderdaad,' zei Mr. James. Het was zijn stopwoordje, en zoals hij het zei klonk het als een scherp mes dat door vet snijdt.

'Mijn man en ik willen geen problemen,' zei ik. Ik wou dat Hank er was om met de man te praten.

'Maar ik ben hier voor een andere zaak,' zei Mr. James. 'Ik vertegenwoordig de Bank van Greenville, die pandrecht heeft op het huis.' Hij haalde nóg twee vellen papier uit zijn tas en liet ze me zien. Maar ik keek er niet echt naar. Hij zou me vast wel vertellen wat erop stond.

'Moeten we verhuizen?' vroeg ik.

'Niet per se,' zei de advocaat. 'Daar kom ik over praten.'

Ik nodigde Mr. Jerrold James uit binnen te komen. Ik bibberde van de kou. Toen we in de woonkamer waren, vroeg ik hem op de sofa te gaan zitten. Ik gooide nog een blok hout op het vuur.

'Hebt u zin in koffie?' vroeg ik.

'Dat zou heerlijk zijn. Ik ben een beetje koud geworden op weg hierheen.'

Er zat nog wat warme koffie in de pot. Ik schonk een kopje voor hem in en bracht het naar de woonkamer. Mr. James zette zijn stoel dichter bij de open haard en nam een slok koffie. 'Ik heb begrepen dat er brand is geweest,' zei hij.

'Ik was bezig vet uit te smelten en toen vatte een deel van het vet vlam,' zei ik.

'Was er veel schade?'

'De gordijnen zijn verbrand en er zijn een paar vloerplanken verschroeid,' zei ik. 'Ik heb het vuur met natte zakken gedoofd.'

'Is Mr. Pendergast ook verbrand?'

'Hij heeft brandwonden aan zijn hoofd, gezicht en handen opgelopen,' zei ik.

'Hoe komt het dat hij zo erg verbrand is?' vroeg Mr. James.

'Hij probeerde het vuur te doven en zijn huis te redden,' zei ik. 'Toen vatte een blik petroleum vlam en ineens stond zijn haar in brand.' Dat was de waarheid. Ik vertelde Mr. James geen leugen.

'Heeft Mr. Pendergast tegen je gezegd waar hij zijn geld bewaarde?' vroeg de advocaat. De wind deed het huis schudden en de ruiten rammelen. Er kwam een rookwolk uit de open haard, zoals altijd wanneer er een windvlaag uit het noorden was. De rook herinnerde me al te zeer aan de brand in de keuken.

'Nee, nooit,' zei ik. En dat was waar. Mr. Pendergast had pas verklapt dat hij geld had toen hij naar het vuur kroop om de pot achter het fornuis te redden.

Mr. James glimlachte tegen me. 'Wat zijn jullie nu van plan?'

'Hier blijven en voor het huis zorgen tot de erfgenamen komen,' zei ik.

'Ik zie dat jullie fatsoenlijke mensen zijn.'

'Dat proberen we.'

'Daarom zou ik het afschuwelijk vinden als de bank tot beslaglegging overging,' zei hij. Hij nam nog een slok koffie.

'Wat bedoelt u?' vroeg ik.

'We proberen altijd menselijk te zijn,' zei hij. 'Maar als de bank de rente van de lening niet kan innen, zal er beslag op het huis moeten worden gelegd.'

'Ik wou dat mijn man er was om met u te praten,' zei ik.

'De zaak is heel eenvoudig. Als de bank de rente van de lening niet kan innen, zal er beslag gelegd moeten worden.'

'Maar de erfgenamen van Mr. Pendergast weten nog niet eens dat hij dood is, voor zover ik weet.'

'Dat begrijp ik. Maar de bank zal iets moeten doen.'

'Wanneer Hank terug is kunt u met hem praten,' zei ik nerveus.

'Het spijt me dat ik je slecht nieuws moet brengen,' zei Mr. James.

'We kunnen nergens heen,' zei ik.

'Er is geen reden waarom jullie zouden moeten vertrekken als de bank de rente kan innen,' zei de advocaat.

'Bedoelt u dat we hier zouden kunnen blijven?' vroeg ik.

'Als er betaald wordt, zou ik niet weten waarom niet,' zei Mr. James.

Het leek me dat ik het de erfgenamen verschuldigd was de bank geen beslag op het huis te laten leggen voor ze wisten dat Mr. Pendergast dood was. Het was mijn taak voor het huis te zorgen tot ze kwamen opdagen. Ik wou alleen dat Hank er was om me te helpen een besluit te nemen.

'Ik zie dat je heel goed voor het huis hebt gezorgd,' zei Mr. James.

'Ik heb mijn best gedaan,' zei ik.

'Het spijt me dat ik je zo overval,' zei hij.

'U moet uw werk doen,' zei ik.

Mr. James dronk zijn koffie op en zette het kopje op de vloer. 'Ik zou je graag helpen als ik kon,' zei hij.

'Wilt u nog een kop koffie?'

'Nee, dank je, ik moet gaan.'

Ik wist dat ik iets moest doen. Ik móest iets doen. 'Wanneer zal de bank beslag op het huis leggen?' vroeg ik.

'Ze zullen voor het eind van het jaar moeten handelen,' zei Mr. James. 'Het spijt me dat het al zo vlug moet gebeuren.'

'Wat gebeurt er als u het geld voor de rente krijgt?'

'Als de rente betaald wordt, zal de bank niets ondernemen,' zei Mr. James. 'Kunnen jullie de rente dan betalen?'

'We hebben niet veel geld,' zei ik.

'De erfgenamen zouden het later, wanneer ze gevonden zijn,

aan jullie terug kunnen betalen,' zei Mr. James.
'Stel dat ze niet worden gevonden. Wat dan?'
'Dan zouden jullie, wat de bank betrof, hier kunnen blijven wonen.'
Ik besefte wat me te doen stond. Ik moest de rente betalen. Het was de enige manier om te voorkomen dat de bank het huis in beslag nam voor de erfgenamen wisten dat Mr. Pendergast overleden was. En als de rente betaald was, konden Hank en ik hier blijven wonen.
'Hoeveel is de rente?' vroeg ik.
'Dat hangt af van de periode waarvoor je betaalt,' zei de advocaat. 'Een maand, een kwartaal of een jaar.'
'Hoeveel kost een jaar?' vroeg ik.
'Ik zal het in mijn papieren moeten nakijken,' zei Mr. James.
'Ik denk dat ik weet hoe ik aan het geld moet komen,' zei ik.
'Dat zou ons allemaal veel moeite besparen,' zei Mr. James.
Ik pakte mijn sjaal en rende door de keuken naar buiten. Mr. James volgde me. Hij stond op de veranda toen ik naar de wc rende. Achter de wc-bril en de Sears en Roebuck-catalogus die we als toiletpapier gebruikten, was de pot met pensioengeld van Mr. Pendergast. Hank had hem daar neergezet omdat het volgens hem een plek was waar niemand geld zou zoeken.
De pot was koud, alsof hij gevuld was met ijs. Ik droeg hem met beide handen naar de veranda.
'Was die pot van Mr. Pendergast?' vroeg Mr. James.
'Het is zijn pensioengeld,' zei ik.
'Laten we het tellen en dan geef ik jou een ontvangstbewijs,' zei Mr. James.
Ik stak de keukenlamp aan. De advocaat leegde de pot met geld op de tafel. Je hebt nog nooit zoveel muntstukken en dollarbiljetten gezien. Er was zelfs een gouden vijfje dat fonkelde in het lamplicht. Er was zoveel geld, dat ik er bang van werd.
Mr. James en ik maakten aparte stapeltjes van de verschillende soorten muntstukken. Sommige waren zo oud en hadden zo lang in de pot gezeten, dat ze plakkerig waren. Het totale bedrag was zevenenveertig dollar en zesentachtig cent.

'Is dat genoeg voor de rente?' zei ik.

'Dat is bijna genoeg voor een heel jaar,' zei Mr. James.

Ik kon wel huilen van opluchting, want ik had een manier gevonden om het huis van Mr. Pendergast voor zijn erfgenamen te redden. En Hank en ik hadden nog steeds een huis om in te wonen.

'De Bank van Greenville zal niet vergeten dat je ons hebt geholpen,' zei Mr. James. 'Misschien kunnen wíj je later ook helpen.'

Mr. James maakte zijn tas open en haalde er een vel papier uit. Met zijn vulpen schreef hij een paar regels op het vel en gaf het aan mij. 'Ontvangen van Mrs. Julie Richards $47,86, rente voor de lening voor het huis van Mr. Vincent Pendergast in Gap Creek. Jerrold James, advocaat.'

'Bedankt voor uw hulp,' zei ik.

'De Bank van Greenville weet dat hij zichzelf alleen kan helpen door zijn klanten van dienst te zijn,' zei Mr. James. Ik liep met hem mee. Hij klom in de buggy, pakte de teugels beet, klakte met zijn tong en zei gedag. Toen keerde hij de buggy en begon de weg af te rijden. Ik stond te kijken tot hij bijna uit het zicht was. Maar toen kreeg ik het zo koud, dat ik gauw naar binnen rende.

De rest van de dag dacht ik, terwijl ik werkte, aan Mr. James en zijn onverwachte bezoek om de rente voor de bank te innen. Ik was trots op wat ik had kunnen doen. Al was Hank er niet, ik had de rente betaald en het huis gered. Maar hoe meer ik over alles nadacht, des te vreemder het leek. Ik had verwacht dat de érfgenamen van Mr. Pendergast zouden komen en het huis en het geld opeisen, níet een advocaat van een bank in Greenville. De hele zaak had iets raars, maar wát dat was kon ik niet precies aangeven. Wat de advocaat had gezegd leek aannemelijk, maar ik zag er tegen op Hank te vertellen wat er was gebeurd. Hoe langer ik erover nadacht, des te meer ik besefte dat hij niet blij zou zijn dat het geld weg was.

De krabbetjes, het maïsbrood en de verse kool stonden klaar toen Hank thuiskwam van de fabriek. Ik schonk een glas zoete melk voor hem in en ging ook aan tafel zitten. Toen vertelde ik hem van de advocaat en dat de bank het recht had beslag op het huis te leggen.

'Zei hij dat we moeten vertrekken?' vroeg Hank.

'Nee, dat zei hij niet.' Ik luisterde naar het loeien van de wind op de bergkam boven de kreek.

'Wat wilde hij?' vroeg Hank.

'Hij zei dat Mr. Pendergast de bank rente verschuldigd was.'

Hank hield op met eten en keek me aan. Er zat vet op zijn kin. 'Je hebt hem toch niet verteld dat Mr. Pendergast geld had?' zei hij.

'Ik heb de rente betaald. Hij zei dat de bank het huis in beslag zou nemen als de rente niet werd betaald. Maar hij was verder heel aardig.'

'Dat zal wel!' zei Hank.

'Hij zei dat we konden blijven als de rente werd betaald,' zei ik.

'Je hebt toch niets over de pot met geld tegen hem gezegd?' zei Hank.

'Ik heb hem de pot gegeven om de rente te betalen,' zei ik.

Hank stond op, met zijn mond vol brood. Na een lange stilte begon hij me uit te schelden. 'Stomme koe!'

Het werd me koud om het hart. 'Ik moest de rente betalen. Anders zouden ze het huis in beslag nemen, zei hij.'

Voor ik het wist haalde Hank uit en sloeg me in het gezicht. Mijn wang gloeide en mijn hoofd bonsde, maar ik voelde het nauwelijks. Het waren Hanks woorden die me diep hadden getroffen.

'Hij heeft je belazerd,' zei Hank. 'Je wist niet eens wie die man was. Je bent erin geluisd. Hij wist pas dat Pendergast geld had toen jij het hem vertelde. Stomme koe!'

Ik besefte dat het waar zou kunnen zijn. De 'advocaat' had het niet zeker geweten tot ik de pot met geld ging halen. En hij had me overgehaald het geld aan hem te geven. Hij had zo overtuigend geklonken dat ik hem alles had gegeven. Met tranen in mijn ogen rende ik de woonkamer binnen. Ik schaamde me voor wat ik had gedaan. En ik schaamde me voor wat Hank had gedaan. Zo'n schaamte had ik nog nooit gevoeld.

Het was een schaamte die als een scheermes door mijn maag sneed. Ik schaamde me zo voor Hank. Papa had me nooit geslagen. Mama had me niet meer geslagen sinds ik een klein meisje was. Toen ik een jaar of vijf was gaf mama me altijd een mep met een stuk hickoryhout als ik brutaal tegen haar was.

Ik ging op de sofa zitten en legde mijn hoofd op de armleuning. Maar ik snikte niet als een meisje wier hart was gebroken. Er waren tranen in mijn ogen, maar ik kon niet huilen. Ik denk dat ik te geschokt was en te boos. Ik begroef mijn hoofd in mijn arm, en verwachtte dat Hank naar me toe zou komen en zou zeggen dat het hem speet. Ik dacht dat hij me overeind zou hijsen en me kussen. Hij zou me troosten. Dan zou alles weer zo worden als het was vóór de komst van ma Richards en vóór de dood van Mr. Pendergast.

Maar Hank kwam niet naar de woonkamer. Ik verwachtte dat hij zijn handen op mijn schouders zou leggen en spijt betuigen. Aanvankelijk zou ik me niet laten verleiden. Ik zou laten zien hoe teleurgesteld ik in hem was. Ik zou hem moeite laten doen om vergiffenis van me te krijgen. Ik zou niet zo makkelijk weer vrede sluiten.

In plaats van zijn handen op mijn schouders te voelen, hoorde ik de achterdeur dichtslaan. Ik ging rechtop zitten en luisterde. Er was alleen het geknapper van het haardvuur en het gehuil van de wind. Hank was de duisternis in gegaan. In plaats van me te troosten had hij me alleen gelaten met mijn schaamte. Ik was zo teleurgesteld, dat mijn knieën knikten. Erger dan de schaamte om te zijn geslagen was de schaamte om in de steek te zijn gelaten.

Ik stond op, liep naar de open haard en stak mijn handen uit om ze te verwarmen, want ik was koud vanbinnen. Mensen gloeien altijd als ze zich schamen, maar ik had het gevoel dat mijn botten en gewrichten van steen en ijs waren geworden. Ik stond voor het vuur te wachten tot Hank terugkwam. Ik overwoog wat ik tegen hem zou zeggen. Ik had heel veel spijt van wat ik met het geld van Mr. Pendergast had gedaan. Ik had geld weggegeven dat niet van mij was, geld dat de erfgenamen toebehoorde. Ik had een stommiteit begaan. De zogenaamde Mr. James was een regelrechte oplichter. En toen Hank zijn hand tegen me ophief had hij iets gedaan wat nóg erger was.

Hoe langer ik bij het vuur stond, des te kouder ik het kreeg. Het geluid van de wind maakte dat ik huiverde. En de kou was diep in me, in mijn ingewanden en in mijn botten. Als ik nog langer bleef staan wachten tot Hank terugkwam, zou ik dood vriezen. Ik zag er tegen op om terug te gaan naar de keuken, waar Hank me had geslagen, maar ik kon nergens anders heen in de warboel van gevoelens en mijn algehele verwarring.

Het grootste deel van de avondmaaltijd stond nog op tafel. Het maïsbrood en de krabbetjes, de kool en de glazen zoete melk. Alles was koud geworden, behalve de melk die warm was geworden. De borden waren halfleeg. De lamp wierp een geel schijnsel op de rommel.

Ik pakte een handvol aanmaakhout en gooide dat in het fornuis. Toen nam ik de ketel mee naar de veranda aan de achterkant van het huis. Ik zag Hank nergens in de donkere achtertuin. Ik vroeg me af of hij in de schuur was of achter het houtschuurtje. Stond hij daar naar me te kijken? Ik vulde de ketel met water en nam hem mee terug naar de keuken. Was mijn huwelijk voorbij voordat het amper was begonnen?

Terwijl het water warm werd, schraapte ik de restjes van de borden en gooide alles in de emmer voor de kippen. Het brood, de kool en de krabbetjes stopte ik in de broodkast. Ik veegde de tafel af en gooide de kruimels door de achterdeur naar buiten. Met een natte doek maakte ik de tafel schoon en legde de vuile vaat in de afwasteil. Toen het water warm was, vulde ik de teil voor de helft met warm water.

Het warme zeepwater voelde heerlijk voor mijn handen en polsen. Ik begroef mijn armen er tot aan mijn ellebogen in en bracht mijn gezicht dicht bij de teil om de warmte op mijn kin en hals te voelen. Ik wou dat ik mijn hele lichaam in een tobbe warm zeepwater kon laten zakken. Ik wilde weken en me wassen om mijn schaamte te laten verdwijnen. Ik boende elk mes, elke vork, elk glas, elke schaal en elke kom schoon. Ik spoelde ze om in een teil vers water en droogde ze af met een schone theedoek. Ik stond op het punt naar buiten te gaan om het vuile water weg te gooien, toen Hank in de deuropening verscheen.

'Hoe zag die advocaat eruit?' zei hij.

Ik had duizend dingen bedacht om tegen Hank te zeggen. Ik had overwogen mijn excuses aan te bieden. Ik had overwogen te proberen hem beschaamd te maken. Ik had overwogen tegen hem te zeggen dat ik hem zou vermoorden als hij me nog een keer sloeg. Ik had overwogen hem op mijn knieën vergiffenis te vragen voor de domme streek die ik had uitgehaald. Maar nu Hank eindelijk terug was, wist ik niets te zeggen. Ik wrong de theedoek uit in de teil met vuil water.

'Kun je je niet herinneren hoe hij eruitzag?' zei Hank.

'Hij was gewoon een man,' zei ik. Niets van alles wat ik had willen zeggen kwam over mijn lippen.

'Is dat alles wat je nog weet?' vroeg Hank.

'Hij was een man die een pak droeg en in een buggy reed.' Ik probeerde me te herinneren hoe het gezicht van Mr. James eruit had gezien, maar ik wist er werkelijk niets meer van. Wat was de kleur van zijn haar? De kleur van zijn ogen? Had hij een snor of niet? Ik was het allemaal vergeten.

'Was hij groot of klein?'

'Hij was niet zo groot als jij,' zei ik. 'En hij liep een beetje gebogen.'

'Daar worden we niet veel wijzer van.'

'Hij zei dat hij Jerrold James heette.'

'Hij zou iedereen kunnen zijn.'

'Ik heb hem niet aandachtig genoeg bekeken om later nog te weten hoe hij eruitzag. Ik maakte me zorgen om het huis van Mr. Pendergast en wilde het redden.'

'Je had je nog méér zorgen moeten maken.'

Dit was de eerste echte ruzie die Hank en ik hadden, en ik wist niet hoe het zou aflopen. Ik wist niet of het het einde van ons huwelijk was of niet. Mama en papa hadden met elkaar gekibbeld, maar papa had mama nooit geslagen voor zover ik wist. Papa had nooit iemand geslagen naar mijn weten.

Ik zei alleen het noodzakelijke tegen Hank, want ik schaamde me nog steeds voor wat hij had gedaan en wat ík had gedaan. Ik schaamde me zo, dat ik niet meer kon bedenken wat ik wilde zeggen. Daarom zweeg ik terwijl hij zich druk maakte over het geld.

'Kun je je níets meer herinneren?' zei hij.
Ik schudde mijn hoofd.
'Zou je hem herkennen als je hem terugzag?'
'Misschien.'
'En misschien niet,' zei Hank. Hij was ongerust en nerveus. Het verwarde en het ontzette hem dat ik weinig zei. Hij was gewend dat een vrouw tekeerging, zoals ma Richards. Hij was eraan gewend om beledigd en uitgescholden te worden. Door te zwijgen bracht ik hem uit zijn evenwicht. Het was de eerste keer dat ik zag hoe ik me teweer kon stellen tegen zijn slechte humeur. Als ik alleen maar wachtte, werd hij nerveus en bleef met zijn hoofd tegen mijn stilte aan lopen. Als ik hem gewoon liet uitrazen, keerde zijn eigen woede zich tegen hem.
'Zou je zijn paard herkennen?' vroeg Hank.
'Misschien.'
Hij volgde me van de keuken in de woonkamer terwijl hij de ene vraag na de andere op me afvuurde. Maar ik vertelde hem niet veel. Ik kon hem niets nuttigs vertellen. Ik liet hem doordrammen en zichzelf uitputten. Toen het tijd was om naar bed te gaan zei ik niets. Ik verwijderde mijn haarkammen, legde ze op de schoorsteenmantel, pakte de lamp van het bureau en nam hem mee naar boven.

Ik weet niet hoe het komt dat een ruzie een lichaam zo opwindt. Maar toen ik in de koude slaapkamer onder de dekens lag, gloeide en tintelde mijn hele lichaam. Het werken had de kou verdreven, en terwijl ik naar Hanks boosheid luisterde had ik het steeds warmer gekregen. De opwinding en de schaamte hadden iets in me gestimuleerd. Ik voelde dat de hitte die mijn huid uitstraalde de dekens en het matras onder mijn rug warm maakte. Luisterend naar de wind in de dakgoot en de schoorsteen wachtte ik tot Hank de kamer binnenkwam.
Wachten windt ook op. Alleen wachten maakt dat je hartslag zo wordt verhoogd en dat het bloed zo in je oren zingt. Ik kon het bloed in mijn hals en borst voelen, en zelfs in mijn armen, zo warm stroomde het door mijn aderen. Ik voelde de aanraking van de dekens op mijn tepels, buik en knieën. Je bent heel stom geweest, zei ik tegen mezelf. Je bent niets an-

ders dan een grote sufferd. Maar de gedachte was niet alleen maar pijnlijk. Want als ik wist dat ik stom was en het toegaf, wist ik waar ik aan toe was en kon ik ook duidelijker zien hoe het verder moest. Als ik wist dat ik stom was, zou ik er misschien iets van leren en het beter doen.

De wind blies tegen het dak. Ik rilde, niet omdat ik het koud had maar omdat ik het zo warm had, dat er vonken van mijn lichaam spattten. Er zat elektrische stroom in de deken en in de lucht, en elke centimeter van mijn lichaam was geladen en tintelde als sodawater op je tong. Je bent een echte sufferd, zei ik tegen mezelf.

Maar Hank kwam niet naar bed. Ik lag maar in het donker te wachten. Na een uur of zo hoorde ik de voordeur dichtslaan, alsof hij naar buiten was gegaan. Daarna moet ik in slaap zijn gevallen, want ik heb hem niet binnen horen komen. Maar in de kleine uurtjes werd ik gewekt door het geluid van voetstappen op de trap.

Hank klom de trap op en opende de deur. Hij had een lamp bij zich, die hij op het kleine bureau neerzette. Hij moest een beetje bukken onder het schuine plafond. Hij had zijn schoenen beneden bij de haard laten staan, zoals gewoonlijk, en hij liep rond op zijn sokken. Eerst maakte hij de ene bretel van zijn werkbroek los en toen de andere. Om een werkbroek uit te trekken moet je de knoopjes aan de zijkant losmaken, maar voordat hij dat deed blies hij de lamp uit. Ik luisterde terwijl hij zijn broek uittrok en aan de bedstijl hing. Ik hoorde iets rammelen in de hoek en vroeg me af wat het was. Toen herinnerde ik me de tinnen kan waar Hank soms zijn tabak in spuwde. Vervolgens hoorde ik gekraak en voelde een koude luchtstroom. Hij had het raam op een kiertje gezet, zoals altijd voordat hij in bed kroop.

Toen Hank op het bed ging zitten om zijn sokken uit te trekken, schudden het matras en de spiraal op en neer. Ik schudde mee, terwijl hij op zijn rug ging liggen en de dekens over zich heen trok. Hij was zoveel zwaarder dan ik, dat ik met mijn hand en mijn elleboog moest verhinderen dat ik naar hem toe gleed.

Zou Hank me aanraken? Zou hij voldoende over zijn woede heen zijn om me te vergeven? Had de ruzie hem opgewonden zoals bij mij het geval was? Zou hij zich omkeren en zijn hand op mijn borst leggen, wat hij altijd deed als hij zin had om te vrijen? Zou hij iets fluisteren wat me in vuur en vlam zette? Hij verschoof. Zijn gewicht maakte dat het bed heen en weer schudde. Elke centimeter van mijn huid hunkerde naar zijn aanraking en deed pijn van verlangen.

Ik wilde mijn hand naar hem uitsteken, maar ik wist dat ik dat beter niet kon doen. Ik had hem nog nooit als eerste aangeraakt. Ik was er zeker van dat hij niet wilde dat ik dat deed. Híj wilde degene zijn die zijn hand uitstak. Als hij met me wilde vrijen zou hij me aanraken. Er zat niets anders voor me op dan te wachten tot hij een besluit nam. Ik had het hem zo vaak zien doen, plotseling besluiten dat hij wilde vrijen.

Ik luisterde naar het klokje dat op het nachtkastje stond te tikken. Het was de wekker die we gebruikten om tegen halfzes of zes uur wakker te worden. Het klokje tikte bijna even snel als mijn hart sloeg. Het getik maakte dat mijn oren jeukten en dat mijn huid tintelde en kriebelde.

Hank draaide zich om en legde zijn hand op mijn heup. Maar wat hij zei waren geen lieve woordjes. Hij fluisterde niet dat ik zijn schat was of zijn snoepje. Hij fluisterde niet dat hij spijt had en dat ik zijn liefste was. Aanvankelijk hoorde ik niet wat hij zei. Het was zo anders dan wat ik verwachtte, wat ik wilde horen. Je weet hoe vreemd woorden kunnen lijken als ze niet de woorden zijn waarop je wacht.

'Ik ben vandaag ontslagen,' zei hij.

Hij zei het alsof hij bijna te moe was om het te zeggen. En hij zei het alsof hij uitlegde waarom hij zo boos was geworden over de pot met geld. Dat wist ik meteen. Hij zei op zijn eigen manier dat het hem speet me te hebben geslagen.

'Waarom?' vroeg ik.

'Omdat alle stenen gemaakt zijn,' zei hij. 'Ze hebben nu genoeg stenen om de katoenfabriek te bouwen, en voor iets anders hebben ze me niet nodig.'

Ik stak een hand uit en legde hem op zijn been. Toen legde ik mijn hand op zijn heup, bracht mijn been omhoog en legde het op het zijne. Ik kon zijn droefheid voelen, in zijn woorden en in de manier waarop hij in bed lag. Hij was zwaar van droefheid. Hij was traag en heet van droefheid.

Ik streelde zijn heup en zijn been. Ik streelde zijn schaamhaar en voelde hem groter worden. Mijn opwinding en zijn droefheid maakten me stoutmoediger dan ooit. Ik streelde hem tot hij lang was en hard als staal. Ik hoorde zijn adem dieper en sneller worden. 'Je krijgt heus wel een andere baan,' zei ik. Maar het leek me dat het er niet toe deed. Wat er wél toe deed in het donker was dat we samen en naakt waren. De wind blies tegen de zijkant van het huis, helemaal in Gap Creek in South Carolina. Zolang we konden vrijen en liefhebben, zouden we altijd een manier vinden om te leven, een manier om tot elkaar te komen. Ik zou een baby krijgen. Dát was wat telde.

Ik streek door het haar op Hanks borst en kneep in een van zijn tepels. Dat had ik nooit eerder gedaan. Het was alsof alles wat ik deed precies goed was. Toen Hank zich tegen me aan drukte, voelde ik de vonk in mijn huid waar hij me aanraakte. De gloed had zich op mijn buik geconcentreerd, waar de baby was. Het was als gloeiende kool. Mama had tegen me gezegd dat je in de laatste maanden van een zwangerschap niet moest vrijen, maar het was te vroeg om me daar zorgen over te hoeven maken. Ik was vrij om te doen wat ik wilde, en wat ik wilde was met Hank vrijen in ons eigen bed op onze eigen manier. Onze ruzie en alle onzekerheid maakten het nóg belangrijker om te vrijen.

Toen Hank boven op me ging liggen, was het alsof de tijd langzamer ging en elke seconde tot het uiterste werd uitgerekt. De duisternis werd groter. Alles in de duisternis werd groter. Hanks schouders, ellebogen en handen werden groter. De seconden bezweken bijna onder de grootte. Ik kon iedere centimeter van mijn huid voelen. Hank werkte alsof hij een heuvel moest opklimmen en dan kroop hij alsof hij in een boom klom. Hij kroop sneller, en toen vertraagde hij het tempo. Hij ging nóg langzamer en toen klom hij verder. Hij duwde alsof hij galoppeerde. Hij klom alsof hij naar de top van de hoogste berg ging en me alles bracht wat hij had.

Het vreemdste was dat ik allerlei soorten eten voor me zag. Ik moet nog honger hebben gehad na de onafgemaakte maaltijd. Ik zag aardbeien, wortelen en tomaten. Ik zag appels – Red Delicious – en doperwten en gekookte aardappelen. Ik zag nieuwe aardappeltjes in boter en zoete melk. Ik zag rijpe peren die zo groot waren, dat je er nauwelijks een hap van kon nemen. Ik zag druiven zo rijp, dat ze op je tong zouden openbarsten.

'Het komt,' zei Hank. Maar ik wist niet of hij het over de baby had of over onze liefde of over de overvloed aan liefde, die veel belangrijker was dan geld.

Hank schreeuwde en klom nog sneller. En toen was het alsof hij in me openbrak. Ik voelde mijn botten en mijn benen smelten in de kleur die door me heen raasde. Maar het was geen rode vlam en ook geen oranje vlam. Het was een blauwe vlam die bij de achterkant van mijn hoofd begon, langs mijn ruggengraat naar mijn buik ging en vervolgens naar de toppen van mijn tenen, waar het blauw in paars veranderde.

Toen Hank van me af rolde, was ik nat van het zweet en compleet uitgeput.

Hoofdstuk 7

De dag nadat ik de pot met geld van Mr. Pendergast had weggegeven en de dag nadat Hank zijn baan op de katoenfabriek was kwijtgeraakt, was het alsof we weer helemaal opnieuw moesten beginnen. Voor zover ik wist waren we alleen maar naar Gap Creek gegaan omdat daar werk was bij de bouw van de fabriek in Lyman. Je zou nooit op het idee komen naar Gap Creek te verhuizen, tenzij je daar een doel had of familie. Het feit dat ik geld had weggegeven dat niet van mij was maakte me duidelijk hoe hard de wereld was, en hoeveel ik nog moest leren. En het feit dat Hank me had geslagen maakte me duidelijk hoe moeilijk we het zouden krijgen in ons huwelijk en ons leven.

De volgende morgen was ik stijf door de spanning van onze ruzie en de zorgen. Maar ik voelde me gereinigd door de kracht van ons liefdesspel, alsof ik me helemaal had gegeven, zowel lichamelijk als geestelijk. En daardoor had ik een beetje pijn en was ik stijf, zoals wanneer je te hard werkt en nieuwe spieren gebruikt.

Hank stond vroeg op, maar hij stak het fornuis niet aan. Toen ik opstond, was het nog koud in de keuken. Ik moest een vuur maken en koffie zetten. Het gras in de achtertuin was bevroren. Hank kwam binnen met een emmer melk die dampte in de koude lucht. 'Zet maar op de veranda,' zei ik. 'Ik zeef het later wel.'

Ik denk dat hij zich opgelaten voelde over onze ruzie, want hij gaf geen antwoord. Hij goot de melk door een doek en bracht de kruik naar het koelhuis. Ik had hem nog nooit zo stil gezien. Ik kookte gort en bakte een paar eieren en schouderviees. Toen we gingen zitten om te eten zei ik: 'Kun je geen werk op een andere katoenfabriek krijgen?'

'Alleen in Tigerville is een fabriek die te voet te bereiken is,' zei hij.

'Neem dan een baan in Tigerville,' zei ik.

'Dat heb ik al geprobeerd,' zei Hank.

'We zouden kunnen verhuizen,' zei ik.

'Waarheen?' vroeg Hank.

'Naar een huis dat wat dichter bij een andere katoenfabriek staat,' zei ik.

'Het is míjn zorg, niet de jouwe,' snauwde hij. Hij zette zijn koffiekopje neer en keek me boos aan. Ik verstrakte. Ik probeerde alleen maar behulpzaam en opgewekt te zijn. Ik zei geen woord meer. Zwijgend keek ik naar mijn bord en at mijn gort op. Ik herinnerde me wat ma Richards had gezegd, dat Hank verwend was en dat hij het opgaf als het te moeilijk werd. Ik besefte dat hij bang en gemeen werd wanneer hij dacht dat hij niet de baas was. Als hij boos was, was het beter dat ik mijn mond hield, al was ik óók boos.

's Nachts was de wind gaan liggen. Ik luisterde naar het knetterende hout in het fornuis terwijl ik jam op een broodje smeerde.

'In Pumpkintown zijn ze een winkel aan het bouwen,' zei Hank. 'Maar dat is bijna vijftien kilometer hiervandaan.'

Ik zei niets. Ik zou hem ononderbroken laten praten als hij dat fijner vond. Ik zou hem zoveel en zolang hij wilde laten praten. Het ging hem er vooral om dat hij het laatste woord had. Aangezien ma Richards hem had grootgebracht, was het begrijpelijk dat hij dat zo belangrijk vond. Hij zweeg even, alsof hij verwachtte dat ik iets zei. Dat gebeurde niet.

'Hier en daar worden huizen gebouwd,' zei hij. 'Ik zou kunnen vragen of ze werk voor me hebben.'

Ergens op de bergkam boven de kreek kraste een kraai. Een kip kakelde in het kippenhok.

'We zouden terug kunnen gaan naar North Carolina,' zei ik.

'Waar moeten we dan wonen?' vroeg Hank. 'Op Painter Mountain is geen plaats, stel dat we daar zouden willen wonen. Ik denk niet dat we bij jouw moeder en al je zussen kunnen wonen.'

'We zouden daar een ander huis kunnen gaan zoeken,' zei ik.

'En waar moeten we de huur dan van betalen?' vroeg Hank.

'Gap Creek vind ik prima,' zei ik. Omdat Hank zich zorgen maakte, wilde hij opnieuw kibbelen. Dat was hij gewend. Wanneer je ongelukkig bent, zie dan een manier te vinden om boos te worden en iemand anders boos te maken. Maar ik was niet van plan die gewoonte aan te nemen.

'Voorlopig zouden we hier kunnen blijven,' zei hij.

Ik stond op en begon de vaat in de afwasteil te zetten. Ik schraapte de restjes van de borden en gooide alles in de emmer voor de kippen. De overgebleven broodjes en het vlees legde ik in de broodkast. 'Ik ben niet bang dat we hier niet kunnen blijven,' zei ik.

'Niemand heeft ons gevraagd te vertrekken,' zei Hank.

Ik dacht dat Hank die dag op zoek zou gaan naar ander werk, maar dat was niet zo. In plaats daarvan haalde hij het geweer van Mr. Pendergast en een doos patronen uit de slaapkamer van Mr. Pendergast. Daarna zette hij een muts op en trok zijn dikke, wollen jas aan. 'Ik ga op wilde kalkoenen jagen,' zei hij. Maar hij scheen zich niet op de jacht te verheugen. Zijn gezicht was strak, en het leek of hij alleen maar een excuus zocht om het huis te verlaten.

'Ik heb helemaal geen wilde kalkoenen gezien,' zei ik.

'Die zitten boven de beek, een eind terug, in de richting van Caesar's Head.'

Na zijn vertrek ruimde ik de keuken op. Toen besloot ik eens rond te gaan kijken. Nu Hank geen geld meer verdiende, moest ik weten wat we hadden om de winter door te komen. Ik at voor twee: voor mezelf en voor de baby. Ik moest zien wat er was om ons tot de lente in leven te houden, ervan uitgaande dat we tot de lente in het huis mochten blijven. Ik had slechts zesendertig cent in mijn portemonnee, en ik wist niet hoeveel Hank in zijn zakken had. Maar hoeveel dat ook was, we zouden spoedig zonder geld zitten. Ik was niet van plan mama te vragen of ze ons wilde helpen, tenzij er niets anders opzat. Ik was zeker niet van plan ma Richards om hulp te vragen. Maar als de voedselvoorraad toereikend was, konden we de winter misschien doorkomen, tot de baby was geboren.

Ik stak een lamp aan en nam hem mee naar de kelder. Ik betwijfelde of Mr. Pendergast veel had ingemaakt in zijn eentje. Maar zijn vrouw moest dat ooit wel hebben gedaan. De eerste keer dat ik in de kelder was had ik weckpotten zien staan.

Ik hield de lamp boven de potten en keek om me heen in de muffe kelder. Er was een stapel oude planken en een deegplank met schimmel erop. De schimmel op de planken was wit als zuiveringszout. En toen zag ik de bak met aardappels. Ik was de bak met aardappels vergeten. Er waren in feite twee bakken, Ierse aardappels en zoete aardappels. De Ierse moesten in de modder zijn gerooid, want ze zaten onder het vuil. Het waren kleine aardappels, niet meer dan twee of drie zakken, schatte ik. Het enige probleem was dat sommige al zacht en een beetje verschrompeld waren geworden. De schil van de aardappels was op sommige plekken gerimpeld, alsof ze lang geleden waren gerooid. Ik kneep in een paar aardappels. Sommige waren zacht, maar de meeste waren niet verrot. Ik zou de aardappels een voor een moeten bekijken en de rotte weggooien.

De zoete aardappels zagen er schoner uit, alsof ze waren gerooid in droge aarde die eraf was gevallen. Zoete aardappels lijken meer op wortels dan Ierse aardappelen. Ze lijken opgezwollen, als grote bloedvaten. Sommige waren volmaakt rond, als een voetbal, maar de meeste waren kromgegroeid. Ik wroette in de zoete aardappels en merkte dat ze hard en koud waren, alsof ze afgelopen herfst waren gerooid, vlak voor we in Gap Creek kwamen wonen.

Er waren een paar oude emmers en roestige schoffels in de kelder, maar verder kon ik niets eetbaars vinden. De kelder zag eruit alsof hij al heel lang vergeten was, een plek die op het punt stond onder spinnenwebben, lage grondbalken en dwarsbalken begraven te worden. Ik klom de trap op naar het daglicht en blies de lamp uit. De frisse lucht rook zo lekker, dat ik diep inademde om de smaak van de kelder uit mijn mond en neus te verdrijven.

Vervolgens inspecteerde ik het maïshok. Het was een normaal, ouderwets hok dat gemaakt was van vijf centimeter dikke latten met vlechtdraad aan de binnenkant. Het hok had schuine zijkanten, bovenaan groter dan op de bodem. Er groeide mos op de latten. Daaraan kon je zien hoe oud ze waren. Je moest door de lage deur kruipen om in het hok te komen. Ik maakte het haakje van de deur los en keek naar binnen.

In een mand op de grond lagen aren van gepelde maïs. Ernaast stond een emmer met geschilde maïs. Het was de maïs die ik altijd aan de kippen voerde. Maar het maïshok was vooral gevuld met een grote berg ongepelde aren. Ik schat dat er een wagen vol maïs was, met grijze en verweerde schedes. Graanklanders hadden het hart uit de graankorrels gegeten. De graankorrels waren als kralen die doorboord waren. Ik ging naar binnen, pakte een aar en trok er de schede af. Sommige graankorrels waren uitgehold, en andere niet. De maïs moest twee of drie jaar oud zijn, en het grootste deel was niet geschikt om te gebruiken. Maar er was voldoende goede maïs om meel van te maken. Op z'n minst vijf of zes zakken vol.

Op de veranda aan de achterkant van het huis hingen strengen gedroogde pepers. Ik vroeg me af of er verder nog iets eetbaars was. In het houtschuurtje was alleen maar hout. Ik wist wat er in het koelhuis lag. Dan bleef het oude rookhok over. Daar hadden we de ham en de schouders en de ribben neergelegd op de dag dat het varken was geslacht. Op de onderste planken van het rookhok stonden een paar kruiken die ik wilde bekijken. Ik maakte de deur van het rookhok open. Het zonlicht scheen op de vloer, waar de as van hickory-vuren was opgehoopt. Het gezouten vlees lag op de planken. Het hok rook naar zout en rauw varkensvet. De geur van zout deed me aan gekookt vlees denken.

De kruiken op de onderste planken waren van zwaar aardewerk. Ik tilde er een op en hield hem in het zonlicht. Het was het soort kruik waarvan je vermoedde dat er illegaal gestookte sterke drank in zat. Ik trok de houten stop eruit en rook. Het rook naar sorghum, naar gierstdrank. Ik tilde de kruik op. Er droop wat stroop uit de opening. Ik doopte een vinger in de donkere stroop en bracht hem naar mijn mond. Het was inderdaad sorghum, met een gouden roodheid erin. Geen melasse, geen rietstroop, maar sorghum met zijn speciale geur. Het was een beetje overgaar en dik, bijna rubberachtig in de koude lucht. Maar de stroop had de juiste smaak en kon opgewarmd worden. Er waren vier kruiken vol sorghum. Dat zou voldoende zijn voor de winter. Als stroop voor broodjes en maïsbrood, en als zoetmiddel voor taarten en gembercake. Er was stroop om 's morgens in de maïsmeelpap te doen, en in havermoutpap.

Ik was alleen nog niet op de zolder van de schuur geweest. Ik wist wat er op de begane grond was, in de voorraadkamer van de dieren: vaten veevoer voor de melkkoe, een zak ongebuild, grof meel voor het varken, mengvoer en oesterschelpen voor de kippen en zoete knollen voor het paard. Terwijl ik de ladder naar de zolder op klom, zag ik twee stoffige porseleinen eieren op de plank naast het paardentuig. Aan de muur hingen het paardentuig, de teugels en het bit. Muizen renden om zakken en trossen touw terwijl ik omhoog klom.

De zolder van de schuur was een grote ruimte die open was tot aan de daksparren. Het dak rustte op palen. In het midden was een berg zoet, schimmelig hooi, vlak bij het luik waar vorken vol hooi op de grond beneden konden worden gegooid. Muizen trippelden langs de dakrand terwijl het daglicht door de kieren naar binnen scheen. De vloer was bezaaid met graankorrels waar vroeger een massa korenaren moest hebben gelegen.

Ik keek naar de zijkant van de hooiberg en zag iets met een pit, als de top van een reusachtige kaars. Toen ik dichterbij kwam, zag ik dat het de stengel van een winterpompoen was. Er waren misschien wel tien winterpompoenen. Ze waren hard en koud. En toen zag ik de oranje pompoenen. Ze waren niet zo groot als de pompoenen waar je een lampion voor Halloween van maakt. Het waren suikertaartpompoenen, niet veel groter dan de winterpompoenen. Ik telde er zeven.

Terwijl ik naast de hooiberg stond, rook ik iets dat zoeter was dan het hooi. Het was maar een vleugje. Ik keek om me heen, maar ik kon de geur niet thuisbrengen. Ik was er wel zeker van dat het niet de geur van oud hooi was. Ik speurde rond in het halfduister en ontdekte dat de geur uit het stro kwam. Het was de geur van appels. Ik zocht in de rand van de hooiberg tot ik iets hards raakte. Onder het stro waren ronde, harde dingen. Ik schoof het hooi opzij en zag de appels. Het waren appels met gouden en oranje vlekken. 'Paardenappels' noemde mijn moeder ze, maar deze waren een beetje groter dan paardenappels. Ze waren afkomstig van de boom naast de schuur. Mr. Pendergast moest ze hebben geplukt en in het hooi verstopt. De appels waren plakkerig door de natuurlijke was op hun schil. Daardoor plakte er hooi aan vast. Het waren stevige, verse vruchten. Zeker wel zeventien kilo appels. Ze waren in het hooi begraven en lagen te wachten om in januari of februari gebruikt te worden voor appeltaart, als ze tenminste koud werden bewaard. Ik pakte een appel, veegde hem af aan mijn mouw en beet erin. Het vlees was geel, zoet en koperachtig, een ouderwetse smaak. Het stevige vlees veranderde in sap als je het uitperste.

Terwijl ik de appel opat keek ik om me heen en zag aan een paal links van me een streng engelenhaar. Tenminste, zo zag het eruit. Het bleek dat het bonen waren, gedroogde bonen die nog in de schil zaten en bijeen waren gebonden om droog te blijven. Er waren meters en meters gedroogde bonen. Ze waren vuil, maar ze konden worden gewassen en gekookt om er soep en soepbonen van te maken.

Maar het raarste wat ik op de zolder zag was een oude mand, een mand van gekloofd hickoryhout. Hij was gemaakt als een zadel, met hoge uiteinden en bulten aan beide kanten. Zo'n mand zag je haast niet meer. In de mand zaten heel veel papieren zakjes die dicht waren gemaakt met wasknijpers. Er moeten er een stuk of twintig zijn geweest. De zakjes zagen er gekreukeld uit. Blijkbaar waren ze heel vaak opnieuw gebruikt. Ik zou net een zakje openmaken, toen ik zag dat er iets op de zijkant stond. Met potlood had iemand 'Blue Lakes' op het bruine papier geschreven. Ik maakte het zakje open en zag dat het witte bonenzaad was. Op andere zakjes stond: Half-Runners, Barnes Mountain Bans, Big John Beans, Seay Beans, Brown Speckled Beans, Long White Greasy Beans, Edwards

Beans, Goose Beans, Greasy Cut-Short Beans, Johnson County Beans, Lazy Wife Beans, Logan Giant, Nickel Beans en Ora's Speckled Beans.

Het was een mand vol oud bonenzaad, gesorteerd en voorzien van een naam. De vrouw van Mr. Pendergast had ze daar waarschijnlijk neergelegd. Ze waren al klaar om te worden gezaaid. Als ik tot de lente bleef, zou ik ze in de grond stoppen.

Toen ik weer naar beneden klom, probeerde ik te bedenken waar ik nog meer eetbare dingen zou kunnen vinden. Er waren de koe en het paard en de twaalf kippen. Maar er waren geen parelhoenders en geen schapen. Misschien had Mr. Pendergast palmkool begraven. Het was belangrijk om verse kool te kunnen eten in de winter. En als ik genoeg stronken had, kon ik er zuurkool van maken.

Na de wind van de afgelopen nacht leek de hemel geschrobd en gepoetst. De lucht was schoon en alles glom. De kreek glinsterde waar je hem tussen de wilgen kon zien. De gele bladeren van de hickory's aan de overkant van de wei blonken.

Ik was altijd al dol geweest op de late herfst. De lucht was schoon en de purperen bladeren aan de eiken en de gombomen waren een feest voor het oog. Hier en daar aan de overkant van de wei was een looiersboom of een sassafrasboom, helderrood, als een vleugje lippenstift. Maar het bos was vooral geel en goud. Het leek beschilderd, alsof een regenboog op de berg te pletter was gevallen en zijn kleuren over de vallei had uitgestort. Sinds we naar Gap Creek waren verhuisd en sinds Mr. Pendergast was verbrand en gestorven, had ik het te druk gehad om naar buiten te gaan en rond te kijken. Ik was naar het varkenskot geweest, en naar het koelhuis, en naar de wc, maar ik was niet naar het eind van de wei gelopen. Ik was te zeer in beslag genomen geweest door het huwelijk en de verhuizing naar een vreemd huis om het gebied rond Mr. Pendergasts huis te verkennen. En ik had er niet veel voor gevoeld om zomaar, voor de lol, rond te scharrelen.

Waar iemand kool heeft begraven zie je alleen maar de wortels als varkensstaarten uit de grond steken. Kolen worden ondersteboven begraven. Ik keek in het stoppelveld langs de tuin en de boomgaard. Er waren los zand en onkruidstengels waar de aardappels waren gerooid, maar ik zag geen koolwortels. Ik zocht langs de omheining van de wei achter het rookhok. Ook daar zag ik geen begraven koolstronken.

Het gras in de wei was kort gegraasd door de koe en het paard, maar hier en daar groeiden indigostruiken. Om de een of andere reden eet vee geen indigo zolang er iets anders te eten is. Koeienvlaaien lagen als grote, bruine knopen in de wei. De omheining van prikkeldraad zag er oud uit en moest worden gerepareerd. Op sommige plekken, waar het prikkeldraad verroest en kapot was, waren er latten tussen palen getimmerd. De omheining boog beurtelings naar rechts en naar links, met de bosrand mee.

De wei werd aan de ene kant begrensd door de beek. Op sommige plaatsen had het water palen losgespoeld, zodat ze aan het prikkeldraad boven de beek hingen. Het was een wonder dat de koe niet was ontsnapt door onder het prikkeldraad door te lopen. Bladeren waren door de beek meegesleurd en lagen op een hoop in de plassen.

'Eeeeeerrrrr,' fluisterde iets in de lucht boven me. Ik keek omhoog en zag een havik zweven. Ik wist niet waar het dier naar keek, misschien naar een veldmuis of een eekhoorn. Voor zover ik wist waren er geen kuikentjes die hij kon vangen. Ik liep langs de omheining naar de plek waar de wei overging in de bergflank. Ik denk dat lager gelegen land langs de kreek te kostbaar was in Gap Creek om als wei te gebruiken, want er waren slechts een paar bunders weiland naast de kreek. Op het steile gedeelte van de wei waren de bomen op sommige plaatsen gerooid. Sinds mijn huwelijk en mijn komst naar South Carolina was ik niet in het bos geweest. Het was heerlijk om in de buitenlucht te zijn en de oude bladeren in greppels en in de beek te ruiken.

Ik draaide me om en keek naar de vallei. Gap Creek was slechts een smal, kronkelig dal dat zich een paar kilometer tussen de bergkammen door slingerde. Op de bergkam aan de overkant was een steile rots die op een gerimpeld gezicht leek dat dreigend op de velden neerkeek. Ik noemde de rots 'Streng Gezicht' en zei dat hardop. Oud Streng Gezicht hield als een standbeeld de wacht over de seizoenen en de mensen op de weg beneden. De rots keek als een zwijgend afgodsbeeld neer op de wisselende seizoenen. Het gaf me een gevoel dat ik niet kon benoemen. Gap Creek was zo smal, zo ingeklemd tussen de bergflanken, dat het een speelgoedvallei leek, een miniatuurdal in de bergen. De bergtoppen waren kaal door de wind, maar de lagere hellingen en het ravijn hadden nog steeds kleur.

Ik draaide me om en klom verder. Toen zag ik een wit ding door de bomen. Het leek op een gezicht of een stuk sneeuw. Ik bleef staan en vroeg me af wat het zou kunnen zijn. Was het iemand die naar me keek? Was het een witte lap? Het ding reikte ongeveer tot aan mijn middel, schatte ik. Ik begon weer te lopen, want ik nam aan dat wat het ook was het me geen kwaad kon doen.

Toen ik dichterbij kwam, rende iets weg van de witte plek. Ik zag een witte flits verdwijnen. Ik wist dat het een hert was dat met grote sprongen wegrende om over de omheining te springen en in het bos te verdwijnen. Nog dichterbij gekomen zag ik iets dat een witte schedel op een stok leek te zijn. Maar het was te vierkant voor een schedel en de oogholtes klopten niet. Ik dacht dat het een klomp ijs was. En toen zag ik dat het een liksteen was. Mr. Pendergast had een blok zout op een stok gezet zodat zijn koe eraan kon likken. En het hert was uit het bos gekomen om er ook aan te likken.

'Mr. Pendergast is dood, maar zijn zout ligt hier nog steeds te glinsteren,' zei ik. Ik was er niet zeker van wat ik bedoelde. Toen ik me omdraaide en naar de bomen keek, zag ik een hert dat vanuit de schaduwen naar me stond te kijken. Het wachtte om terug te gaan en aan het zout te likken. Het wachtte tot ik vertrok en de kust vrij was. Zout is onmisbaar voor alles en iedereen, dacht ik.

Mama had me verteld dat gedurende de Burgeroorlog, toen je niets in de winkels kon kopen en er geen geld was, zout het allerschaarste was. Zout kostte tien dollar per pond, en toen vijftig dollar per pond. Uiteindelijk was het helemaal niet meer te koop, hoeveel je er ook voor wilde betalen. Als er een zoutbron in de bergen was, gingen mensen erheen om het water in te koken en het zout op te vangen. Ze vochten daar om water en er was minstens één dode bij gevallen. Mensen hunkerden zo naar zout, dat ze het vuil van de vloer van hun rookhok kookten voor het zout dat eruit droop.

Ik verliet het zoutblok zodat het hert terug kon komen om te likken en te genieten. Ik wilde hoger klimmen, zodat ik meer van de vallei kon zien. Ik wilde in mijn eentje in het bos lopen, zoals vroeger op de berg. Ik wilde mijn longen en mijn benen strekken, en naar de top klimmen. Ik wilde ontsnappen aan het huis en een tijd niet aan Hank denken. Ik wilde vergeten hoe ongelukkig hij was en dat ik het geld aan Jerrold James had gegeven.

Net toen ik de rand van het bos bereikte, blies een windvlaag tegen de hickory's. Gouden bladeren zweefden als vluchten vogels door de vallei. De lucht was vol en de hemel was vol toen de bomen op de bergflank hun bladeren aan de wind overgaven. Rode, gele en oranje bladeren dwarrelden door de lucht. De wind kamde de bomen uit. Het leek of de hele berg bladeren uitademde.

Ik rende door de bladeren alsof ze vlinders waren die om me heen vlogen. Ik sloeg naar de vliegende bladeren, alsof ze kleurige sneeuwvlokjes waren. Binnenkort zou ik te zwaar zijn om in het bos te rennen en te klimmen. Dus moest ik er maar van profiteren nu de wind me in vervoering bracht en er een mogelijkheid was. Ik klom over de omheining en rende tussen de hickory's, de esdoorns en de populieren door. De lucht was vol bladeren die glansden als goudvissen. Ik sloeg tegen een zwevend blad, draaide me om en rende de berg op.

De grond was bezaaid met een dikke laag bladeren. Ze glommen, alsof ze met was waren behandeld. Ik schopte een wolk van bladeren omhoog. Ik schopte een wolk van pas gevallen bladeren omhoog. Ik schopte de bladeren vóór me weg, als diepe, verse sneeuw. Bladeren dwarrelden rond mijn hoofd. Ik zwaaide met mijn armen en sloeg ze weg. Ik danste met de bladeren en maakte dat ze sneller wervelden. Schaterlachend ving ik bladeren op in mijn schort en wierp ze weer weg.

Toen ik buiten adem raakte, was ik bijna bij de top van de

berg. De wind was daar kouder. Ik liep springend en struikelend door de populieren naar het hoogste punt. Vlak onder de bergtop, waar een soort bed tegen de wind werd beschermd, ging ik op mijn rug liggen in de schone, verse bladeren. Ik wilde uitrusten op een plek uit de wind. Ik lag met mijn armen gespreid in de bladeren zoals wanneer je engelen van sneeuw maakt. Ik had nooit gehoord van 'bladerengelen' maar je zou ze wel kunnen maken, denk ik.

Op de bergtop waren de bomen dunner en hun takken hadden hun bladeren al verloren. Ik keek door de kale takken naar de blauwe hemel. Er vlogen een paar bladeren door de lucht. Ik zag een vogel en toen zag ik een zwerm ganzen. Maar toen de ganzen voorbij waren, zag ik niets anders dan blauwe lucht. Door grijze takken keek ik recht in de diepe hemel.

Het was heel raar om steeds dieper in het blauw te kijken. Meestal zie je alleen nevel en blauw wanneer je in de hemel kijkt. Tenzij er wolken zijn en je langs de wolken kijkt. Maar deze keer keek ik in de heldere hemel en zag de diepte in de hemel. Ik keek langs de heldere lucht in de kilometers lucht erachter, en nog dieper waar de lucht ijler en ijler werd tot er niets meer was. Ik keek tot ik alleen maar leegte kon zien. Ik keek naar de sterren, hoewel ik de sterren niet kon zien op klaarlichte dag.

Ik keek zo diep en lang, dat ik het gevoel had dat ik viel. In plaats van omhoog te kijken had ik het gevoel dat ik aan de grond hing en naar beneden keek, verder en verder naar beneden, kilometers en jaren naar beneden, de ene lege kilometer na de andere. Ik viel ver naar beneden, in het niets. Ik viel steeds dieper in de leegte, en ik verstijfde bij de gedachte dat ik voor eeuwig en altijd zou vallen. Ik verstrakte terwijl ik sneller en sneller vloog. Ik had het gevoel dat ik uit elkaar zou barsten.

Toen ik mijn ogen sloot, hield het gevoel dat ik viel op. Ik voelde de verse bladeren onder mijn rug, opende mijn ogen en zag de bomen om me heen. Een langpootmug prikte in de bladeren naast me. Het insect had zijn geur al afgescheiden, zoals altijd wanneer ze bang zijn. Ik rook de muskusgeur.

Ik stond op en keek naar de dingen naast me: een omgevallen zuurbladboom, een kleine hulstboom. Het was zo fijn om weer met mijn voeten op de grond te staan, dat ik tijdens het afdalen van de berg in de bladeren stampte om grip op de grond te krijgen. Ik stampte hard om indrukken in de zachte grond onder de bladeren te maken. Ik duwde mijn hakken in de steile bergflank terwijl ik kleine stapjes nam. Ik wilde terug een andere weg nemen dan heen. Ik sloeg linksaf om nog lager in de vallei uit te komen. Ik was nooit in het bos beneden het huis van Mr. Pendergast geweest. Ik wilde wat meer van Gap Creek zien voor ik naar huis terugkeerde.

Toen ik weer in evenwicht was ging ik met grotere stappen de berg af. Ik liep om de bomen. In feite sprong ik tussen de bomen door. Een keer gleed ik uit in de bladeren en viel op mijn achterwerk. Maar het was een lekker gevoel, bijna als wanneer je op een plank of een slee glijdt. Toen ik opstond en begon te rennen deed ik net of ik niet meer kon stoppen en botste ik tegen zuurbladbomen en jonge hickory's. Ik rende tot de grond vlak werd en ik bijna op de bodem van de vallei stond.

Toen ik 's avonds nadacht over het bereiden van de avondmaaltijd, over het maken van maïsbrood en gebakken aardappels en het openmaken van een pot bonen uit de kelder, zag ik Hank in de achtertuin. Hij droeg een grote, oude vogel. Aanvankelijk dacht ik dat het een gans was, maar het beest was te groot om een gans te zijn.

'Maak deze kalkoen klaar,' zei hij. Hij gooide de vogel op de veranda. 'Ik ben moe. Ik moest helemaal naar Caesar's Head lopen.'

'Ik ben naar de bergtop gelopen,' zei ik.

'Waarom?' vroeg Hank terwijl hij zijn dikke jas uittrok.

'Ik was op zoek naar kastanjes,' zei ik. Ik wilde niet zeggen dat ik alleen maar was gaan lopen om in het bos te zijn, om buiten te zijn, in het herfstweer. Dat zou niet goed hebben geklonken.

'Heb je kastanjes gevonden?' zei Hank.

'Een paar,' zei ik. Ik wilde niet dat Hank dacht dat ik enkel en alleen in het bos rondstapte om vrij te zijn. Uiteindelijk droeg ik een baby. Ik wilde hem niet vertellen dat ik in het bos met de vliegende bladeren had gedanst. En dat ik op de bergtop had gelegen terwijl ik de hemel in keek tot ik het gevoel had dat ik de sterren bereikte. De beste manier om hem te tonen hoe hulpvaardig ik was, was mijn mond te houden en de kalkoen klaar te maken.

Ik maakte een pan kokend water en bracht die naar de veranda aan de achterkant van het huis. Kalkoenen zijn moeilijker onder te dompelen dan kippen, want ze zijn groter en langer, en de veren zijn zo lang en stijf dat ze niet in de pan passen. Ik hield de kalkoen bij zijn nek en zijn poten vast en legde hem in het dampende water om te weken. Het water was zo heet, dat de damp me bijna verbrandde. Toen ik de kalkoen uit de pan haalde, dampte het water dat uit de veren stroomde in de koude avondlucht. De druppels verbrandden me bijna toen ik de grote staartveren en de vleugelveren verwijderde. Zelfs de rugveren van een kalkoen zijn stijf en lang.

Ik trok handenvol veren uit en gooide ze in de tuin. Later zou ik ze wel opruimen. Maar de wind voerde ze mee. Ik plukte tot mijn handen met kleine veren waren bedekt en er veerstoppels aan mijn polsen plakten. Ik plukte het karkas tot de huid er bobbelig en harig uitzag. Toen stak ik een stuk krant in brand en brandde de rest van de veerstoppels van de huid af. Niets ziet er zo naakt uit als een geplukte en verzengde vogel.

Daarna moest ik mijn handen wassen en ze aan mijn schort afdrogen. Ik pakte het scherpste mes, maakte het nog scherper met behulp van de slijpsteen op de veranda, nam de vogel mee naar het hakblok en sneed zijn kop en poten eraf. Het bloed was donker en dik geworden, maar er stroomde nog behoorlijk wat uit de hals. Het smerigste karwei is de buik van de vogel opensnijden en de ingewanden eruit halen. Het stinkt als je de veren afbrandt en ze plukt, maar de stank is niet zo walgelijk als die van ingewanden. De stank die uit de buik kwam was erger dan de stank van kippenstront en het kippenhok. De vogel was koud, maar de stank was net zo heet als iets wat brandt.

Dit móet ik doen voor Hank én voor mezelf, dacht ik. Het

maakte me boos om de blubberige, koude ingewanden te moeten verwijderen en ze in het onkruid achter het hakblok te gooien. 's Nachts zouden er honden komen en alles opeten. Ik moest zorgen dat Hank trots was op zichzelf. Ik moest zorgen dat hij zich sterk en zelfverzekerd voelde. Als hij de bergen in wilde om een kalkoen te doden en naar huis te brengen, zodat ik het beest klaar kon maken, was dat het minste wat ik kon doen.

Ik maakte de binnenkant van de kalkoen schoon en waste de vogel met water. Ik overwoog hem in stukken te snijden, zoals je bij een kip doet, maar het lichaam was te groot om te bakken. Ik had er geen geschikte pan voor. Ik zou hem in de oven moeten bakken. Dat zou een uur of vier duren. We zouden laat moeten eten. Maar het zou een feestmaal zijn. Misschien zou het Hank opvrolijken en hem doen vergeten dat hij geen werk meer had. Misschien zou het maken dat Hank blij was dat hij naar Gap Creek was verhuisd. Misschien zou hij vergeten dat ik de pot met geld aan de man in de buggy had gegeven. Ik vroeg me af waarmee ik de kalkoen zou kunnen vullen. Mijn voorraad kruiden en specerijen was karig. Maar er waren nog een paar broodjes over van het ontbijt, en wat salie en peper. Ik verkruimelde de broodjes en mengde ze met plakjes aardappel. Toen strooide ik vier of vijf takjes kruiden in het mengsel. Ik roerde alles door elkaar en voegde een beetje azijn toe alvorens het vulsel in de kalkoen te stoppen. Daarna legde ik de kalkoen in de oven.

'Het zal minstens vier uur duren,' zei ik tegen Hank, toen hij de melkemmer pakte.

'Er zijn daar wel duizend kalkoenen,' zei hij.

'Waar?'

'In het ravijn onder Caesar's Head,' zei hij.

'In de kloof waar Cap Creek vandaan komt?' zei ik.

'Nee, nee, nee, in de kloof naar het westen. Er zijn kalkoenen in de bomen en de struiken. Ze eten kastanjes boven op de berg. Er zijn genoeg kalkoenen voor de hele winter.'

'Dan zullen we niet verhongeren,' zei ik. Maar ik had meteen spijt van mijn woorden.

'Denk je dat ik je laat verhongeren?' zei Hank.

Ik wilde antwoorden dat ik het niet zo had bedoeld, maar hij had de deur al met een klap achter zich dichtgetrokken en was vertrokken.

Nu Hank geen loon had en de winter in aantocht was, terwijl ook Kerstmis nog eens op komst was, begon ik na te denken over een manier om aan geld te komen. Ik gaf niets om geld, behalve als ik iets nodig had of cadeautjes wilde kopen. Ik wilde iets naar mama sturen, en naar mijn zussen op de berg. En Hank zou wel iets voor ma Richards willen kopen, of voor zijn broers. Waarschijnlijk konden we niet naar Painter Mountain of naar Mount Olivet gaan, maar we konden cadeautjes sturen als we die hadden. En ik wilde ook een cadeautje voor Hank kopen. Ik kon natuurlijk iets voor hem maken, maar ik wilde iets uit de Sears en Roebuck-catalogus bestellen.

Ik had zelf geen geld. Ik keek in mijn portemonnee en zag dat ik nog maar zesendertig cent had. Daarvan kon ik geen cadeautje voor mama kopen, laat staan voor Lou en Rosie en Carolyn. Ik telde het geld en stopte het weer in mijn portemonnee. Er moest toch íets zijn dat ik kon verkopen? De kippen waren het eigendom van Mr. Pendergast, maar ik had ze eten en water gegeven en hun eieren geraapt. Misschien kon ik een paar eieren verkopen in de winkel bij het kruispunt, voor twintig cent per dozijn. En als ik wat extra boter maakte, kon ik die misschien voor vijftien cent per pond verkopen. Maar de koe gaf niet veel melk en in de melk die ze gaf zat niet veel boter. Vóór Kerstmis zou ik niet meer dan een paar centen aan boter kunnen verdienen.

Kon ik geld verdienen als ik kastanjes raapte? Op de bergkam boven Gap Creek waren kastanjes zat. Maar ik moest ze naar Greenville brengen om ze te verkopen. Het zou niet juist zijn om de aardappels van Mr. Pendergast te verkopen, of iets anders dat van hem was. Ik wou dat ik beter kon naaien. Ik wou dat ik met mijn naald had geoefend, zoals Rosie en zelfs Lou hadden gedaan terwijl ik buiten hout aan het hakken was. Ik wou dat ik mooi kon borduren. Ik wou dat ik een naaimachine had. Ik had niet eens stof om nieuwe kleren voor Hank en mij te maken.

Twee dagen later werd er op de voordeur geklopt. Wie kon er zo hard staan kloppen op de veranda? Hank was weggegaan, waarheen wist ik niet, en ik wist ook niet wanneer hij terugkwam. De gordijnen van de woonkamer waren gesloten, dus kon ik niet uit het raam kijken. Voor ik bij de voordeur was om hem open te doen, hoorde ik een vrouwenstem vragen: 'Is er iemand?'

'Ik ben er.' Ik zei het terughoudend, want ik wist niet wie binnenkwam.

Een vrouw kwam de woonkamer binnen, gevolgd door een man met een zwarte hoed.

'Goeiendag,' zei ik.

'Ik kan het niet verdragen,' zei de vrouw. Ze begroef haar gezicht in een zakdoek. Ik kon het niet zo goed zien met het licht achter haar, maar ik dacht niet dat ik haar kende. De man kende ik trouwens ook niet.

'Kom binnen,' zei ik. Iets anders wist ik niet te zeggen.

'Geef me een minuutje om me te herwinnen,' zei de vrouw.

'Ik ben Julie Richards,' zei ik terwijl ik mijn hand uitstak.

'Ik ben Caroline Glascock,' zei de vrouw snikkend, 'en dit is mijn man Baylus.'

'Is er iets?' vroeg ik.

'Een minuutje en dan gaat het wel weer,' zei de vrouw.

'Gaan jullie maar bij de open haard zitten,' zei ik. Ik gooide nog een houtblok op het smeulende vuur. Het was koud geworden in de kamer.

'Bedankt, liefje,' zei ze terwijl ze haar ogen bette.

Ik ging naast hen voor het vuur zitten. De man strekte zijn handen uit naar de vlammen. Ik wist dat ik vriendelijk en gastvrij moest zijn, zoals mama. 'Het is koud vandaag,' zei ik.

'Koud weer maakt dit huis nóg triester,' zei ze.

'Koud weer is goed voor het slachten van varkens,' zei ik.

'Liefje, je weet niet wie ik ben,' zei de vrouw. 'Ik ben de dochter, de stiefdochter, van Mr. Pendergast.'

'Ik vond het heel erg dat hij stierf,' zei ik.

'Ik weet het pas sinds deze week,' zei ze. Ze barstte opnieuw in tranen uit. Haar man zei niets.

'Hank en ik hebben voor het huis gezorgd,' zei ik.

'Vertel eens hoe het gebeurd is,' zei Caroline Glascock. Ze keek hoofdschuddend naar de foto's op de schoorsteenmantel.

'We waren vet aan het uitsmelten toen de keuken in brand vloog,' zei ik.

'Is hij in de brand omgekomen?' vroeg ze. 'Wat afschuwelijk!'

'Hij is in de nacht na de brand gestorven,' zei ik. Ik wilde haar niet meer vertellen dan nodig was.

'Nadat hij verbrand was?' zei de vrouw.

'Er waren brandwonden op zijn gezicht, zijn hoofd en zijn handen. Het was verschrikkelijk.'

'Het was niet altijd koek en ei tussen paps en mij,' zei Caroline, 'maar het breekt mijn hart om te horen hoe hij is gestorven.'

'Ik was de hele tijd bij hem in de nacht van zijn dood,' zei ik. 'We deden wat we konden om hem te helpen.'

'Hoe lang wonen jullie hier al?' vroeg ze terwijl ze haar tranen droogde.

'We zijn afgelopen herfst hierheen verhuisd. We komen uit North Carolina.'

'Hoe lang heeft paps geleden voor hij stierf?' vroeg ze.

'Zoals ik zei, hij stierf in de nacht na de brand,' zei ik. 'We zijn op zoek gegaan naar een dokter, maar het mocht niet baten.' Ik vond het heel naar haar over die nacht te vertellen, maar er zat niets anders op. Ik keek naar de man. Hij zat voor het vuur. Hij friemelde aan de zwarte hoed in zijn handen. Hij luisterde, maar zei niets.

Caroline stond op, pakte een foto van de schoorsteenmantel en zei: 'Was mama geen knappe vrouw toen ze jong was?'

'Ze was mooi,' zei ik. Caroline was geen grote vrouw. Ik schat dat ze ongeveer tweehonderd pond woog en veertig, misschien vijfenveertig jaar was.

'Heeft hij gezegd van wie dit huis is?' vroeg Caroline.

'Nee, dat heeft hij nooit gezegd,' zei ik.

'Het is van mij,' zei ze.

'En hoe zit het dan met uw broer?' vroeg ik. 'Degene die in Californië woont?'

'Mr. Pendergast, paps, wilde het huis aan mij nalaten. Ergens in dit huis ligt vast wel een testament dat dat bewijst.'

'Ik heb geen testament gevonden,' zei ik.

'Het doet er niet toe,' zei ze. 'Niemand denkt aan bezit in een moeilijke tijd als deze.'

'Hebt u zin in koffie?' vroeg ik.

'Het maakt me zo van streek om hier terug te zijn,' zei Caroline, 'dat ik niet denk dat ik iets zou kunnen drinken.'

'Ik vind het heel erg wat er is gebeurd,' zei ik.

'Wat was de oorzaak van de brand?' zei Caroline. Ik keek haar aan. Toen wendde ik mijn blik af. Ik werd overspoeld door een golf van misselijkheid, alsof ik op het punt stond over te geven.

'Ik had Mr. Pendergast geholpen zijn varken te slachten,' zei ik, 'en we waren het vet aan het uitsmelten.'

'Hielp je bij het slachten van het várken?' zei Caroline.

'Er was niemand anders,' zei ik. 'Mr. Pendergast had moeite met tillen.'

'Men zegt dat hij zich heeft verbrand toen hij het huis probeerde te redden,' zei Caroline. 'Paps was altijd al een dwaas als hij bang werd.'

'Hij is in de keuken verbrand, toen de petroleum ontplofte,' zei ik.

'Maar het huis is niet afgebrand,' zei ze.

'Ik heb de vlammen met natte zakken gedoofd,' zei ik.

'Lieve hemel,' zei Caroline. 'Liefje, we staan bij je in het krijt.'

Er viel een stilte. Het vuur plofte en jammerde. Ik wilde niet meer over de brand praten. Ik wist dat ze er alleen maar verdrietiger door zou worden. Ik vroeg me af of ze zou zeggen dat we het huis moesten verlaten.

'Ik denk dat paps Pendergast een boel geld had verstopt,' zei ze.

'Waar?' vroeg ik. Ik kon niet bekennen dat ik de pot met geld had weggegeven. Ik wilde het haar niet vertellen.

'Hij verstopte het op verschillende plaatsen,' zei Caroline. 'Nu eens bewaarde hij het in een schoenendoos in de wc, en dan weer in een tabaksblikje in de achtertuin. Ik weet nog dat hij zijn geld op zolder, in een oude leren patroontas, bewaarde.'

'Ik heb nooit een van die dingen gezien,' zei ik.

'En soms bewaarde hij het in een pot,' zei ze.

'Wat voor pot?' vroeg ik.

'Een glazen weckpot, liefje, een pot van twee liter. Zo'n pot waar maïswhisky in zit.'

'In de kelder staan weckpotten,' zei ik. 'Willen jullie het huis doorzoeken?'

'Liefje, het doet er niet toe,' zei Caroline Glascock.

'Op de zolder na heb ik het hele huis schoongemaakt en ik heb alle kleren van Mr. Pendergast gewassen.'

'Goeie genade,' zei Caroline.

'We hebben geprobeerd voor alle spullen van Mr. Pendergast te zorgen,' zei ik.

'Paps was een hamsteraar,' zei Caroline. 'Hij hamsterde vrijwel alles. Hij kan zijn geld in het rookhok of in het houtschuurtje hebben verstopt. Of in het koelhuis of onder de rommel in de schuur.'

Ik voelde een pijnscheut in mijn maag, alsof er een kramp kwam. Ik wou dat ze er niet waren, zodat ik wat kruidenthee kon maken en rust nemen. Ik had het gevoel dat er een grote verandering in mijn leven zou plaatsvinden. Ik wou dat Hank kwam en met hen over het betalen van de huur voor het huis sprak. 'Mr. Pendergast is heel lang alleen geweest,' zei ik.

'Dat weet ik en ik vind het heel naar,' zei Caroline. 'Maar Baylus werkt in Columbia, dus moeten we daar wonen. Het is te ver om meer dan een of twee keer per jaar hierheen te komen. We komen zo vaak mogelijk.'

'Hoe lang duurt de reis?' vroeg ik.

'Het is niet alleen de treinreis naar Greenville. Het probleem is de reis van Greenville naar Gap Creek. Je moet een koets huren of een buggy of iets dergelijks. Al met al kost de reis je een dag.'

'Dus u bent in Gap Creek opgegroeid,' zei ik.

'Een tijdje maar,' zei Caroline. 'Maar ik bewaar zulke fijne herinneringen aan dit huis.' Haar stem brak af en ze begon opnieuw te huilen.

Ik hoopte maar dat ik niet hoefde te braken. Ik wilde niet dat ik moest wegrennen en overgeven. Ik voelde me al zo opgelaten. Ik had medelijden met haar en ik was bang dat ze erachter zou komen dat ik het geld had weggegeven.

'Hoeveel huur betalen jullie?' vroeg Caroline alvorens haar neus te snuiten.

'Dat weet ik niet,' zei ik.

'Weet je het niet?'

'Omdat ik het huishouden deed en voor Mr. Pendergast kookte.'

'Bedoel je dat je de huishoudster was?'

'Hank, mijn man, sloot een overeenkomst met Mr. Pendergast voor we hier introkken,' zei ik. Ik had nooit geweten wat de overeenkomst precies inhield.

Ik voelde kramp in mijn maag. Voor ik het wist proefde ik de bittere smaak van braaksel in mijn mond. Ik vloog overeind, legde mijn hand voor mijn mond en begon naar de keuken te rennen.

'Is alles goed met je, liefje?' riep Caroline Glascock me na.

Terwijl ik de donkere keuken binnen rende, probeerde ik te bedenken waarin ik zou kunnen overgeven. Achter het fornuis was de afvalemmer, maar het zou te lang duren om hem te vinden en mee naar buiten te nemen. Er was de afwasteil, maar als ik die gebruikte zou ik hem moeten uitwassen. De keuken rook nog steeds naar gebraden kalkoen. Dat maakte me nóg misselijker. Ik rende de achterdeur uit en de trap van de veranda af. In de hoek van de veranda boog ik voorover. Ik moest zo hard kokhalzen, dat het leek of mijn stuitje er door mijn buik uitkwam. Ik braakte alsof ik alles wat ik ooit had gegeten probeerde kwijt te raken. Ik braakte alsof ik mezelf binnenstebuiten probeerde te keren.

Toen ik ophield met overgeven, was ik zo zwak dat ik me aan de stijl van de veranda moest vasthouden. Ik was drijfnat van het zweet. Ik had het gevoel dat ik net was geboren.

'Is alles goed met je?' vroeg Caroline Glascock. Ze stond op de veranda. Haar man Baylus stond in de deuropening achter haar.

'Ik moet iets verkeerds hebben gegeten,' zei ik.

'Je moet vergiftigd zijn,' zei Caroline.

Ik was zo stijf en zwak, dat ik langzaam naar de trap moest lopen. Mijn maag deed zeer, alsof elke spier was verrekt. Ik liep stapje voor stapje de trap op.

'Doe voorzichtig, meisje,' zei Caroline.

Ze volgden me naar de woonkamer, waar ik bij de open haard bleef staan en weer op adem probeerde te komen. Ik voelde me schoon en kalm, maar zwak.

'Hoeveel huur vraagt u voor het huis?' vroeg ik.

'We verkopen het huis liever dan dat we het verhuren,' zei Caroline. 'We hebben al een huis in Columbia.'

'Ik denk niet dat we ons kunnen veroorloven een huis te kopen,' zei ik.

'Geld lenen en een huis kopen is beter dan huren,' zei Caroline.

'Ik denk niet dat we veel geld hebben,' zei ik.

'We moeten iemand zien te vinden die het huis wil kopen,' zei Caroline. 'Ik vind het afschuwelijk om paps huis te verkopen, maar ik weet dat het moet gebeuren.'

Hank kwam door de voordeur binnen. Hij zag er koud en moe uit, alsof hij een heel eind had gelopen. Ik was zo opgelucht dat hij terug was, dat ik wel kon huilen. 'Dit is Caroline Glascock,' zei ik tegen Hank, 'en dat is haar man Baylus. Ze is de stiefdochter van Mr. Pendergast.'

'Aangenaam kennis te maken,' zei Caroline.

'Hoe maakt u het?' zei Hank. Hij trok zijn dikke, wollen jas uit en strekte zijn handen naar het vuur uit.

'Mr. en Mrs. Glascock zeggen dat we het huis misschien kunnen huren,' zei ik. Het leek me beleefd hen beiden te noemen, hoewel Caroline als enige aan het woord was geweest.

'We willen het huis graag verkopen,' zei Caroline. 'Baylus en ik hebben er niets aan.'

'Wat vraagt u ervoor?' vroeg Hank.

'We willen redelijk zijn,' zei Caroline. 'We vragen gewoon een fatsoenlijke prijs, is het niet Baylus?'

Haar man knikte zwijgend.

'Veel geld heb ik niet,' zei Hank.

'Dit huis zal in korte tijd rendabel zijn,' zei Caroline. 'Paps heeft massa's varkens gefokt en de hammen in Greenville verkocht. Hij heeft hier van alles en nog wat verbouwd: maïs, sorghum en katoen.'

'Ik heb hier nergens katoen gezien,' zei Hank.

'Het is al weer een tijdje geleden dat hij katoen verbouwde,' zei Caroline. 'Na mama's dood was hij er te oud en te zwak voor.'

'Ik dacht dat dit boven de katoengrens was,' zei Hank. 'Ik dacht dat ze ten noorden van Traveler's Rest nooit katoen verbouwden.'

'Paps wist hoe hij het moest doen,' zei Caroline. 'Het groeide hier in de vallei, beschermd door de bergen.' Het vuur plofte. Buiten hoorde ik het geratel van een passerende wagen. Ik had pijn in mijn zij door al het braken, en ik had een vieze smaak in mijn mond. Ik moest koud water drinken om mijn mond te verfrissen en mijn keel schoon te maken. Maar mijn maag voelde koel van binnen, bijna koud. Ik was blij dat hij tot rust kwam.

'Mr. Pendergast liet ons hier wonen omdat Julie het huishouden voor hem deed en zijn maaltijden kookte,' zei Hank.

'We moeten het huis verkopen,' zei Caroline, 'hoe graag we ook willen dat jullie hier blijven.'

'Maar zou u het huis niet aan ons kunnen verhuren?' vroeg ik.

'We verkopen het liever,' zei Caroline. 'En we kunnen het geld goed gebruiken. Afgelopen zomer heb ik een operatie ondergaan die ik nog moet betalen.'

'Hoe weet ik dat jullie zijn wie jullie zeggen dat jullie zijn?' vroeg Hank.

'Wie zouden we anders kunnen zijn?' zei Caroline. Ze maakte haar tas open en haalde er een kaartje uit. Hank bekeek het en toen gaf hij het aan mij. 'Mr. & Mrs. Baylus Glascock' stond er op het kaartje, plus een adres in Columbia.

'Ik wilde er alleen maar zeker van zijn,' zei Hank.

'Ik neem het je niet kwalijk. Je weet het maar nooit tegenwoordig,' zei Caroline.

'Voor hoeveel zou u het verhuren?' vroeg Hank.

'We zouden het slechts kunnen verhuren tot we een koper hebben gevonden,' zei Caroline.

'Als we het ons kunnen veroorloven willen we hier blijven wonen,' zei Hank, 'in elk geval tot de baby is geboren.'

'Ik dacht al dat je in verwachting was,' zei Caroline glimlachend tegen me. 'Wanneer verwacht je het?'

'Rond mei of juni,' zei ik.

'We moeten verkopen,' zei Caroline, 'maar jullie lijken me fatsoenlijke mensen.' Ze keek over haar schouder naar haar man. Toen richtte ze zich weer tot mij. 'Misschien kun je hier blijven tot na de geboorte van de baby.'

'Hoeveel huur zou u vragen?' zei Hank. 'Veel geld heb ik niet.'

'Zei je dat je timmerman bent?'

'Ik doe timmer- en metselwerk,' zei Hank.

'Misschien kunnen we je in de lente inhuren om het huis op te knappen voordat we het verkopen,' zei Caroline.

'Ik pak alles aan,' zei Hank.

'Hoeveel kun je nú betalen?' vroeg Caroline. 'We willen redelijk zijn.'

'Ik heb nog maar vijf dollar,' zei Hank. Hij stak een hand in zijn zak en haalde er vijf zilveren dollars uit. Ik denk dat dat alles was wat hij over had van zijn werk op de fabriek in Lyman. De munten fonkelden in het schijnsel van het haardvuur terwijl hij ze in zijn uitgestrekte handpalm hield.

'Heb je niet iets wat je kunt verpanden?' vroeg Caroline.

'Ik heb alleen mijn gereedschap,' zei Hank. 'En dat moet ik houden als ik van de winter weer ga werken.'

'Ik heb een halsketting en een broche die mama me heeft gegeven,' zei ik.

'Ik kan je broche toch niet aannemen?' zei Caroline.

'Hij heeft gouden randen, als een fotolijstje,' zei ik.

Ik haalde de broche en de ketting uit de slaapkamer en liet ze haar zien. 'Ze zijn ongeveer vijf dollar waard,' zei ze. Ze hield de sieraden bij zich. Ik probeerde nog iets anders te bedenken dat verkocht kon worden. Mama had me een wekker gegeven, maar die was maar een paar dollar waard, al was hij nieuw.

'Weet je wat? Geef ons de vijf dollar en de halsketting en de broche als een soort aanbetaling, en dan geven wij jullie een ontvangstbewijs. De rest kun je verdienen door dit huis op te knappen. Dat moet voldoende zijn, denk je ook niet, Baylus?'

'Dat is ontzettend aardig van u,' zei Hank.

'Het is toch moeilijk om 's winters een huis te verkopen,' zei Caroline.

'We zijn u zeer dankbaar,' zei ik.

'Jullie hebben goed voor paps gezorgd,' zei Caroline. 'Het doet me goed te weten dat een jong stel iets aan dit huis heeft gehad. Bovendien moet het een beetje opgekalefaterd worden.'

'We zullen er goed voor zorgen,' zei Hank.

'In maart komen we terug om over de reparaties te praten en de materialen te kopen die je nodig hebt,' zei Caroline.

Ik kon niet geloven wat er gebeurde, dat we het huis huurden en een huis hadden om tot na de geboorte van de baby in te wonen.

'Wilt u hier niet overnachten?' vroeg ik. 'Het is al laat en er is plaats zat.'

'Liefje, we moeten echt weg,' zei Caroline. 'We moeten terug naar Greenville om de trein naar Columbia te halen. Baylus moet morgen werken.'

'Blijf dan in elk geval eten,' zei ik. 'Er is nog voldoende kalkoen over.'

'Dat is lief van je,' zei Caroline, 'maar we moeten écht weg. En ik word verdrietig van dit huis. Er zijn hier te veel herinneringen.' Ze opende haar tas, keek erin en sloot hem weer. 'Ik zal een ontvangstbewijs voor de vijf dollar en de sieraden opsturen,' zei ze.

'Dat is niet nodig,' zei ik.

'Zaken zijn zaken,' zei Caroline. 'Ik vind het belangrijk om de dingen goed en fatsoenlijk te doen.'

Ik was zo opgetogen, dat mijn hoofd bonsde.

'Jullie zouden tot morgen moeten blijven,' zei Hank.

'We zijn heel dankbaar voor je uitnodiging,' zei Caroline. 'Maar we moeten een paar spullen uit het huis meenemen. Ze waren van mama en hebben sentimentele waarde.'

'Neem maar wat u wilt,' zei Hank. Ik had hem in lange tijd niet zo vrolijk gezien.

'Ik pak alleen een paar spullen van mama,' zei Caroline. Ze haalde de klok van de schoorsteenmantel en gaf hem aan haar man. Toen ging ze de keuken binnen en stopte veel tafelzilver uit de la in haar grote handtas. Op de tafel stond een kleine, zilveren roomkan. Die pakte ze ook.

'Is er iets wat je niet kunt vinden?' vroeg ik. Ik snapte heel goed waarom ze de spullen van haar moeder wilde.

Caroline nam een lamp mee naar de vroegere slaapkamer van Mr. Pendergast. Ze keek in alle bureauladen en pakte wat sieraden en een kam- en borstelset. Baylus kwam weer binnen. Hij droeg opnieuw een vracht spullen naar de koets. Aan de muur van de slaapkamer hing een spiegel. Caroline nam hem mee. Ze haalde het geweer van Mr. Pendergast uit de kast en een pistool uit een la. Ze keek op de zolder, maar vond niets dat ze mee wilde nemen.

'Kom weer eens langs,' zei Hank toen ze in de koets klommen.

'We zouden het fijn vinden om in de zomer naar de bergen terug te keren,' zei ze. 'Dan gaan we picknicken bij de kreek.'

'U bent altijd welkom,' zei ik.

'Dan zien we jullie rond maart,' zei Caroline terwijl Baylus wegreed. 'Ik zal je een ontvangstbewijs voor de huur sturen.'

Hoofdstuk 8

Maar er kwam nooit een ontvangstbewijs uit Columbia. Hank liep elke dag naar het postkantoortje bij het kruispunt. Ik kreeg een brief van mama, en Hank kreeg een brief van ma Richards. Maar er was nooit post van Caroline Glascock of haar man Baylus. Toen de tijd verstreek en Kerstmis naderde, vroeg ik me af of ze wel waren wie ze zeiden dat ze waren. Na twee weken nam ik aan van niet.

Het was erg dat we de vijf dollar, mijn broche en mijn ketting kwijt waren. Plus alle spullen die ze uit het huis van Mr. Pendergast hadden meegenomen. Het was gauw kerst. We hadden geen cent en ook geen mogelijkheid iets te verdienen. Maar dat was niet zo erg als wat het met Hank had gedaan. Hij kon me ervan beschuldigen dat ik de pot met geld had weggegeven, en ik moest de schuld op me nemen. Hank voelde zich beter als hij mij de schuld kon geven en me voor stomme koe uitschelden. Maar nu was *híj* erin gelopen. Hij kon onmogelijk ontkennen dat hij het geld, de sieraden en alle spullen uit het huis had weggegeven. En hij was net zo blij als ik geweest bij de gedachte dat we het huis huurden voor zo weinig geld en het opknappen van het huis in de lente. Zijn gevoelens waren gekwetst omdat hij altijd prat ging op zijn mensenkennis. Hank gaf niet graag toe dat hij zich had vergist. Zo zijn mannen. Zij vinden niets zo belangrijk als hun trots. Het maakte hem boos dat ik wist dat hij net zo was beetgenomen als ik. Hij was bozer op mij dan op de Glascocks of wie ze ook waren.

Ik zag hoe hij zich voelde en probeerde hem te kalmeren. 'Ik heb me als eerste door hen laten bedotten,' zei ik. Ik wilde

het laten klinken alsof ik een deel van de schuld op me nam.
'Je had moeten zien wat voor mensen het waren,' zei Hank.
'Ja, dat had ik moeten zien,' zei ik.
'Elke idioot zou ze door hebben gehad,' zei Hank.
'Ik had beter moeten weten toen Caroline niet meer wist waar Mr. Pendergast zijn geld in bewaarde,' zei ik. Als ik me door Hank liet bekritiseren zou hij zich beter voelen en zou hij niet zo boos zijn op zichzelf. Niemand vindt het fijn om kritiek te krijgen. Ik had er ook de pest aan, maar ik besefte dat het makkelijker was me door hem te laten beschuldigen dan om te leven met een man die woest was op zichzelf. Ik hoopte dat hij weer bijdraaide, als zijn kwaadheid over was. Wanneer Hank als een kleine jongen pruilde, kon ik hem het beste als een kleine jongen behandelen.
'Je had moeten dreigen de politie erbij te halen,' zei Hank.
'Maar hoe had ik dat dan moeten doen?' vroeg ik.
'Ze zullen nooit gepakt worden,' zei Hank. Hij voelde zich zo rot, dat hij zacht praatte, bijna fluisterde.
'Als we de sheriff vertellen wat ze hebben meegenomen, worden ze misschien gepakt terwijl ze de klok, het roomkannetje of het tafelzilver verkopen. Dat zou bewijzen dat wij het niet hebben gestolen.'
'Ik ga niet naar de sheriff,' zei Hank.
'Wat als we ervan worden beschuldigd de spullen van Mr. Pendergast te hebben verkocht?'
'Niemand weet wat in dit huis aanwezig was,' zei Hank.
'Het zou beter zijn als we een lijst maakten van wat ze hebben meegenomen,' zei ik. 'Dan kunnen we die aan de echte erfgenamen laten zien, als ze komen opdagen.'
'Wou je mij zeggen wat ik moet doen?' schreeuwde Hank. Hij keek me boos aan, alsof ik hem had beledigd.
'Ik zeg alleen dat het misschien een goed idee zou zijn om vast te leggen wat er is gebeurd, en de sheriff in te lichten,' zei ik.
'Ik zal zelf besluiten wanneer het tijd is om de sheriff in te lichten,' zei Hank.
'Dat weet ik,' zei ik.
'Wat bedoel je?' vroeg Hank.

'Dat je het de sheriff op jóuw tijd zult vertellen,' zei ik.

Hank was klaar om antwoord te geven alsof ik hem tegensprak. Maar dat deed ik helemaal niet. Hij opende zijn mond en toen wendde hij zijn hoofd af. Hij pakte de suikerpot en smeet hem naar het fornuis. De suiker verspreidde zich als sneeuw over het fornuis en de vloer.

'Het doet er niet toe,' zei ik. Maar hij gaf geen antwoord. Hij was al door de achterdeur vertrokken en ik zag hem pas na het vallen van de avond terug.

We kwamen zelden in de winkel, omdat we geen geld hadden om iets te kopen. In een vallei als Gap Creek is een winkel een ontmoetingsplaats voor de mensen uit de omgeving. Nadat we ons geld aan Caroline Glascock waren kwijtgeraakt hadden we geen zin om iemand te zien. En vrouwen hangen toch niet zo vaak in een winkel rond, in tegenstelling tot mannen. Sommige mannen bivakkeerden elke dag in de winkel. In de winter zaten ze bij de kachel te dammen en tabakssap in een emmer te spuwen. In de zomer zaten ze buiten op de bank voor de winkel. Ik neem aan dat ze daar zaten te roddelen, hoewel je ze niet veel hoorde zeggen. Het is wat anders wanneer een vrouw naar de winkel gaat als ze geld kan uitgeven. Maar ik had geen geld, en ik bleef uit de buurt van de winkel bij het kruispunt.

Maar in de loop van december hadden we helemaal geen koffie meer. En toen hadden we zo weinig suiker over, dat ik alleen nog maar suiker gebruikte voor de zeldzame keren dat ik een taart voor de zondagse maaltijd bakte. Je kunt zonder koffie leven, hoewel het niet meevalt om 's morgens op te staan en alleen maar water te hebben om bij je gort te drinken. En in plaats van suiker kun je honing of stroop gebruiken, als je dat hebt. Maar niemand zou ervoor kiezen geen koffie of suiker te gebruiken.

Ik vroeg me af of ik iets in de winkel kon ruilen voor koffie en suiker. We hadden niet eens genoeg eieren om er elke dag eentje te kunnen eten, dus zou het weken duren om twee of drie dozijn te sparen, ook als we zelf geen ei aten. Ik had niet voldoende boter om te verkopen.

Maar soms brengt God je op het goeie moment op een goed

idee. Ik herinnerde me dat een aantal mensen had gezegd dat Mr. Pendergast ginsengwortels had uitgegraven. Ik had een kleine schoffel op de veranda zien staan. Maar ik had nergens wortels gezien. Hij moest de laatste tijd te zwak zijn geweest om ginseng te zoeken. Gewoonljk moest je daarvoor hoog op de bergkam zijn. Toen schoot me te binnen dat ik wortels aan een dakspar op de vliering had zien hangen toen ik het eenpersoonsbed voor ma Richards haalde. Ik had de wortels gezien en was ze meteen weer vergeten.

Ik staakte mijn bezigheden, vloog de trap op en klom de ladder op naar de vliering. Ik was daar niet meer geweest sinds onze komst naar Gap Creek. Er scheen licht door de twee ramen van de vliering, die naar rook en oud hout stonk. Ik had niet de moeite genomen een lamp mee te nemen, dus moest ik mijn ogen aan het zwakke licht laten wennen. Er waren stoelen en oude hutkoffers, vuile potten, trossen touw en roestige, ijzeren vallen. Aan een spijker in een dakspant hingen een paar verbleekte tabaksbladeren, met hangmatten van spinnenwebben ertussen. Het was warm bij de schoorsteen.

En toen zag ik de wortels. Ze hingen aan een touwtje, niet ver van de schoorsteen. Mr. Pendergast moest ze daar hebben opgehangen en ze weer zijn vergeten. Er waren dertig wortels, allemaal bedekt met spinrag. Sommige leken op gedroogde, zoete aardappelen, andere op verschrompelde figuurtjes van mensen, en weer andere op mannelijke geslachtsdelen. Toen ik aan een wortel voelde, ontdekte ik dat hij droog en afgeschilferd was. Waren de wortels te droog om te verkopen? Ik maakte ze los van het touwtje en verzamelde ze in mijn schort. Als ze samen een pond wogen, konden ze twee of drie dollar waard zijn. Misschien nog wel meer. Maar ik dacht niet dat ze een pond wogen, ze waren zo droog en broos. Met de dichtgevouwen schort in mijn linkerhand klom ik de ladder af.

Hank was naar het bos gegaan. Op zoek naar een nieuwe kalkoen, nam ik aan. Hij had zich de laatste tijd zo ellendig gevoeld, dat ik hem niet te veel vragen wilde stellen. En ik wilde niet wachten tot hij terugkwam en dan pas met de ginseng naar de winkel van Poole gaan. Ik stopte de wortels in een papieren zak en trok mijn jas aan. Het was een zonnige dag. De weg was een beetje modderig door de dooi.

Het was maar een paar kilometer lopen naar het kruispunt. Toen ik de winkel bereikte, zag ik George Poole bij de kachel zitten dammen met een man die Slim Rankin heette. Pug Little keek toe. Ik had ze op de begrafenis van Mr. Pendergast ontmoet. George was verbaasd me te zien, omdat ik vrijwel nooit in de winkel kwam. 'Hallo, miss Julie,' zei hij. Hij noemde me nooit Julie, altijd miss Julie.

'Goeiendag,' zei ik. Ik knikte tegen hem, Slim en Pug.

'Waar hebben we de eer aan te danken dat je ons een bezoek brengt?' vroeg George. Hij richtte zijn blik weer op het dambord.

'Ik heb een stuk of wat wortels bij me,' zei ik en zette de zak op de toonbank.

'Wat voor wortels?' vroeg George.

'Ginsengwortels,' zei ik.

George deed een zet op het dambord. 'Het is wel heel laat in het seizoen om ginsengwortels uit te graven,' zei hij.

'Deze zijn vorig jaar uitgegraven,' zei ik, 'en hebben al die tijd aan een touw gehangen om te drogen.'

Alle mannen keken me aan. Waarschijnlijk hadden ze geraden dat de wortels van Mr. Pendergast waren. George stond op en liep naar de andere kant van de toonbank. Hij leegde de zak die ik had meegebracht op de toonbank. De wortels zagen er kleiner uit dan op de vliering.

'Jij hebt geen ginsengwortels uitgegraven, hè?' zei Slim Rankin.

'Ik wist niet dat Hank ginseng uitgroef,' zei Pug Little. Hij grijnsde tegen Slim.

'Mr. Pendergast heeft ze op de vliering achtergelaten,' zei ik.

'Pendergast was het afgelopen jaar niet in staat om te graven,' zei Slim.

'Ik weet niet wanneer ze zijn uitgegraven,' zei ik. De blikken op de planken achter George leken vogels die op stok zaten en me aanstaarden. De winkel rook naar tuigleer, koffie en houtrook.

'Ze zijn kurkdroog,' zei George. Hij pakte een schaal van

zijn weegschaal en legde er de wortels in. Toen zette hij de schaal aan de ene kant van de weegschaal en kleine gewichten aan de andere kant.

'Dominee Gibbs heeft vroeger ginseng uitgegraven,' zei Slim.

'Dat deed iedereen,' zei Pug, 'toen er nog iets uit te graven viel.'

'Het is maar 375 gram,' zei George.

'Is dat alles?' vroeg ik.

'En ze zijn zo droog en oud, dat ik niet weet of de koopman in Greenville ze zal nemen,' zei George.

'Hij verkoopt zijn handel aan de Chinezen en die kopen allerlei soorten ginseng,' zei Slim.

'Het is niet erg als ginseng droog is,' zei Pug.

'De prijs voor wortels is trouwens laag,' zei George. Ik dacht dat George tegen me ging zeggen dat hij de wortels niet kon kopen, dat ik mijn tijd had verspild en vergeefs naar hem toe was gekomen. Ik vroeg me af of hij vond dat het niet juist was dat ík de wortels verkocht.

'Wat je me ook geeft, later zal ik het aan de erfgenamen van Mr. Pendergast geven,' zei ik. 'Als ze tenminste gevonden worden.' Ik was blij dat niemand wist dat wij spullen aan Caroline Glascock hadden gegeven.

George stond iets met een potlood uit te rekenen op een stuk bruin pakpapier dat op de toonbank lag. 'Voor twee dollar en vijfenzeventig cent per pond kan ik je twee dollar en zes cent betalen,' zei hij.

'Bedoel je dat je me twee dollar betaalt?' vroeg ik.

'En zes cent,' zei George.

'Kijk goed of hij je de zes centen geeft,' zei Slim.

'Je moet die ouwe George in de gaten houden,' zei Pug.

Ik had niet zoveel geld gezien sinds Hank zijn vijf dollar aan Caroline Glascock had gegeven, of wie de vrouw ook was.

'Liefje, ik wou dat het meer kon zijn,' zei George. Ik denk dat hij de verbazing op mijn gezicht zag.

'George is een enorme vrek,' zei Slim.

'Die zal er nog een hele toer aan krijgen om door het oog van een naald te kruipen om in de hemel te komen,' zei Pug.

Ik besloot geen vragen meer te stellen. Als ik mijn koffie en suiker had, wilde ik meteen vertrekken. Ik wilde Hank vertellen dat we heel veel geluk hadden gehad! Misschien vrolijkte hij ervan op. 'Mag ik vijf pond suiker en vijf pond koffiebonen?' vroeg ik.

'Als je zoveel kunt dragen,' zei George. Hij schepte de bonen en de suiker in papieren zakken, die hij met een touwtje dichtbond. Ik legde een zak in elke arm, als tweelingbroertjes.

'Je hebt nog zevenentwintig cent over,' zei George. Ik zette de zakken weer op de toonbank en pakte de munten aan.

'Bedankt, George,' zei ik.

'O, ik was het bijna vergeten: er is een brief voor je gekomen,' zei George. Hij liep naar de postvakken en bracht een envelop mee waar met potlood op was geschreven. Ik stopte de brief in mijn zak, omdat ik hem niet in het bijzijn van George en Slim en Pug wilde lezen.

Terwijl ik over de weg liep met de zakken in mijn armen en de envelop in mijn jaszak, bleef ik aan de brief denken. Aan het handschrift had ik gezien dat hij van mama was. Schreef ze om te zeggen dat er iemand ziek was of dat er een familielid was gestorven? Vroeg ze hoe het met me ging? Kwam ze bij ons logeren?

Halverwege de terugweg stond een grote zilverden. Toen ik bij de grote boom was, zei ik tegen mezelf dat ik even moest uitrusten. Ik ademde voor twee en wilde me niet haasten. En ik kon niet langer wachten om te zien wat er in de brief stond. Ik ging op de naalden onder de grote boom zitten.

De brief was geschreven op twee vellen schrijfpapier. In mama's keurige handschrift. *'Ik hoop dat je het goed maakt. Met ons is alles goed. Ik hoop dat alles goed is met de baby,'* schreef mama. *'Er is hier geen nieuws, behalve dat Lou en Garland gaan trouwen en daarna bij jullie op visite komen.'*

Ik draaide de bladzijde om en las de achterkant terwijl de wind de papieren in mijn hand deed wapperen. *'En Carolyn komt met ze mee,'* zei mama. *'Carolyn blijft een paar dagen bij jou en Hank, en Lou en Garland gaan naar Greenville.'*

Mijn handen beefden van het nieuws. Het zou heerlijk zijn om Lou te zien. Ik vond het alleen afschuwelijk dat zij en Garland zouden merken hoe arm we waren. Ik draaide de laatste bladzij om om te kijken wanneer ze zouden aankomen.

'Ze komen aanstaande woensdag naar Gap Creek,' zei mama. Ik probeerde me te herinneren wat voor dag het was. Het wás al woensdag, want het was vier dagen geleden dat Hank op kalkoenjacht ging. Toen was het zaterdag geweest. Ze kwamen vandaag! Misschien waren ze er al! Ik stopte de brief in mijn jaszak en tilde de twee papieren zakken op. Ik hoopte dat ze niet tijdens mijn afwezigheid waren aangekomen en mijn vuile vaat en de rommel in de slaapkamer hadden gezien.

Je weet hoe het is wanneer je probeert je te haasten. Je strekt je benen, maar je voeten blijven aan de grond plakken. De weg voor je uit wordt langer en langer. Ik liep zo snel mogelijk naar huis. Toen ik ten slotte de bocht omkwam, zag ik de oude wagen van mijn vader op het erf staan, met Sally ervoor. Lou, Garland en Carolyn waren er al. Ze hadden mijn vieze huis gezien! Ik ging langzamer lopen en probeerde weer op adem te komen. Ik had wat last van mijn buik. Ik stopte om een beetje uit te rusten alvorens de trap op te klimmen. Er waren stemmen in de woonkamer. Hanks geweer stond tegen de muur naast de voordeur, maar ik zag geen spoor van een kalkoen.

'Kijk eens wat daar binnen komt rollen,' zei Lou toen ik binnenkwam.

'En kijk eens wat er naar beneden is gespoeld,' zei ik. Met een vreugdekreet rende Lou naar me toe en omhelsde me. Ik had haar bijna drie maanden niet gezien.

'Ik zal een beetje voorzichtig zijn en niet zo hard drukken,' zei ze terwijl ze mijn buik streelde. Het was zo fijn om Lou te zien.

'Je ziet er stralend uit,' zei ik. Ik legde de papieren zakken op de sofa.

'Ik zei tegen Garland toen hij me ten huwelijk vroeg, ik zei ik trouw met je als je me naar Greenville brengt zodat we onderweg kunnen stoppen om Julie en Hank te zien,' zei Lou.

Garland stond bij de open haard. Hij tikte tegen de rand van zijn hoed, bij wijze van groet. 'Trek je jas uit en blijf een tijd,' zei ik. Ik vroeg me af waarom Lou had besloten Garland terug te nemen. Dat zou ze me vast wel vertellen als we alleen waren.

'En welkom, Carolyn,' zei ik. Carolyn stond in de deuropening van de keuken met Hank te praten.

'Mama heeft het een en ander voor je meegegeven,' zei Carolyn. Ze wees naar een kist op een stoel. Er was een ham die in bruin papier was gewikkeld, en diverse potten jam.

'Zullen we gaan zitten?' zei ik. 'Eerst zal ik deze spullen naar de keuken brengen.'

'We zullen je helpen,' zei Lou en tilde de zakken op die op de sofa lagen.

'Ik kan het zelf wel,' zei ik.

'Je moet voorzichtig zijn,' zei Lou. 'Draag jij die kist,' zei ze tegen Carolyn.

'Zwanger zijn is geen ziekte,' zei ik.

'Dat zei ik ook niet,' zei Lou.

'Ik was van plan het huis aan kant te maken, maar toen moest ik naar de winkel,' zei ik.

'We helpen je wel, nietwaar Carolyn?' zei Lou.

'Hank zei dat hij me de schuur en het koelhuis zou laten zien,' zei Carolyn.

'Dat kan later wel,' zei Lou. Ze klonk net als mama. Ik was vergeten dat de stem van Lou en die van mama zoveel op elkaar lijken.

'Ik wou dat mama mee had kunnen komen,' zei ik.

'Mama gaat nooit meer het huis uit, behalve om naar de kerk te gaan,' zei Lou. 'Ik denk dat ze jicht in haar rug heeft, want ze loopt met een ronde rug.'

'Ik wou dat ik haar kon zien,' zei ik.

Carolyn liep door de keuken, keek in de pannen en inspecteerde de blikken en flessen op de planken. Ze maakte de suikerbus open. Toen ze zag dat hij leeg was, vroeg ze: 'Waar is je suiker?'

'Ik heb vandaag suiker gekocht én verse koffiebonen,' zei ik.

'Je hoeft niets bijzonders voor ons klaar te maken,' zei Lou.

'Het is je huwelijksreis,' zei ik.

'Ja,' zei Lou en gaf me opnieuw een knuffel. Ik had haar nog nooit zo gelukkig gezien.

'Ik wil naar Florida als ik op huwelijksreis ga,' zei Carolyn.

Toen we beneden klaar waren, klommen we de trap op naar de slaapkamer die Hank en ik vroeger hadden gebruikt. 'Het enige probleem met dit bed is dat het uit elkaar valt als het heen en weer schudt,' zei ik.

'Leuk, hoor,' zei Lou.

'Dat overkwam ons in onze eerste nacht hier,' zei ik. 'Maar de volgende dag heb ik het bed gerepareerd.'

Lou keek naar het bed en streek over de bedstijl. Ik verwachtte dat ze een spitse opmerking zou maken. Maar dat deed ze natuurlijk niet. Ze was een vrouw op huwelijksreis. Terwijl we afstoften en het bed verschoonden vertelde ik haar het verhaal van het bed dat het in onze eerste nacht begaf.

'Denk je dat die oude Pendergast het expres heeft gedaan?' vroeg Lou.

'Dat weet ik zeker,' zei ik.

'Wat een vieze ouwe man,' zei Lou.

'Je had de figuurtjes moeten zien die hij uit hout sneed,' zei ik.

Ik verwachtte dat Lou me zou vertellen waarom ze uiteindelijk had besloten met Garland te trouwen. Ik wist dat ze het me wilde vertellen. Toen ik door het raam keek, zag ik Hank met Garland en Carolyn praten. Kennelijk liet hij hun het weiland zien. Op een afstand leek Carolyn een volwassen vrouw. Ze was dikker geworden sinds ik het ouderlijk huis had verlaten. Ze gaf Hank een arm terwijl ze om de schuur liepen. Carolyn lachte om iets wat Hank of Garland had gezegd.

'Was je verbaasd toen je hoorde dat ik ging trouwen?' vroeg Lou.

'Een beetje, ja,' zei ik.

'Je weet dat ik altijd van Garland heb gehouden,' zei Lou.

'Dat weet ik,' zei ik. Ik was van plan haar het verhaal te laten vertellen als zíj daaraan toe was. Ik was van plan haar niet op te jagen door allerlei vragen te stellen.

'Uiteindelijk besloot ik dat dat meisje in Pleasant Hill er eigenlijk niet toe deed,' zei Lou.

'O ja?' zei ik terwijl ik een kussen met een schone sloop opschudde.

'Hij zei dat hij geen contact meer met haar had,' zei Lou. 'Hij zei dat ze nooit iets voor hem had betekend.'
'Had ze geen baby?' vroeg ik.
'Ja, ze had een baby, maar Garland zei dat het kind niet van hem was,' zei Lou. Ik verwachtte een glimlach op haar gezicht, maar die was er niet. Wanneer Lou het over Garland had, was ze altijd ernstig.
'Ik wil alleen maar dat je gelukkig bent,' zei ik.
'Ik denk dat mama niet zo blij was met mijn huwelijk,' zei Lou.
'Mama maakt zich altíjd zorgen,' zei ik.
'Oudere vrouwen geloven niet in romantiek,' zei Lou.
'Mama is gewoon bezorgd voor je,' zei ik.

Het was de eerste keer dat Lou en ik samen kookten. We hadden samen hout gezaagd in het bos en op het veld gewerkt. Maar thuis waren mama en Rosie altijd in de keuken aan het werk geweest. Het was fijn om Lou in mijn keuken te hebben.
'Jij gaat zitten terwijl ik voor het eten zorg,' zei Lou.
'Geen sprake van,' zei ik.
'Je bent lang genoeg op de been geweest,' zei Lou.
'Hoe weet jij dat nou?' zei ik. We barstten in lachen uit.
Ik was dolblij dat ik de suiker en de koffie had gekocht, want mijn kast was leeg en er waren alleen nog maar wat ingemaakte spullen in de kelder. Maar mama had de ham meegegeven. Daar zouden we twee of drie dagen van kunnen smullen. Ik legde de ham in een pan en bedekte hem met bruine suiker en stroop. Het was net iets voor mama om een ham mee te geven. Ze had vast en zeker het beste stuk vlees gepakt dat in het rookhok te vinden was.
'Je zou een beetje mosterd of azijn in die saus kunnen doen,' zei Lou.
'Ik wil dat deze ham heel zoet is,' zei ik. Na de ham in de oven te hebben gestopt, haalde ik nog meer hout voor het fornuis. Garland, Hank en Carolyn stonden bij de gombomen omhoog te kijken. Ik hield mijn handen boven de ogen en zag ganzen in V-formatie door de lucht vliegen. Ze klonken als een meute kleine drijfhonden die een konijn achternazitten. De

ganzen vlogen over de bergkam naar het zuiden. Tegen het vallen van de avond zouden ze ver uit de buurt van de bergen zijn.

'Wie heeft thuis het werk gedaan na mijn vertrek?' vroeg ik.

'Het meeste buitenwerk moest ík doen,' zei Lou.

'Dat dacht ik al,' zei ik.

'We hebben je echt gemist, Julie,' zei Lou.

'Jullie misten me omdat ik altijd hout hakte en varkens slachtte,' zei ik.

'We misten je eeuwige geklaag,' zei Lou. We schoten beiden in de lach.

'Wie doet het werk nu we alletwee weg zijn?' vroeg ik.

'Mama en Rosie zullen elkaar afwisselen,' zei Lou. 'En Carolyn moet leren haar bijdrage te leveren.'

'Waarom wilde mama dat Carolyn met jullie meeging?' vroeg ik terwijl ik beslag voor het maïsbrood maakte.

'Het was niet zozeer dat mama wilde dat ze meeging als dat Carolyn smeekte of ze mee mocht,' zei Lou.

'Ze wilde nieuwe plekken zien,' zei ik.

'Dat meisje is zo verwend, dat ik haar soms wel een draai om de oren kan geven,' zei Lou.

'Na Maseniers dood hebben we haar allemaal verwend,' zei ik.

'Ik had ook wel verwend willen worden,' zei Lou.

'Misschien heeft het geen nadelige gevolgen voor haar,' zei ik. 'Ze is pas veertien.'

'Wat weet een veertienjarig meisje nou?'

'Ongeveer evenveel als een zeventienjarig meisje,' zei ik. We lachten opnieuw. Ik leegde een pot sperziebonen in een pan en zette die op het fornuis. Ik wou dat ik zoete aardappels had om te bakken, maar die had ik niet.

'Was jij bang toen je trouwde?' vroeg Lou. 'Ik bedoel tijdens je huwelijksnacht?'

'Ik denk dat iedereen eerst een beetje bang is,' zei ik. Maar ik kon haar niet aankijken terwijl ik dat zei. Voordat ik getrouwd was hadden Lou en ik over het huwelijk gepraat, maar dan in algemene zin. Ik vond het lastig over het huwelijk te praten, nu ik getrouwd en zwanger was. Ik had niet gedacht dat ik het gevoel zou hebben iets van Hank en mij prijs te geven.

'Ik ben een beetje bang dat het pijn doet,' zei Lou.

'Daar hoef je niet bang voor te zijn,' zei ik. Ik kon haar nog steeds niet aankijken. Lou was ouder dan ik en daar stond ze me vragen te stellen! 'Tenminste, in dat opzicht,' voegde ik eraan toe.

'Wat voor opzicht?' vroeg ze. Ik keek haar aan. We moesten alletwee lachen.

'Als het pijn doet, zijn dat hooguit je gevoelens,' zei ik. Ik begon de tafel te dekken. Lou haalde het tafelzilver uit de la en begon het bestek netjes neer te leggen. Ik was blij dat ik het een paar dagen eerder had gepoetst.

'Ik hoop dat ik Garland gelukkig kan maken,' zei Lou.

'Dat zal je vast lukken,' zei ik.

'Ik moet er niet aan denken dat hij teleurgesteld zal zijn,' zei Lou.

'Je bent met hem getrouwd,' zei ik. 'Dat zou hem gelukkig moeten maken.'

'Je weet wel wat ik bedoel,' zei Lou.

'Ik weet dat hij zijn handen mag dichtknijpen dat hij jou heeft,' zei ik. 'Na de manier waarop hij zich heeft gedragen.'

'Dat is allemaal vergeven. Ik zei tegen hem dat ik het zou vergeten,' zei Lou.

'Hij is een bofkont,' zei ik.

De koffie kookte. Ik zette de pot naast het fornuis. De geur van koffie en gebraden ham vulde de keuken. Het deed me aan mama's keuken denken.

'Ik wou dat Rosie hier was om een van haar kokoscakes te bakken,' zei ik. Ik had maar twee eieren, en ik had zeker geen koskosnoot.

'Rosie heeft een cake voor je meegegeven,' zei Lou. 'Dat was ik helemaal vergeten.'

'Waar is de cake?' vroeg ik. Ik keek in de kist waarin de ham had gelegen. Er waren alleen maar potten jam.

'Hij moet nog in de wagen zijn,' zei Lou. Ze rende door de achterdeur naar buiten en kwam terug met een doos met een touw eromheen. Ik maakte het touw los en keek in de doos. Het was een prachtige kokoscake, het soort dat Rosie altijd maakte. Maar door het gehots van de wagen was de bovenste laag gaan schuiven.

'Goeie genade,' zei Lou toen ze het zag. Met een taartschep tilde ik de rand van de bovenste laag op en schoof hem weer op zijn plaats. Het suikerglazuur was kapot en er waren kokossnippers op de bodem van de doos gevallen. Ik pakte een mes en streek het glaceersel aan de zijkanten glad, zoals een metselaar een voeg dichtmetselt. Daarna strooide ik de kokossnippers over de gerepareerde voeg.

'De cake is zo goed als nieuw,' zei ik.

Carolyn kwam naar de achterdeur en wierp een blik in de keuken. 'Waar is de melkemmer?' vroeg ze.

'Hier op het aanrecht,' zei ik.

'Hank gaat me leren melken,' zei Carolyn.

'Denk om je zondagse jurk!' zei Lou. Carolyn droeg een van haar roze jurken met kant en linten. En haar schoenen zagen er nieuw uit.

'Behandel me niet als een baby,' zei Carolyn.

'Gedraag je niet als een baby,' zei Lou.

'We willen alleen niet dat je jurk vies wordt,' zei ik.

Carolyn sloeg niet met de deur toen ze naar buiten ging, maar ze knalde zo hard met de emmer tegen de deurpost dat je wist dat het opzet was. Het was haar manier om haar verontwaardiging te tonen.

'Het zal nog lang duren voor dat meisje helemaal volwassen is,' zei Lou.

'Ze zal heus wel volwassen worden, ze moet wel,' zei ik.

'Ben benieuwd!' zei Lou. We schoten weer in de lach. Ik was een beetje licht in het hoofd door de geur van koffie, ham en brood, en al het geklets met Lou. Ik was niet gewend veel met een andere vrouw te praten, en sinds mijn huwelijk had ik niemand van mijn familie gezien.

'Weet je, ik kan me mama en papa niet samen voorstellen,' zei Lou.

'Wat bedoel je?' vroeg ik.

'Je weet wel wat ik bedoel,' zei Lou, 'als man en vrouw.'

'Wat zouden ze anders kunnen zijn?' Ik deed net of ik haar niet begreep. Ik snapte best wat ze zei. Het was iets waar ik ook over had nagedacht. Ik kon me mama en papa niet samen in bed voorstellen. Het leek gewoon onmogelijk. Het was dwaas dat te denken, aangezien ze óns hadden, hun dochters. Maar ik kon me hen gewoon niet in bed voorstellen terwijl ze naakt lagen te vrijen.

'Als ze niet als man en vrouw samen waren, hoe verklaar je óns dan?' zei ik giechelend. Toen barstten we opnieuw in lachen uit.

Voor we aan tafel gingen om de avondmaaltijd te gebruiken, pakte ik de kaarsen die ik in de slaapkamerkast had gevonden en zette ze in het midden van de tafel. De kaarsen gaven de keuken een gloed die zo warm was als een rijpe perzik.

'Wat romantisch,' zei Carolyn toen we allemaal zaten.

'Het is een romantische gelegenheid,' zei ik met een blik op Lou en Garland. Hun ogen straalden in het kaarslicht. Garland nam Lou's hand in de zijne. 'Niets is romantischer dan je trouwdag,' zei ik.

We hielden elkaars hand vast rond de tafel terwijl Hank begon te bidden. 'God, geef Lou en Garland een lang en gelukkig leven samen,' bad Hank. 'En zegen hun huwelijk met kinderen. En geef hun werk dat bij hun talenten past, en schenk hun uw liefde.'

'Amen,' zeiden we allemaal.

'Wanneer ik trouw, wil ik een hele verre treinreis maken,' zei Carolyn. Carolyn las zo veel mogelijk romans en tijdschriften. De manier waarop ze praatte gaf aan wat ze had gelezen. 'Misschien naar de Rocky Mountains of naar Californië,' zei ze.

'Dat zal vast en zeker gebeuren, schat,' zei Lou, 'als je geluk hebt.' Lou keek Garland aan. Ze glimlachten tegen elkaar.

Hank sneed de ham in plakken en legde ze op een bord. Toen liet hij het bord rondgaan. Alles zag er goud en zacht uit in het kaarslicht.

'We vieren ook de baby van Julie en Hank,' zei Lou.

'Ik wil geen baby,' zei Carolyn. 'Pas als ik minstens veertig jaar ben.'

'Veertig is te oud om een baby te krijgen,' zei Lou.

'Dat is niet waar,' zei Carolyn. 'Zo is het toch, Hank?'

'Er zijn vrouwen die op hun veertigste een baby krijgen.

Sommigen zelfs op hun vijfenveertigste,' zei Hank.
'Maar hoe ouder je bent, hoe gevaarlijker het is,' zei ik. Ik voelde me warm en behaaglijk. Het was heerlijk om familie om me heen te hebben, om Lou bij me te hebben. De afgelopen weken had Hank zich te terneergeslagen gevoeld om prettig gezelschap te zijn.
'Het is niet romantisch om een baby te hebben als je jong bent,' zei Carolyn.
'Hoe weet jij dat nou?' vroeg Lou.
'Dat is toch zo?' vroeg Carolyn aan Garland. Alle ogen richtten zich op Garland. Zijn gezicht werd rood. Ik voelde dat mijn eigen gezicht gloeide. Ik weet niet of Carolyn van plan was geweest dat tegen Garland te zeggen omdat zijn vriendin in Pleasant Hill een baby had. Misschien was het er gewoon uitgeflapt. Iedereen wendde zijn blik van Garland af om net te doen of Carolyns woorden geen bijzondere betekenis hadden. Ik stond op om koffie in te schenken en voor iedereen een grote plak van Rosies cake af te snijden.

'Waar zijn jullie van plan te gaan wonen?' vroeg ik aan Garland toen ik weer ging zitten.
'We huren het oude huis van Cyrus Willard,' zei Lou. Garland was niet zo'n prater. Ik had gemerkt dat Lou meestal voor hem antwoordde.
'Dat is een schitterend huis op de bergkam,' zei Hank.
'Het kijkt uit op Mount Pisgah,' zei ik.
'Ik heb gehoord dat er slangen zijn in dat oude huis,' zei Carolyn. Ze nam nóg een plak cake.
'Waar heb je dat gehoord?' vroeg Lou.
'Ik heb het van Wilma Willard gehoord,' zei Carolyn. 'Ze vertelde dat, toen haar opa oud en ziek was en daar in zijn eentje woonde, er een slang door een spleet in het plafond op zijn bed viel en hij de hele nacht doodstil moest blijven liggen tot de slang wegkroop.'
'Dat verhaal heb je niet van Wilma gehoord,' zei ik. 'Papa vertelde dat verhaal altijd over een van de Edneys.'
'Wilma zwoer dat het de waarheid was,' zei Carolyn.
'Een slang zou in elk huis kunnen komen,' zei Hank.

'Slangen houden ervan om naar zolders te kruipen waar het warm is. Ik heb gehoord van mensen die in oktober of november vijftig ratelslangen op zolder vonden.'

'We kunnen het beter over iets romantisch hebben,' zei Lou. 'Jullie zijn allemaal even erg als papa. Die vertelde altijd verhalen over slangen als het bedtijd was.'

'Over bedtijd gesproken,' zei ik, 'ik weet dat jullie een lange reis achter de rug hebben. En morgen volgt een nóg langere reis. Als jullie naar bed willen, jullie kamer is klaar.' Ik wilde niet dat Lou en Garland zich opgelaten voelden wanneer ze naar bed gingen.

'Het is te vroeg om naar bed te gaan,' zei Carolyn.

'Hoe laat moet je van mama naar bed, Carolyn?' vroeg ik.

'Om negen uur,' zei Lou.

'Dat was vorig jaar, toen ik klein was,' zei Carolyn.

'Dat was vorige week, toen je klein was,' zei Lou.

'Jij mag boven slapen, in de kamer met het eenpersoonsbed,' zei ik tegen Carolyn. Ik stond op en begon de tafel af te ruimen.

'Ik zal je helpen afwassen,' zei Lou.

'Geen sprake van,' zei ik. 'Jij gaat naar bed en Carolyn helpt de boel opruimen.'

'Ik kan met de afwas helpen,' zei Hank.

'Als het nou per se moet ga ik maar naar bed,' zei Lou.

'Het móet,' zei ik.

'Kom mee, Garland,' zei Lou. 'Julie wil ons weg hebben.'

'Dat lijkt me een goed idee,' zei Garland.

'Laten we samen bidden,' zei Hank. We stonden in een kring in de keuken en hielden elkaars hand vast terwijl Hank bad. 'We zijn dankbaar voor de vriendschap van onze familie en van onze familie in Christus,' zei hij. 'We zijn dankbaar voor de belofte van verlossing en voor uw wakend oog over ons leven. We zijn dankbaar voor uw liefde en voor de liefde van mensen. Wees een gids in ons leven en help ons de gave van leven en uw zegen te aanvaarden.' Het was fijn om Hank in een betere stemming te zien.

'Welterusten,' zei ik en gaf Lou een knuffel. Toen gaf ik Garland een knuffel.

'Welterusten,' zei Lou terwijl ze hand in hand naar de trap liepen.

'Laten jij en ik de boel aan kant maken,' zei ik tegen Carolyn zodra ze weg waren.

'Kunnen we niet tot morgenochtend wachten?' vroeg Carolyn.

'Je moet altijd een keuken opruimen voor je naar bed gaat,' zei ik.

'Ik kan wel helpen,' zei Hank.

'We helpen allemaal,' zei ik. Ik verzamelde de messen, vorken, lepels, borden en kopjes en maakte zoveel mogelijk lawaai terwijl ik de borden schoonschraapte en de kliekjes in de broodkast opborg. Ik maakte nog meer lawaai toen ik naar buiten ging om water te halen.

Toen het water kookte, gingen we in een rij staan. Ik plonsde de vuile vaat in de teil met heet sop en boende alles schoon met een doek. Dan gaf ik een met sop bedekt bord aan Hank, die het afspoelde door er met de scheplepel water over te gooien in de tweede afwasteil. Hank gaf het druipende bord aan Carolyn, die het met een theedoek droogde en op het aanrecht zette. Terwijl ze wachtte tot ze weer een bord kreeg, stond ze met een hand op haar heup, alsof ze zich verveelde. Ik liet de lepels, messen en vorken op de bodem van de afwasteil flink rammelen.

'Ik snap niet waarom we dit nú moeten doen,' zei Carolyn.

'Alles moet 's morgens schoon en fris zijn,' zei Hank met een blik op het plafond. Toen keek hij me grijnzend aan. Ik had hem in weken niet zien glimlachen.

'Je kunt haast niet slapen als je een keuken vol vuile vaat hebt,' zei ik.

'Daar zou ík niet wakker van liggen,' zei Carolyn.

'Je kunt haast niet slapen als je je werk niet hebt gedaan,' zei ik.

'Wanneer ik getrouwd ben, neem ik een dienstmeisje om de afwas te doen,' zei Carolyn.

'In dat geval hoef je je geen zorgen te maken,' zei ik giechelend.

We wasten elk kopje, elk bordje, elke kom, elke vork en elke lepel af. Ik pakte een natte doek en veegde over de tafel en het aanrecht. 'Wil jij de vloer vegen, Carolyn?' vroeg ik.

'Als jij de vloer veegt, zal ik dweilen,' zei Hank.

'Wie dweilt de vloer nou midden in de nacht?' zei Carolyn.

'Je slaapt beter als je weet dat de vloer schoon is,' zei ik. Ik pakte een vochtige doek en veegde over de planken in de keuken.

'Thuis werkte je nooit in de keuken,' zei Carolyn.

'Dat was niet nodig,' zei ik. 'Rosie en mama deden al het werk.'

Toen we klaar waren en de keuken glom, zat er niets anders op dan naar de woonkamer te gaan. Het haardvuur brandde nog. Hank gooide er een blok hout op.

'Wat we nu nodig hebben is popcorn,' zei ik.

'Jammer dat er geen popcorn in huis is,' zei Hank. De wind was toegenomen en deed de ramen en de dakrand rammelen.

'Mama heeft een maaltje popcorn meegegeven,' zei Carolyn.

'O ja? Waar is het?' vroeg ik.

'In een pot in de kist,' zei Carolyn.

Ik rende naar de kist in de keuken. Inderdaad, in een van de potten waarvan ik had gedacht dat hij met jam was gevuld, zat pofmaïs. 'Mama denkt ook aan alles,' zei ik.

Ik haalde een pan en het zoutvaatje uit de keuken, en een deksel voor de pan. Nadat ik maïs in de pan had gedaan, hield Hank hem boven het vuur. Lange tijd was de pan stil. Toen Hank de pan heen en weer schudde, kon je de maïskorrels in de pan horen rammelen.

'Misschien is de popcorn te oud,' zei Carolyn.

'Het duurt een tijd voor het heet is,' zei Hank. Plotseling was er een plof in de pan.

'We kunnen in elk geval één korrel eten,' zei Hank. Er was een kort, tinkelend geluid tegen het deksel en toen nog een. Daarna waren er nog twee kleine explosies, gevolgd door een pauze. En plotseling leek het of er een reeks voetzoekers afging in de pan. Ze knalden maar door.

'Halleluja!' zei ik.

'Ik zit zo vol, dat ik geen popcorn meer kan eten,' zei Carolyn.

Nadat Lou en Garland de volgende morgen met de wagen naar Greenville waren vertrokken, vroeg ik Carolyn wat ze wilde doen terwijl ze bij ons logeerde. Ik was vastbesloten haar niet alleen als mijn kleine zusje te behandelen maar ook als gast. Ze was volwassen aan het worden en het was tijd haar zo te behandelen. Omdat ik thuis meestal buiten had gewerkt en omdat ik haar altijd een verwend nest had gevonden, was ik nooit zo bevriend met Carolyn geweest als met Lou en Rosie. Het was tijd vriendschap met haar te sluiten nu ze bij ons logeerde en nu ze nog jong was.

'Wat wil je doen van de week?' vroeg ik.

'Ik weet het niet. Wat is er te doen in Gap Creek?'

'We zouden aan een lappendeken kunnen beginnen,' zei ik. 'Boven ligt een oud raam van een weeftoestel.'

'Ik hou niet van naaien,' zei Carolyn. 'Telkens wanneer ik een naald gebruik, prik ik in mijn vinger.'

'Je zou een vingerhoed kunnen dragen,' zei ik.

'Te saai,' zei Carolyn. Ze had de leeftijd waarop je alles wat iemand anders voorstelt of aanprijst kleineert. Ik wist nog dat ik ook zo was geweest, maar niet zo erg als Carolyn. Het is een manier om mensen te laten zien dat je een eigen wil hebt, dat je niet wilt dat ze met je sollen of denken dat je snel tevreden bent. Ik zou me als een moeder gedragen en me niet door Carolyns weerbarstigheid laten afschrikken. Het zou een goede oefening zijn.

'We kunnen naar de winkel gaan,' zei ik.

'Moeten we dan lopen?' vroeg Carolyn.

'Het is nog geen drie kilometer,' zei ik.

'Ik moet uitrusten van die afschuwelijke reis,' zei Carolyn. 'Mijn hele lijf doet pijn door dat heen en weer geschud in die oude wagen.'

'De Pooles hebben een ontzettend knappe kleinzoon,' zei ik.

'Wie zijn de Pooles?' vroeg Carolyn.

'De eigenaren van de winkel bij het kruispunt,' zei ik. 'Hun kleinzoon heet Charles, geloof ik. En er wonen nog meer jongens in Gap Creek.'

'Allemaal met puisten op hun gezicht, natuurlijk,' zei Carolyn.

'Ik heb ze maar één of twee keer gezien,' zei ik.
'Het zijn vast en zeker lomperiken,' zei Carolyn.
'Alle jongens zijn lomperiken als ze jong zijn,' zei ik lachend. Carolyn lachte ook een beetje. Het was fijn om haar te zien lachen. Het praten over jongens had haar opgevrolijkt.
'We kunnen wel een keertje naar de winkel lopen en snoep of priklimonade kopen,' zei ik. Ik herinnerde me de zevenentwintig centen die ik nog over had van de verkoop van de ginseng.
'Verkopen ze ook tijdschriften in die winkel?' vroeg Carolyn.
'Een paar,' zei ik, 'maar ze kosten tien of vijftien cent.'
'Mama heeft me vijftig cent gegeven,' zei Carolyn. 'Ik wil een stel tijdschriften met foto's van nieuwe jurken.'
'Ik heb een catalogus van Sears en Roebuck,' zei ik. 'Daar staan veel foto's van nieuwe jurken in.'
'In de catalogus staan alleen maar oude, lelijke dingen,' zei Carolyn. 'Ik wil nieuwe!'
'Voor vijftig cent kun je geen jurk kopen,' zei ik. Maar ik wou dat ik het niet had gezegd, want Carolyn toonde eindelijk belangstelling voor iets.
'Ik weet wat we vandaag kunnen doen,' zei ik zo opgewekt mogelijk.
'Wat dan?' vroeg Carolyn, alsof ze al wist dat het iets saais zou zijn.
'We kunnen de berg opgaan en kastanjes zoeken.'
'Het is te laat voor kastanjes,' zei Carolyn.
'Het zijn kastanjes die onder de bladeren verborgen liggen,' zei ik. 'We kunnen ze mee terug nemen en in het haardvuur poffen.'
'Ik hou niet van kastanjes,' zei Carolyn.
Op dat moment kwam Hank binnen. Ik denk dat hij buiten was geweest om het paard te voeren en het los te laten in de wei. Hij liep naar het vuur om zijn handen te warmen. Ik heb het idee dat Hank zich een beetje ongemakkelijk voelde met twee vrouwen in huis. Ik was bang dat hij weer chagrijnig zou worden. 'Het is een mooie dag,' zei hij.
'Jammer dat het koud is,' zei ik.
'Vanavond zal het warmer worden,' zei Hank.

'Misschien is het een goede dag om kastanjes te zoeken,' zei ik.

'Gisteren heb ik er een paar gevonden. Op de bergkam boven de wei,' zei Hank.

'We zouden op zoek kunnen gaan naar alles wat de eekhoorns hebben overgelaten,' zei ik.

'Laten we naar boven gaan en kastanjes rapen,' zei Hank. Hij schudde Carolyn zachtjes heen en weer en zei: 'We zullen ons best vermaken, zoals in die goeie ouwe tijd!'

'Laten we gaan,' zei Carolyn met een brede glimlach, alsof ze op zijn voorstel had zitten wachten.

'Ik moet mijn laarzen nog aantrekken,' zei ik.

'Ik moet mijn sjaal nog pakken,' zei Carolyn.

Het was een heldere, zonnige dag, maar de wind was scherp, alsof hij niet zo lang geleden ijs en sneeuw had gekruist. De winterwind heeft iets opwindends. Slierten wolken werden voortgeblazen door de harde wind. Schaduwen van wolken joegen door de vallei. De kale bomen op de berg glinsterden.

Toen we de wei overstaken nam Hank mijn linkerhand in zijn rechter en Carolyns rechterhand in zijn linker. Zo liepen we verder, met zwaaiende armen. Ik had Hank lange tijd niet zo zorgeloos gezien. De ontmoeting met mensen van thuis had hem opgevrolijkt. Ik denk dat het praten met Lou en Garland zijn aandacht van zijn eigen zorgen had afgeleid.

Toen we bij de bovenste rand van de wei kwamen, renden we langs het zoutblok op de stok en langs de zoete gombomen naar de omheining. Toen we stopten om eroverheen te klimmen was ik bijna buiten adem.

'Je zou niet moeten rennen,' zei Hank tegen me.

'Ik kan nog net zo goed rennen als vroeger,' zei ik.

'Ik ben bang dat je ook niet in staat bent om te klimmen,' zei Hank.

'Wie zal het zeggen?' zei ik lachend.

'Je moet voorzichtig zijn,' zei Hank. Hij streek over mijn buik.

'Ik red me wel,' zei ik.

Maar toen we begonnen te klimmen en door de droge, knisperende bladeren liepen, merkte ik dat ik meer hijgde dan ik had verwacht. Ik had het benauwd en mijn borst deed pijn. Het was alsof ik niet zoveel lucht kon inademen als ik nodig had. Ik bleef staan en legde mijn handen op mijn knieën. Ik had niet over de wei moeten rennen.

'Je hóeft niet naar boven te klimmen,' zei Hank.

'En jij hoeft niet zo snel te lopen,' zei ik.

Hank en Carolyn stonden ongeveer drie meter verder op de berg. Ik had geen zin meer om te klimmen. Ik had zin om in de bladeren te gaan zitten.

'Misschien moet je weer naar huis gaan,' zei Hank. 'We kunnen een paar kastanjes voor je meebrengen.'

'Ik wil jullie helpen zoeken,' zei ik.

'Waar zijn de kastanjes?' vroeg Carolyn.

'Boven waar de kastanjebomen zijn, en helemaal onder aan de berg,' zei Hank.

'We zullen een paar voor je meebrengen,' zei Carolyn.

'We zullen een zak vol voor je meebrengen om in het haardvuur te poffen,' zei Hank.

'Als jullie zonder mij verder willen, ik vind het prima,' zei ik.

'Ik wil gewoon niet dat je te veel van jezelf vergt,' zei Hank.

'We zullen een zak vol voor je meebrengen,' zei Carolyn.

Zwijgend draaide ik me om en begon de berg af te dalen. Ik schopte tegen de droge bladeren en keek niet achterom. Maar toen ik de wei bereikte, zei ik tegen mezelf dat het stom was om boos te zijn. Hank maakte zich alleen maar zorgen om me omdat ik buiten adem was. En Carolyn was alleen maar een dwaas meisje dat de aandacht probeerde te trekken van elke man die in haar buurt was. Ze was mijn kleine zusje, en mijn gast. Ik hoorde voor haar te zorgen, en niet boos op haar te zijn.

Toen Hank en Carolyn terugkwamen van de berg was het laat in de middag. Ze lachten en hadden blozende gezichten door de wind. Ze hadden een zak vol kastanjes, die Hank op de keukentafel legde. 'Carolyn heeft niet één kastanje gevonden,' zei hij lachend.

'Hoe had ik dat dan moeten doen?' vroeg Carolyn. 'Jij rende steeds voor me uit en pakte ze het eerst.' Ze gaf een duw tegen zijn schouder.

'Ik denk dat Carolyn een bril nodig heeft,' zei Hank.

'Ik wist niet waarnaar ik moest zoeken,' zei Carolyn.

'Ik denk dat je een opoebrilletje nodig hebt,' zei Hank. Hij plaagde Carolyn, alsof hij zelf veertien was. Ik had hem nog nooit zo luchthartig gezien.

'Ik ben blij dat jullie het zo leuk hebben gehad,' zei ik.

'Het was vreselijk,' zei Carolyn. 'Hank liep veel te snel en vond alle kastanjes voordat ik ze kon pakken.'

'Het zijn erg zoete kastanjes,' zei Hank. 'Wil je er niet een proberen?'

'Ik ben een beetje misselijk,' zei ik.

'Ik was bang dat je je te zeer vermoeide tijdens het beklimmen van de berg,' zei Hank.

'Het heeft niets met het beklimmen van de berg te maken,' zei ik. 'Sinds ik hier terug ben heb ik gewerkt.'

'Je moet gaan zitten,' zei Carolyn.

'Ik ga zitten wanneer ík dat wil,' zei ik.

'We hebben de kastanjes voor jou geraapt,' zei Carolyn, 'zodat je ze in de open haard kon poffen.'

'Misschien heb ik er later wél trek in,' zei ik.

Ik wist dat ik me niet zo aan Carolyn moest ergeren. Ze was nog maar veertien, en Hank en ik moesten haar het gevoel geven dat ze thuis was. Ze was op de leeftijd om stapel te zijn op elke man die ze zag. Vooral als hij zo knap was als Hank. Maar ze was verwend, en nu al een flirt in haar roze jurk met linten. Dat zit me dwars, zei ik tegen mezelf. Ze had nooit gewerkt. Ze dacht dat ze op de wereld was gezet om plezier te maken. Ze was zo jong, dat ze dacht dat andere mensen er waren om het haar naar de zin te maken.

Ik was gewend om alleen te zijn met Hank. Ik was niet gewend dat andere vrouwen aandacht aan hem besteedden. Misschien was ik zelf wel een beetje verwend. Een man schenkt aandacht aan elke vrouw die met hem flirt. Een man begrijpt niet dat een vrouw weet hoe ze hem moet vleien. Elk meisje kan de aandacht van een man trekken door hem diep in de ogen te kijken.

Ik zei tegen mezelf dat Hank het moeilijk had gehad de afgelopen herfst en dat hij het verdiende te worden opgevrolijkt. Carolyns bezoek leek hem goed te doen. Hij scheen over zijn vreselijke zwaarmoedigheid heen te zijn. Ik moet Carolyn dankbaar zijn in plaats van boos op haar te zijn, zei ik tegen mezelf. En ik moet haar een goed voorbeeld geven van hoe je je moet gedragen.

'Ga naar de kelder en kijk of je een paar aardappels kunt vinden die nog goed zijn,' zei ik tegen Carolyn.

'Het is donker beneden,' zei Carolyn.

'Je kunt een lamp meenemen,' zei ik.

'Ik ben bang in het donker,' zei Carolyn. Ze giechelde. 'Stel dat er een enge vent in de kelder is. Wat dan?'

'Dan jaag je hem weg,' zei ik.

'In het donker voel ik natte vingers die me aanraken,' zei Carolyn.

'Doe niet zo mal,' zei ik.

'Ik ga wel aardappels halen,' zei Hank. Hij nam de pan van het aanrecht en liep naar de deur.

'Ik ga met je mee,' riep Carolyn.

'Ja, je hebt heel wat handen nodig om een paar aardappels te halen,' zei ik spottend.

'Laten we de oever van de kreek afbranden,' zei Hank twee dagen later.

'Leuk!' zei Carolyn.

'Waarom wil je de oever afbranden?' zei ik.

'Om van de stoppels en het kreupelhout af te zijn,' zei Hank. 'Iedereen hier brandt zijn oever af.'

'Waarom kun je niet wachten tot het lente is?' vroeg ik.

'Als we het nu doen, zakt de as in de grond,' zei Hank. 'As vermengd met zand is de beste meststof.'

'Mag ik het kreupelhout in brand steken?' vroeg Carolyn. 'Ik vind het enig om iets in brand te steken!'

'Dan word je jurk vies door de rook en het vuil,' zei ik. Carolyn droeg een van haar roze jurken met kant aan de hals en de mouwen.

'Ik word niet vuil,' zei Carolyn. 'Ik wil alleen maar kijken.'

Hank pakte de doos met lucifers, die op de plank naast het fornuis lag. Toen nam hij zijn hoed van de spijker naast de deur. 'Wat we nodig hebben is een schoffel en een hark,' zei hij.

Ik volgde hem naar de veranda aan de achterkant van het huis. Het waaide een beetje, maar het was een volmaakt heldere winterdag. De zon scheen op mijn gezicht.

'Ik hoop dat het niet harder gaat waaien,' zei ik.

'Wacht op mij,' riep Carolyn terwijl ze naar buiten rende. Ze had haar roze sjaal om.

'Er is net genoeg wind om de rook weg te blazen,' zei Hank.

'Mag ik de brand aansteken?' zei Carolyn opnieuw.

'Maak je jurk niet vies,' zei ik.

'Je klinkt net als mama,' zei Carolyn.

'Hier, draag deze schoffel,' zei ik tegen haar.

Ik zag dat ik mee zou moeten om te zorgen dat ze de jurk niet bedierf. Ik was nog twee dagen verantwoordelijk voor Carolyn. Mama en mijn andere zussen zouden het me nooit vergeven als haar iets overkwam. Ik trok mijn jas aan en haalde nog een schoffel van de veranda.

'Wees voorzichtig,' zei Hank tegen me.

'Maak je over mij maar geen zorgen,' zei ik.

'Stel dat je valt. Wat dan?' vroeg hij.

'Dan sta ik gewoon weer op!'

'Je hoeft niet mee te gaan,' zei Carolyn. 'Ik kan Hank helpen.'

'Iemand moet op jullie beiden passen,' zei ik.

Het veld van Mr. Pendergast liep door tot de oever van de kreek. Het was één groot stoppelveld, met maïsstengels, bonenstaken, doornstruiken en onkruid. De oever van de kreek was nóg erger. Hij stond vol met stengels van berenklauw, guldenroede en leverkruid, wel zo groot als jonge bomen. De oever moest er de vorige zomer als een jungle hebben uitgezien, vol slangen, spinnen en ander kruipend ongedierte. Mr. Pendergast had niet gemaaid. De stengels kwamen boven mijn hoofd uit en moesten nog langer zijn geweest toen ze jong en groen waren.

'Je moet bovenwinds het vuur ontsteken en benedenwinds een greppel graven om de brand tegen te houden,' zei ik tegen Hank.

'Er staat nauwelijks wind,' zei Hank.

'Maar die kan zo opsteken,' zei ik.

Ik had papa geholpen met het afbranden van een ander veld. Ik had gezien hoe de wind ineens, voordat je het weet, van richting kan veranderen als het vuur eenmaal brandt.

Hank gaf de doos met lucifers aan Carolyn. Ze streek er een aan en hield hem bij de droge bladeren van een tabaksplantstengel. Eerst zag ik geen vlam, maar er steeg wel rook op van de grijze, gekrulde bladeren. Zo gaat het altijd met een grasbrand. Je ziet wel rook, maar nauwelijks vlammen. De berg onkruid begon steeds meer te roken, en een klein vlammetje sloeg over naar de volgende berg. Er klonk een knalletje. Het knetterde, en er vloog een andere stapel in brand.

'Kijk!' zei Carolyn, duidelijk trots op zichzelf. Ze stond met haar sjaal in beide armen opgewonden te kijken hoe het vuurtje dat ze had ontstoken van de ene berg onkruid op de andere oversloeg. Het vuur ging als een golf over het stoppelveld, terwijl de rook met het zachte briesje in de vallei speelde. Het was een indrukwekkend schouwspel: het glinsterende water in de kreek, het glimmende, zilverkleurige onkruid, het vuur dat het struikgewas en de stengels wegvrat en de kringelende rook.

Toen ik zag hoe het vuur de stengels in as veranderde, begreep ik waarom mensen hun velden zo graag afbrandden. Het was een soort reinigingsritueel. De oude chaos van onkruid en wortels werd weggevaagd om plaats te maken voor een nieuw begin, waaruit nieuw leven kon ontstaan. Het vuur veranderde de oevers in kale grond. Het vuur maakte de grond naakt en vruchtbaar.

'Joeehoee,' zong Carolyn. Ze klapte in haar handen, terwijl de vlammen in de toppen van de stengels sprongen en dansten in de wind. Hank pakte wat stengels van de maïshoop en gooide ze in het vuur. Het onkruid ontplofte alsof er vuurwerk in verborgen lag. Stengels braakten vonken uit toen ze heet werden. Witte rook golfde en keerde en strekte zich uit tot ver over de kreek. Grote rookwolken doemden op boven de kreek en trokken als stoomlocomotieven door de vallei.

'Je kunt maar beter een brandgang graven aan het eind,' riep ik tegen Hank.

'De takken houden de brand wel tegen,' riep Hank terug.

De vlammen en de rook sloegen op mijn keel. Het leek of de vlammen in hun handen klapten. Het rivierriet bij het water hoestte en spuugde rookwolkjes uit.

Wat er gebeurt bij brandend gras en onkruid, is dat het alle kanten uit gaat. Het lijkt erop dat het naar links gaat, maar plotseling springt het naar rechts. Het springt naar voren en opeens weer naar achteren. Ik zag dat Carolyn te dicht bij het vuur stond toen het zich in de richting van het stro bij de rand van het maïsveld bewoog.

'Je krijgt rook in je haar en je kleren,' riep ik tegen haar. Maar ze hoorde het niet. Of ze sloeg er geen acht op. Met haar sjaal probeerde ze de vlammen aan te wakkeren, alsof ze kippen of vliegen wegjoeg. Ik wilde haar nogmaals zeggen dat ze voorzichtig moest zijn, maar ik hield me in. Ik klonk meer als een moeder dan als een oudere zus.

Maar op de plek waar ze stond veranderde de wind plotseling van richting. Opeens zag ik een vlam opspringen bij de zoom van haar jurk, alsof hij omhoogreikte om haar jurk te grijpen. Ik denk niet dat ze het zelf zag te midden van al die rook en het oorverdovende geknetter van het vuur. Haar roze rok fladderde om haar heen. Het was alsof de vlam zich even terugtrok om toe te slaan en zich aan het zijdezachte materiaal vast te klemmen.

'Pas op, Carolyn!' schreeuwde ik.

'Wat?' riep ze terwijl ze naar me keek. Ik wees naar haar rok. Toen ze de rook zag, gilde ze en rende weg van de vlammen.

'Niet rennen,' schreeuwde ik.

Ze schudde haar rok heen en weer alsof ze de vlammen zo wilde doven, maar dat maakte het alleen maar erger. Carolyn begon te krijsen.

'Stil!' zei ik. Ik pakte twee handenvol modder en wierp die naar haar rok, maar dat doofde de vlammen niet voldoende. Carolyn bleef achteruitlopen en haar rok heen en weer schudden alsof er bijen in zaten. Ik vroeg me af of ik de rok los kon scheuren.

'Pas op je sjaal,' zei ik. Maar Carolyn was te bang om te luisteren. Schreeuwend liep ze achteruit door het modderige stoppelveld. De vlammen klommen op naar haar middel.

'Ga liggen en rol door de modder,' gilde ik. Dat was haar enige hoop. Maar ze luisterde niet. Ze bestreed het vuur met haar handen en haar sjaal.

Op dat moment kwam Hank over het veld aangerend. Hij was op de plek geweest waar de beek in de kreek stroomt. 'Ga liggen!' riep hij tegen Carolyn.

Maar Carolyn was zo in paniek, dat ze niets hoorde. Ze draaide zich om en rende over het veld, terwijl de rook en het vuur steeds hoger kroop. 'Alstublieft, God,' bad ik. 'Laat Carolyn niets overkomen!'

Hank rende naar Carolyn toe. Hij duwde haar op de grond. Toen pakte hij haar arm en rolde haar om. Hij pakte haar schouder vast en rolde haar nog een keer om. Toen ik hen had bereikt, begon ik modder op de rok te gooien. Hank deed hetzelfde. We doofden de vlammen tot er niets anders meer te zien was dan modder.

'Heb je je gebrand?' vroeg Hank aan Carolyn. Maar Carolyn huilde zo hard dat ze niet kon antwoorden. Er zat modder op haar gezicht en ze had stukjes stoppel op haar wangen en in haar haar.

Ik tilde de modderige rok op en zag dat haar benen ongedeerd waren. Er waren zelfs geen gaten in haar kousen. Haar jurk was verpest en haar sjaal was zwart van de modder. Maar het zag er zeker niet naar uit dat ze zich had gebrand.

'Je bent ongedeerd,' zei ik. Carolyn bleef huilen. Ik hielp haar overeind. Hank en ik gingen elk aan een kant van haar staan. Toen begonnen we naar huis te lopen.

'O, laat me met rust,' zei Carolyn. Ze duwde onze handen weg.

Ze ging voor ons uit lopen, zodat we haar gezicht niet konden zien.

Die nacht werd ik wakker. Ik meende een geluid te hebben gehoord. Ik herinnerde me dat er een hard geluid was geweest. Maar aangezien ik had geslapen kon ik me niet herinneren wat het was. Ik luisterde naar het gekraak van het huis en het geraas van de waterval boven het dal. Ik kon werkelijk niet zeggen hoe laat het was. De duisternis was zo diep, dat ik dacht dat het twee of drie uur in de morgen was.

Ik ging op mijn zij liggen om Hank niet te storen. Toen ik opstond om te plassen, probeerde ik hem niet lastig te vallen. Als hij eenmaal wakker was, had hij moeite om weer in slaap te komen. Ik lag niet zo lekker en stak mijn hand uit om me weer om te draaien. Maar ik reikte verder dan de bedoeling was. Toen voelde ik dat Hanks plek leeg en koud was.

Misschien was Hank opgestaan en had ik dát gehoord. Maar het laken naast me was zo koud, dat hij al heel lang op moest zijn. Ik luisterde naar het donkere huis. Ik meende een geluid te horen. Ik ging rechtop zitten in bed en luisterde. Het klonk of er ergens in het huis werd gekreund. En er was een klap, alsof hout hout had geraakt.

Moest ik opstaan en gaan kijken wat er gebeurde? Was Hank ziek geworden midden in de nacht? Was hij naar buiten gegaan om zijn behoefte te doen? Hij hield er niet van om de po te gebruiken, en deed dat alleen als het heel slecht weer was. Moest ik opstaan en kijken wat er met hem was gebeurd? Misschien wilde ik niet zien wat er gebeurde. Soms is het beter om maar niks te doen.

Toen hoorde ik iemand praten. Ik dacht dat het Hanks stem was, maar het was zo zacht dat ik het niet zeker wist. Het was alsof iemand fluisterde. En toen hoorde ik opnieuw gekreun. 'Ooh.' En iemand zei: 'Sst.'

Ik zei tegen mezelf dat ik niet moest gaan kijken. En toen zei ik tegen mezelf dat ik moest zien wat er aan de hand was. Wat er ook gebeurde, het gebeurde in mijn huis. Was er iemand gearriveerd in het holst van de nacht? Waren Lou en Garland vroeg teruggekomen uit Greenville? Was Hank ziek geworden?

Het bed kraakte toen ik eruit klom. Ik strompelde over de koude vloer. Het was zo donker, dat ik op de tast naar de muur moest lopen. Daar hing mijn kamerjas aan een haak. Ik trok de kamerjas aan en liep zo stil mogelijk naar de deur. Vanuit de woonkamer zag ik dat de keuken verlicht was. En ik kon stemmen horen. Zonder twijfel waren het Hank en Carolyn die zacht met elkaar praatten.

Ik stond te luisteren. Toen dacht ik dat het slecht was om hen te bespioneren. Als ik luistervinkje speelde liet ik zien hoe wantrouwig ik was. Ik liep zo stil mogelijk naar voren. Toen ik de keukendeur bereikte, zag ik een brandende lamp op de tafel. Carolyn zat in een stoel en Hank boog zich over haar heen met zijn arm om haar schouder geslagen. 'Neem dit,' fluisterde hij tegen haar. 'Dan zul je je beter voelen.'

Ik moet tegen een plank hebben gestoten toen ik de keuken binnenkwam, want er rammelde een pan. Hank en Carolyn draaiden zich met een ruk om om te kijken wie er was.

'Wat zijn jullie aan het doen?' vroeg ik.

'We wilden je niet wakker maken,' zei Hank.

'Wakker maken waarvóór?'

'Carolyn heeft last van buikkrampen,' zei Hank.

'Ik denk dat ik ziek ben geworden door de rook die ik heb ingeademd. Hier heb ik pijn,' zei Carolyn terwijl ze over haar onderbuik wreef.

'Ik heb haar sodawater gegeven,' zei Hank.

'Je had me wakker moeten maken,' zei ik.

'Dat wilde Carolyn niet,' zei Hank. 'Ze wilde je niet lastig vallen.'

'Ik voel me zo rot,' zei Carolyn. Er waren tranen in haar ogen.

'Sodawater helpt niet,' zei ik.

'Oh!' riep Carolyn.

'Ga jij maar weer naar bed,' zei ik tegen Hank. 'Dit is een vrouwenprobleem.' Hank voelde zich zichtbaar opgelaten. Hij deed een stap naar achteren.

'Laat het me weten als ik iets kan doen,' zei hij.

'Je hoeft niets te doen,' zei ik.

Ik haalde wat aanmaakhout uit de kist en gooide het in het fornuis. Daarna vulde ik de ketel met water. 'Ik zal een kruik voor je maken,' zei ik tegen Carolyn.

'Dat helpt tóch niks,' zei Carolyn.

'Natuurlijk wel!' zei ik.

Ik bleef ongeveer een uur bij Carolyn zitten terwijl ze war-

me thee dronk en de kruik tegen haar buik hield.
'Je bent lief voor me geweest,' zei ze.
'Je bent mijn kleine zusje,' zei ik en sloeg een arm om haar heen.

Hoofdstuk 9

Later die maand, een week voor kerst, kregen we een pakket van mama. Een van van de Hensleys, die een wagen vol hammen naar Greenville bracht, leverde het pakket bij ons af. Het waren mama's kerstgeschenken voor mij en Hank: een kartonnen doos met potten jam, gekonfijt fruit en honing. Ook waren er spullen die mama, Rosie en Lou voor de baby hadden gemaakt. Mama had een dekentje gehaakt en een paar jurkjes met borduursel genaaid. Rosie had schoentjes en een mutsje gebreid. Lou had een lappendekentje voor de baby gemaakt. Het was het mooiste lappendekentje dat ik ooit had gezien, met oranje, bruine en gele vierkantjes en een groene voering.

Ik haalde de spullen uit de doos en legde ze op de sofa om ernaar te kijken. Er sprongen tranen in mijn ogen toen ik besefte hoeveel tijd en energie het mama en mijn zussen moest hebben gekost om dat alles te maken.

Er was nóg een cadeautje in de doos. Het was in vloeipapier gewikkeld. Hanks naam was met een potlood op het papier geschreven. Ik wist gewoon zeker wat het was. Het was een zakmes. Mama was naar de winkel in Flat Rock gegaan en had een nieuw mes voor Hank gekocht.

'Hank, kijk eens wat mama je heeft gestuurd,' zei ik.

'Ik heb niet om een kerstgeschenk gevraagd,' zei Hank.

'Ze wilde je iets geven,' zei ik. 'Het is Kerstmis.' Het was een mooi mes met een benen heft. Hank testte de scherpte van het lemmet met zijn vinger. Toen klapte hij het mes dicht en stopte het in zijn zak.

Nadat Lou en Garland terug waren gekomen en Carolyn hadden opgepikt, was Hank weer somber geworden. Hij kon dagen zwijgen. Ik zei ook niet veel wanneer hij zo deed. Ik had geleerd dat, wanneer ik hem probeerde op te vrolijken, hij tegen me begon te snauwen, zoals een hond die pijn heeft en niet wil worden lastig gevallen. Het deed me verdriet hem zo ongelukkig te zien, en te weten dat ik er niets aan kon doen.

Drie dagen voor kerst besloot ik het huis te versieren, hoewel we geen geld hadden om cadeautjes te kopen en niet in de stemming waren om kerstfeest te vieren. Het was een koude morgen en het vroor niet. Ik zei tegen Hank dat we een kerstboom moesten halen en dat we de woonkamer met hulst en mistletoe moesten versieren.

'Niemand zal het zien,' zei Hank.

'Wij wél!' zei ik.

Ik wilde dat het huis van Mr. Pendergast als een thuis voelde wanneer het Kerstmis was. Ik stelde me voor dat de baby, al was hij nog niet geboren, op de een of andere manier zou weten dat er kerstfeest werd gevierd. En dat het in een huis was waar mensen van elkaar hielden, elkaar geschenken gaven en de geboorte van Jezus vierden. Ik dacht dat Hank zich door het versieren van de woonkamer en het neerzetten van een boom, meer de oude zou voelen. Hij had geen zelfvertrouwen meer. En omdat hij zijn baan kwijt was en zich schaamde, bleef hij boos. En omdat hij altijd boos was, was ik ook boos gaan worden. Ik moest iets proberen. Mijn geduld begon op te raken.

'Ik ga naar buiten om een boom te zoeken,' zei ik, 'maar je zult me moeten helpen hem naar binnen te dragen.'

Het was een van die ochtenden waarop mijn maag van streek was. Toen ik koffie maalde op de veranda kon ik mijn maag horen rommelen. Terwijl ik eieren bakte en gort kookte begon mijn maag in opstand te komen, maar ik vermande me en bewoog me heel langzaam. Toen ik het ontbijt op tafel had gezet, voelde ik me een beetje beter. Ik had ontdekt dat de misselijkheid overging als ik het heel kalm aan deed.

Ik ging bij Hank aan tafel zitten en nam een slok koffie. Meestal kreeg ik pas later op de morgen zin in ontbijt.

'In jouw toestand moet je niet naar een kerstboom op zoek gaan,' zei Hank.

'Straks voel ik me weer kiplekker,' zei ik.

'We hóeven geen kerstboom te hebben,' zei Hank.

Ik vond dat je geen kerst kon vieren zonder een boom met kaarsen. Het was moeilijk te zeggen waarom ik een boom zo belangrijk vond. Maar ik wilde de kerst niet in een huis doorbrengen waarin geen kerstboom stond. Ik wilde doen wat gedaan moest worden. 'Ik wil een kerstboom,' zei ik.

'Ik ga naar de kreek om te kijken of ik sporen van muskusratten zie,' zei Hank. 'Misschien zet ik later wel vallen.'

Het duurde ongeveer een uur voor mijn maag tot rust kwam. Ik nipte van de koffie en knabbelde aan een broodje. Toen deed ik de afwas en zette de rest van mijn ontbijt in de broodkast, om het later op te eten. Ik trok mijn jas aan, bond een sjaal om mijn hoofd en pakte mijn oude handschoenen, die ik gebruikt had om hout te hakken. Het was koud buiten en er was volop zon, winterzon. Maar je kon zien dat zich in het noorden, boven de bergkam, wolken verzamelden. Ik haalde een oude zaag uit het gereedschapsschuurtje en begon de wei over te steken. Ik bewoog me langzaam om niet opnieuw misselijk te worden. De beste plek om een kerstboom te vinden was in een veld waar de dennen en ceders vol en dik waren. Ik had zo'n veld achter de wei gezien, achter de liksteen aan de voet van de berg.

In het veld achter de wei stonden vooral braamstruiken en droge stengels onkruid. De guldenroede gaf distels af wanneer ik ze aanraakte, als glinsterende rookslierten in een zachte bries. Tussen het kreupelhout stonden allerlei soorten dennen, maar de meeste waren gele dennen. Mijn vader noemde ze altijd 'bastaarddennen'. Gele en zwarte dennenbomen hebben niet de vorm die ze als kerstboom geschikt maken. En hun kleur is ook niet zo mooi als een zilverden. Daarom zocht ik een zilverden, of een cederboom. Een cederboom is voller en sterker, zodat je er allerlei versieringen aan kunt hangen. Maar een zilverden heeft een prachtige, ijsblauwe kleur en is meestal mooi rond met een trotse, spitse piek.

Ik vond de zilverdennen aan de andere kant van het veld. Ze waren daar terechtgekomen door twee grote dennen die aan de richel daarboven opdoemden. Er waren wel tien zilverdennen die tussen het struikgewas verspreid stonden. En tussen het onkruid stonden tientallen zaailingen, vruchten van dezelfde twee dennenbomen. Ik zocht naar die ene juiste. Het leek wel alsof er aan elke boom iets mankeerde. De een was te dun en te lang tussen de verschillende lagen takken. De takken van een dennenboom groeien namelijk om de stam heen, elk levensjaar een laag hoger. De ander was overwoekerd door doornstruiken en was daarom scheef gegroeid. En weer een ander was zijn piek kwijtgeraakt. Sommige bomen waren te klein, andere te lang. Weer andere leken niet rond genoeg.

Ik zocht het veld af om te zien of er ergens cederbomen stonden. Het leek of er geen cederbomen in het veld of aan de rand ervan stonden. Cederbomen groeien vaak in greppels of bij hekken. Ik besloot dan maar de zilverden te kiezen waar het minste aan mankeerde. Ik liep tussen de bomen door, terwijl ik het kreupelhout wegduwde om beter zicht te krijgen. Er was er een die bijna volmaakt van vorm leek, trotser en voller dan alle anderen. Zijn minpuntje was een kale plek onderaan, waar de takken waren afgebroken of doodgegaan. Ik kon die kant naar de hoek van de woonkamer draaien. Dan zou de boom bijna volmaakt lijken.

Het begon bewolkt te worden toen ik de boom had doorgezaagd en naar de rand van de wei had gedragen. Ik liet de kerstboom bij de omheining staan, terwijl ik naar boven klom om hulst en ander groen te vinden. Het zou leuk zijn om wat mistletoe te veroveren, maar de enige manier om daarin te slagen was door een paar takken met een geweer naar beneden te schieten of in een van de eiken op de berg te klimmen. En in dat laatste had ik geen zin.

Juist op het moment dat ik weer op zoek ging naar mijn kerstboom, waren er wolken voor de zon geschoven. De wei en de vallei waren van vorm veranderd, alsof ze gekrompen waren of dichterbij gekomen. De wolken vulden elke plek in de blauwe hemel. Het werd kouder. Ik trok mijn jas dichter om me heen en begon te klimmen.

Waar ik naar zocht was wolfsklauw, wat sommigen 'grond-dennen' noemen. Het is een soort mos. Het groeit in het struikgewas en aan de noordkant van vochtige, schaduwrijke plekken. Het groeit aan een klimplant met geelgroene bladeren die een beetje op de poten van een kalkoen lijken. Het is een volmaakte versiering voor schoorsteenmantels, deurposten en trapstijlen.

Het was te ver om helemaal naar de noordkant van de bergkam te lopen, maar ik vond wat wolfsklauw op een donkere plek boven het esdoornmoeras. Net onder een laurierkers was een klein bedje wolfsklauw. Ik trok een stuk of zes strengen los, alsof het draden waren. De hulst was makkelijker te vinden. Er stond een boom met hulstbessen boven de laurierkers in het moeras. Ik brak verschillende takken af. Daarna keerde ik naar huis terug. Toen ik bij de kerstboom kwam, pakte ik een van zijn takken beet en sleepte hem over de wei. Het wolkendek was al dik en donker toen ik thuiskwam. Alles wees erop dat het zou gaan sneeuwen, maar volgens mij was het niet koud genoeg.

Toen Hank de boom zag was het eerste wat hij zei: 'Het ding is zo scheef als ik weet niet wat!' Ik overwoog te zeggen dat hij er dan zelf een had moeten uitzoeken, maar ik hield mijn mond. Ik wilde hem niet nóg humeuriger maken. Zonder boom zou het geen kerst zijn, en ik had de mooiste boom van het veld.

Hank zaagde een plank in vier stukken, die hij aan de onderkant van de den vastspijkerde om een verhoging te maken. We zetten de boom in de hoek van de woonkamer, zodat het lege gat niet te zien was. Ik hing de slierten wolfsklauw over de deuren en de schoorsteenmantel. En ik zette vazen met hulst op de schoorsteenmantel en de tafel.

'Ik zie geen reden om zo'n drukte te maken,' zei Hank. 'Dit huis is niet eens van ons.'

'Voorlopig is het van ons,' zei ik.

'Ik heb weinig zin om feest te vieren,' zei Hank.

'Dat weet ik,' zei ik. Hank was net als ma Richards. Hij was altijd zwartgallig en had een scherpe tong. Ik was blij dat ik had besloten kerst te vieren. Als je wachtte tot alles volmaakt was, zou je nooit iets kunnen vieren. Ik probeerde me te gedragen alsof het allemaal goed zou aflopen, en misschien gebeurde dat ook wel. Ik moest een thuis voor mij, Hank en de baby maken.

Ik had in de kasten en op de vliering naar kerstspullen gezocht die Mrs. Pendergast misschien had gebruikt. Het enige dat ik vond was een glazen bal die jaren geleden in een kerstboom moest hebben gehangen. Ik nam hem mee naar beneden en maakte hem aan een tak van de dennenboom vast.

Ik moest iets bedenken om de boom mee te versieren. Er moest een kaars in de boom hangen. Ik maakte een houder van ijzerdraad en hing een kaars boven in de boom.

In de keuken waren een paar vellen zilverpapier. Ik knipte ze in stroken en hing die in de boom. Het waren net ijspegels. De stroken glinsterden in het kaarslicht en het schijnsel van het haardvuur. Vervolgens pofte ik wat korrels van mama's popcorn, reeg ze aan draden en wikkelde die om de boom. Ten slotte knipte ik engelen uit een tijdschrift en hing ze aan de takken.

Met de brandende kaars bovenin maakte de boom dat de kamer eruitzag als Kerstmis. Ik ging bij de haard zitten en keek naar de kerstboom. Ik was heel trots dat het me gelukt was.

Toen Hank met een arm vol hout binnenkwam, hoopte ik dat hij iets over de boom zou zeggen. Maar in plaats daarvan zei hij dat het begon te ijzelen. Ik rende naar de deur en keek naar buiten. Inderdaad, er zat een witte laag op de palen en het prikkeldraad van de omheining, op het hout van de palmboompjes en op de bomen aan de overkant van de kreek. De takken van de levensboom begonnen te hangen, alsof ze met lood waren verzwaard. Aan de dakrand en de waslijn hingen ijspegels.

Ik had op sneeuw gehoopt voor de kerst, en in plaats daarvan kwam er ijsregen. Het begon donker te worden, maar alles buiten scheen te glimmen door het dunne laagje ijs waarmee het bedekt was.

'De weg naar de bergtop zal spekglad zijn,' zei Hank.

'Denk je dat de ijzel in sneeuw zal veranderen?' vroeg ik. Ik wilde een witte kerst!

'IJzel verandert altijd in regen,' zei Hank.

'Waarom?' vroeg ik.

'Na ijzel wordt het altijd warmer,' zei hij. 'Ik weet niet waarom dat zo is.'

Ik bereidde de avondmaaltijd. We aten in stilte. Binnenshuis kon je niet merken dat het ijzelde. Als het ijzelt, waait het nooit hard. IJzel is als zachte regen, die niet in bakken naar beneden komt en tegen het dak of de ruiten tikt. IJzel is stil, omdat de fijne druppels in ijs veranderen zodra ze iets raken. IJzel hecht zich aan alles. Het verdikt als lagen verf, en je hoort het niet. We aten opgewarmde kalkoen, maïsbrood en jus. Je zou niet hebben gedacht dat er buiten iets aan de hand was.

Later, toen we bij de open haard zaten, hoorden we voor het eerst een knal en een dreun. Ik kon niet precies zeggen uit welke richting het kwam.

'Was dat een appelboom?' vroeg ik.

'Hoogstwaarschijnlijk een levensboom,' zei Hank. 'IJzel is het zwaarst op groenblijvende bomen.'

'Ik hoop dat de boom niet op het huis valt,' zei ik. Vrij spoedig hoorden we nog een knal en een dreun, maar deze keer was het verder weg.

Nadat we naar bed waren gegaan, hoorde ik een knal in het hos aan de overkant van de kreek, alsof er een geweer was afgegaan. Overal in het bos knapten takken af. De boomtoppen braken af onder het gewicht van het ijs. Het huis kraakte door de vracht ijs op het dak. Alles was zwaar, alsof het een harnas droeg. Ik hoopte dat de schuur niet instortte en het paard en de koe verpletterde.

Nadat we in slaap waren gevallen, werd ik gewekt door luid gekraak toen een boom op de berg brak en omviel. Ik moest er niet aan denken dat er veel dennen zouden omvallen. In het bos zouden gaten zijn en de wegen zouden versperd zijn door ontwortelde bomen. De ijzel deed zijn werk in het donker. Er waren zoveel knallen op de berg dat het klonk alsof iemand aan het jagen was of een oorlog was begonnen. Toen ik weer in slaap was gevallen, hoorde ik in mijn droom een dreun, en nog een en nog een. Ik droomde dat de bomen skeletten van ijs waren die in kleine botten uit elkaar vielen terwijl ze in het helle licht van een bliksemschicht liepen.

Maar toen we 's morgens wakker werden, was het geknal en gekraak opgehouden. Het was nog donker toen ik opstond om een vuur in het fornuis te maken. Terwijl ik daarmee bezig was, hoorde ik de dakrand druppen, alsof al het ijs smolt. Het voelde een beetje warmer aan, hoewel de lucht zo vochtig was, dat de kou tot in je botten doordrong.

Toen ik de deur opende om meer hout van de veranda te halen, hoorde ik de regen. Het was een kalme, gestage regen. Het erf was bedekt met een dikke laag ijs, behalve op de plekken waar het was gaan smelten. 'Zei ik niet dat het warmer zou worden?' zei Hank terwijl hij de melkemmer mee naar buiten nam.

'Inderdaad.'

'Maar daar hebben de bomen nu niets meer aan,' zei hij.

Nadat het licht was geworden konden we de bomen zien liggen aan de rand van de wei en aan de overkant van de weg. Het leek of er houthakkers bezig waren geweest op de bergkam boven de kreek. Op de bergtop was er nog steeds ijs op de bomen. Maar in de vallei was de meeste ijzel verdwenen. Alleen aan de gebroken bomen en de takken die overal verspreid lagen was te zien dat er 's nachts veel ijzel was geweest.

Het was de dag voor kerst. Ik had gehoopt naar buiten te kunnen en op zoek te gaan naar klimop om de schoorsteenmantel en de deuropeningen mee te versieren, samen met de wolfsklauw.

Maar het bleef de hele dag regenen. Ik verwachtte dat het minder zou worden en dat de zon zou gaan schijnen. In plaats daarvan regende het nog harder. Het goot. Op het erf stonden plassen water. De wei leek net een meer of een groep kleine meertjes. Het was zo nat, dat het paard niet naar buiten wilde. De koe bleef dicht bij het overhangende gedeelte van de schuur. Hank werd al kletsnat door hout van het houtschuurtje naar het huis te dragen.

'Het water van de kreek stijgt,' zei hij.

Ik liep naar de woonkamer en keek uit het raam. De kreek had een lelijke, rode kleur en schuimde hoog tussen de oevers.

'Misschien krijgen we wel een overstroming,' zei ik.

'We hébben er al een,' zei Hank.

Het regende de hele dag. Geen striemende slagregen, maar een gestage regen die elke emmer, teil en kuil vulde. Het erf leek net een tuin met bloesem van waterdruppels. De weg leek net een kreek, en de kreek stroomde wild en rood en was breed als een rivier.

Vloedwater ziet er dreigend uit omdat het vuil is en daarheen gaat waar je geen water verwacht. Al het ijs op de berg was gesmolten voor zover ik kon zien. 'De schuur lekt,' zei Hank toen hij terugkwam van het melken.

'Geen wonder,' zei ik.

Toen ik het avondeten begon te bereiden en het vuur in het fornuis aanstak en kastanjes maalde om kastanjebrood te maken, hoorde ik gedrup in de hoek van de keuken. Ik pakte de lamp en ging kijken. Er lag een plas water op de vloer. Ik scheen met de lamp naar boven. Aan een natte plek in het plafond hing een grote druppel water. Er zat niets anders op dan er een afwasteil onder te zetten en de plas op te dweilen. Voor ik het kastanjebrood in de oven zette, hoorde ik opnieuw gedrup. Ik zette een emmer neer om de druppels op te vangen. En terwijl ik het brood, de gort, de appelmoes en het vlees op tafel zette zag ik natte sporen op de muur achter het fornuis. Het lekte rond de schoorsteenpijp. Het leek of het hele huis zou smelten.

'Het is niet normaal dat er nu een overstroming is,' zei Hank toen we gingen zitten om te eten. 'Niemand heeft ooit van een overstroming met kerst gehoord.'

'Omdat we altijd op bergtoppen hebben gewoond voor we hier woonden,' zei ik. Terwijl ik het zei bedacht ik hoe smal het dal van Gap Creek was en hoe steil de bergkammen aan beide kanten. We zaten onder al het water dat op de bergen viel. Alle regen op de bergen moest zich beneden in de smalle vallei verzamelen.

'Wat bedoel je daarmee?' vroeg Hank.

'Dat we ons nooit zorgen over overstromingen hoefden te maken, omdat we op de berg woonden,' zei ik.

Ik geloof niet dat Hank ooit over overstromingen in Gap Creek had nagedacht. We waren vroeg in de herfst naar Gap Creek verhuisd, toen het droog was. De kleine kreek had zich goed gedragen. Hij was keurig in de bedding gebleven die zich speels door de velden en bossen slingerde. Ik zag aan Hanks gezicht dat hij voor het eerst besefte hoe smal het dal was en hoe dicht het huis bij de kreek stond.

'Het is ver van het huis naar de kreek,' zei ik.

'Niet ver genoeg,' zei Hank.

Ik had gehoopt dat we een beetje kerstvreugde zouden voelen, maar in plaats daarvan was alles grijs en somber.

'Als het water van de kreek stijgt, kunnen we morgen de berg op klimmen en bij mama en mijn zussen gaan logeren,' zei ik.

'Als het water van de kreek stijgt, kunnen we het huis niet verlaten, tenzij we een boot hebben,' zei Hank. Hij zei het alsof hij het over het einde van de wereld had. Hij zei het zoals ma Richards het zou hebben gezegd, alsof er nergens hoop was.

'Dit huis staat hier al heel lang,' zei ik. 'Het moet veel overstromingen hebben meegemaakt en het is nog steeds niet weggespoeld.'

Maar Hank gaf geen antwoord. Hij begroef zijn gezicht in zijn handen.

'Denk je dat we de berg vanávond moeten beklimmen?' vroeg ik.

'We kunnen het paard en de koe hier niet achterlaten,' zei Hank.

'Het paard kunnen we meenemen,' zei ik, 'en als het moet kunnen we de koe hier achterlaten.'

'Ik denk dat alleen een vis zich in deze regen zou kunnen voortbewegen,' zei Hank.

Toen ik naar de veranda ging om water voor de afwas te halen, regende het harder dan ooit. In het donker kon je niets anders zien dan lamplicht dat op vallende druppels scheen. De lucht was als een gordijn van vallend water. De regen kwam in bakken naar beneden. Het was alsof de hemel viel en het gewicht van de regen alles naar beneden duwde, de heuvel af en het dal in.

Toen ik klaar was met de afwas en in de woonkamer ging zitten, luisterden we naar het getik van de regen op het dak. Het regende nu harder en sneller. Het klonk alsof een leger boven ons hoofd marcheerde, en het klonk alsof molenstenen langs elkaar schuurden. Ik hoorde gedrup en zag dat er water op de haard spatte. Het lekte rond de schoorsteen. Hank pakte de asemmer en zette die onder het lek. 'Dit huis zal als karton uit elkaar vallen,' zei hij.

'Nee, hoor,' zei ik. Ik probeerde zo luchtig mogelijk te klinken, alsof de regen niets voorstelde. Maar toen ik vanaf de veranda aan de achterkant van het huis naar de regen keek, was ook ik nerveus geworden. In het donker leek het of er een kracht uit de hemel kwam om ons in de modder en het water te verdrinken. Wie dacht er nou aan een duivelse kracht die uit de hemel kwam? Maar het was alsof de lucht ons dreigde te verstikken en te verpletteren.

Om de boel wat op te vrolijken stond ik op en stak de kaars in de kerstboom aan. De boom stond in de hoek. Hij wees naar boven, waar alle regen vandaan kwam. Ik dacht aan een beschrijving die ik eens had gehoord van de horde gevallen engelen die uit de hemel was gegooid. De lucht was vol zwarte engelen die in de duisternis naar beneden vielen, dik als sneeuwvlokken. Kraaienvlokken, dacht ik. Maar de brandende kaars wees naar boven.

'We zouden kerstliedjes moeten zingen,' zei ik. Als we zingen zullen we ons een stuk beter voelen, dacht ik. Hank was dol op zingen. En ik zou me beter voelen als ik zijn mooie bariton hoorde.

'Ik kan me geen kerstliedjes meer herinneren,' zei Hank.

'Daar geloof ik niks van,' zei ik. 'Je kent ze allemaal.' Ik begon 'Stille Nacht' te neuriën, en toen begon ik het te zingen. Maar Hank zong niet mee. Na het eerste vers stopte ik.

'We zouden een huisorgel moeten hebben,' zei ik.

'We konden ons niet eens een mondharmonica veroorloven,' zei Hank.

'Ik wou dat je je banjo had gehouden,' zei ik.

'Ik moest hem van ma wegdoen toen ik belijdenis deed,' zei Hank.

'Je moet een andere zien te krijgen,' zei ik.

Hank keek naar de voordeur. Er verscheen een angstige blik in zijn ogen.

'Wat is er?' vroeg ik.

Hij wees naar de deur. Ik zag zwart water, dat zich over de vloer verspreidde.

'Dat is alleen maar water van de veranda,' zei ik.
'Dat is de kreek die het huis binnenkomt,' zei Hank.
'Leg iets onder de deur,' zei ik. Ik rende weg om een oude deken uit de slaapkamer te halen, en propte hem tegen de onderkant van de deur, zoals wanneer je tocht wilt tegenhouden. Het duurde niet lang of de deken was doornat.
'Dat helpt niet,' zei Hank.
'Wat help dan wél?' vroeg ik. We konden de deur niet opendoen, want dan zou er nog meer regen binnenkomen. Ook op de veranda moet het regenen, dacht ik. Maar het enige dat ik hoorde was het ritmische getik van de regen op het dak.
'Niets,' zei Hank. Ik keek hem aan. En toen hoorde ik het geluid van lippen, het geluid van kussen en zuigen dat stijgend water maakt als het een gebouw of een muur raakt.
'Bedoel je dat dat water van de kreek is?' zei ik. Gap Creek was buiten zijn oevers getreden en was de weg overgestoken. In het donker had hij het erf bereikt en hij had aan de veranda gelekt. Daarna had hij de planken van de veranda bereikt. En nu stroomde hij onder de deur door. Hank keek zo bezorgd, dat ik medelijden met hem had. Ik probeerde iets te bedenken om te verhinderen dat het water het huis binnenkwam. Ik pakte een lamp en rende weg om naar de achterdeur te kijken, want ik dacht dat het daar lager was dan aan de voorkant. Maar ik had nog maar één stap in de keuken gezet toen mijn voet iets diks raakte. Ik zag dat de keukenvloer al onder water stond.
Ik liet de lamp zakken om naar het water te kijken en zag stukjes aanmaakhout onder de tafel drijven. Ook dreven er potten, flessen en een kartonnendoos met dennenappels rond. Terwijl ik keek kon ik het water zien stijgen. Het spoelde over mijn voeten. Ik draaide me om en rende terug naar de woonkamer, waar Hank tegen de schoorsteenmantel leunde.
'Er is al water in de keuken,' zei ik.
'Het zal niet lang duren voor het water het vuur dooft,' riep hij.
Het water dat onder de voordeur binnenkwam had zich door de woonkamer naar de open haard verspreid. Wanneer het nog een paar centimeter steeg, zou het in de open haard komen en zou het vuur uitgaan. Ik probeerde een manier te

bedenken om het vuur te beschermen, om een muur rond de haard te bouwen. Maar dat was onmogelijk.

'We moeten maken dat we wegkomen,' zei Hank.

'We kunnen niet naar buiten gaan in het donker,' zei ik. 'We zouden verdrinken.'

'We kunnen hier echt niet blijven,' riep Hank. Ik hield niet van de blik in zijn ogen en de schelle klank van zijn stem.

'Alleen een vis zou in het donker door een overstroming heen komen,' zei ik. 'Dat heb je zelf gezegd.'

'We moeten het op een lopen zetten!' zei Hank. De klank van zijn stem maakte me even bang als wat hij zei.

'We kunnen de berg niet op,' zei ik. Waren we vóór kerst maar naar huis gegaan. Was ik maar bij mama en mijn zussen op de berg.

'Wil je soms verdrinken?' schreeuwde Hank, alsof ik verantwoordelijk was voor de overstroming. Hij waadde door het water in de keuken, nam zijn dikke, wollen jas van de haak en stak de lantaarn van de schuur aan. 'Ga je jas halen,' zei hij.

'Waar ga je heen?' vroeg ik.

'We moeten hier weg!' schreeuwde Hank. Ik zag dat het geen zin had om tegen te sputteren.

'Wat kunnen we meenemen?' vroeg ik.

'Als we moeten zwemmen, kunnen we niets meenemen,' gilde Hank. Ik had hem nog nooit zo bang gezien. Het water in de keuken steeg met de seconde, en op een vreemde manier weerkaatsten zijn woorden tegen de muren.

Ik probeerde te bedenken wat het meest waardevol was in het huis. We hadden geen geld op de vijf centen in mijn portemonnee na. Er waren een paar potten en pannen die ik had meegebracht, en de kam en de borstel die Rosie me als huwelijksgeschenk had gegeven.

Hank zwaaide met de lantaarn, alsof hij hem tegen de muur wilde slaan, maar ineens hield hij op. 'Je wilt het huis toch niet platbranden?' zei ik.

'Wat zou het uitmaken?' zei hij. Hij begon door het water te stampen, zodat het rondspatte. Ik pakte mijn jas. Jammer dat de onderkant van de jas nat zou worden, maar dat was niet te voorkomen.

Hank gedroeg zich alsof hij buiten zichzelf was. Hij stampte de slaapkamer binnen en pakte het jachtgeweer van Mr. Pendergast, ongeveer het enige dat Caroline Glascock had achtergelaten. Hij stopte er een patroon in. In zijn jaszak stopte hij nóg een patroon.

'Wat ben je aan het doen?' vroeg ik. Ik stond te bibberen in het ijskoude water dat tot aan mijn knieën kwam.

'Kom mee!' zei Hank. Hij hield de lantaarn en het jachtgeweer in zijn ene hand, greep mijn arm vast met zijn andere hand en trok me mee naar de achterdeur. Toen hij de deur opendeed, stroomde nog meer water de keuken in. In het licht van de lantaarn zag het er onaangenaam bruin uit, donker en stinkend. Het was water dat door wc's, schuren en kerkhoven had gestroomd.

De wind raakte mijn gezicht alsof iemand me met een koude, natte hand had geslagen. De lucht was een striemend regengordijn. Plotseling veranderde de lucht in glanzende, blauwe poeder. Ik zag dat het bliksemde. Ik kon duidelijk de schuur en de wei zien aan de overkant van het erf. Er was niets dan kolkend water zo ver het oog reikte. Toen werd het weer donker.

'Waar gaan we heen?' riep ik.

'Naar hoger gelegen gebied of naar de hel,' schreeuwde Hank. Hij trok me mee de stroom in. Het was alsof er een varken of een paard tegen mijn benen knalde. Het water raakte me zo hard, dat het me bezeerde. Het wikkelde zich om mijn knieën en dijen en trok aan mijn jas.

'Ik kan niet overeind blijven,' schreeuwde ik.

'Schiet op!' brulde Hank in de regen. Hij bracht het geweer en de lantaarn omhoog en trok me mee. Telkens wanneer ik een voet optilde, werd die bijna onder me vandaan geslagen. We baanden ons strompelend een weg door de rivier naar de schuur. Het dichtstbijzijnde hoger gelegen gebied dat ik kon bedenken was in de wei, waar de liksteen was. Maar dat was achter de schuur en aan de overkant van de wei. Zo ver zouden we niet kunnen komen in die afschuwelijke golven. Ik wist niet eens of we al voorbij het houtschuurtje of het kippenhok waren. Het was pikdonker, en de regen en de stroom gaven je het gevoel dat je gek was. Het licht van de lantaarn was zwak als een glimworm.

'God, help ons,' schreeuwde ik. Iets raakte mijn zij, een drijvende plank of een lichaam. De regen verstikte me.

Maar we bleven doorgaan. Ik denk dat het ons gelukt was om de schuur of de wei te bereiken, als Hank niet was gestruikeld. Ik weet niet wat er precies gebeurde, maar het was alsof hij in een greppel of in een kuil stapte, of dat de overstroming zijn voeten onder hem vandaan trok. Ik denk niet dat hij mijn hand met opzet losliet. Maar hij ging kopje onder en zijn hand werd losgerukt van de mijne. Toen stond ik in mijn eentje te midden van het woeste water.

'Hank!' schreeuwde ik. Ik zag de lantaarn dobberen tot hij uitging. En toen was alles pikdonker om me heen, met wind en regen in mijn gezicht en water dat aan alle kanten aan mijn benen trok. Ik wist niet welke kant ik op moest. Ik kon me niet herinneren waar de schuur was, en waar het huis was.

'Hank!' schreeuwde ik opnieuw. Maar mijn stem kwam niet boven de wind uit. Ik probeerde te luisteren, maar ik hoorde alleen maar wind. Toen ik een stap zette, werd het water dieper. Was Hank onder water? Was hij meegesleurd? Gezien de snelheid van het water kon hij al een heel eind weg zijn. Moest ik hem gaan zoeken? Ik kon zelf amper overeind blijven. Wat moest ik doen? Ik kon niet zwemmen en ik wist zelfs niet welke kant ik op moest lopen.

Ik weet niet wat ik zou hebben gedaan in dat woeste, stinkende water als het niet opnieuw had gebliksemd. De bliksemschicht verblindde me. Door mijn samengeknepen ogen zag ik de schuur, recht voor me uit. Even werd de muur van de schuur verlicht, en toen was het weer donker. Snel, voor ik de richting kwijtraakte, worstelde ik me door het water naar de schuur. Het kostte al mijn kracht om voetje voor voetje door het water te lopen. Als ik in dat woeste water viel, ging ik eraan.

Terwijl ik op weg was naar de schuur vroeg ik me af of ik terug moest gaan om Hank te zoeken. Klampte hij zich ergens vast aan een paal of een boom? Was hij diep in de modder van de kreek? Maar ik mocht blij zijn als ik mezelf kon redden en de baby in mijn buik kon redden. Niemand had er iets aan als ik door de overstroming werd meegevoerd.

Toen ik eindelijk de schuur bereikte, drukte ik mijn handen plat tegen de muur en liep op de tast naar de deur. Binnen loeide de koe. Er dreunde iets, alsof het paard in paniek om zich heen schopte. Het was alsof de schuur trilde in de greep van de overstroming. Ik liep voorzichtig de schuur binnen. Zodra ik op de gang was, was de stroom niet meer zo woest. Het water stroomde door de stallen en stonk naar mest en verrotte bladeren.

'Hank!' schreeuwde ik. Ik hield me vast aan de latten van de koeienstal. Ik kon proberen de ladder naar de hooizolder te vinden en naar boven te klimmen, zodat ik uit het water was. Maar ik kon niet gewoon naar het droge hooi klimmen en Hank alleen in het overstromingswater achterlaten. Kon ik hem maar zien. Als ik een touw of een lange stok had, zou ik hem misschien kunnen helpen.

'Hank!' gilde ik opnieuw. De koe loeide in haar stal en er knalde iets tegen de schuur, een houtblok of een drijvende wc. Ik wilde niet weer naar buiten gaan, want ik moest aan de baby denken. Het was mijn taak de baby te redden. Maar ik vond het vreselijk Hank in het woeste water achter te laten.

Ik liep op de tast langs de muur waaraan het tuig, de teugels en het bit hingen. Toen ik de ladder bereikte, legde ik mijn hand op de sport van de ladder om me uit het water te hijsen. Ineens voelde ik een natte schoen. Aanvankelijk wist ik niet wat het was. En toen vroeg ik me af of iemand een schoen in de schuur had laten liggen. En toen vroeg ik me af of een vreemde zich in de donkere schuur had verstopt. Was het iemand als Timmy Gosnell?

'Wie is daar?' vroeg ik. Er was geen antwoord. Ik liet de natte schoen los. 'Ben jij dat, Hank?' vroeg ik.

Plotseling was er een bliksemflits. Ik keek omhoog en zag Hank boven me. Hij hield het jachtgeweer in zijn hand. Hij beefde en zag er vreselijk uit.

'Ik dacht dat je verdronken was,' zei ik.

'Je hebt me bijna onder water getrokken,' zei hij.

'Jij liet me los,' zei ik.

'Ik kon je niet helpen.' Hank klonk als een bang jongetje.

'Ik dacht dat je verdronken was,' zei ik.

'Ik ga mezelf doodschieten,' zei hij. Het was donker en ik kon zijn gezicht niet zien, maar het was alsof ik zijn gezicht in zijn stem kon zien.

'Zeg niet van die krankzinnige dingen!' zei ik.

'Ik wou je niet loslaten,' schreeuwde Hank.

'Dat weet ik,' zei ik. Ik was blij dat ik zijn gezicht niet kon zien.

Er was een lichtflits. Eerst dacht ik dat het jachtgeweer af was gegaan. Maar het was nóg een bliksemschicht.

'Ik deug nergens voor. Niemand heeft wat aan me,' schreeuwde Hank.

'Het is jouw schuld niet,' zei ik. Ik was bang voor wat hij met het geweer in het donker zou kunnen doen. Ik wist niets anders te zeggen. Ik had Hank nooit in zo'n gemoedstoestand gezien. Niemand, trouwens. Ik wist werkelijk niet wat ik moest zeggen.

'Ga terug naar huis,' schreeuwde Hank. 'Ik heb je leven geruïneerd.'

'Je hebt nog niets geruïneerd,' zei ik. 'Het komt allemaal door de overstroming.'

Mijn ooghoeken en mijn wangen waren nat, zowel door mijn tranen als door de regen. Hank had zijn buien gehad, maar hij had nooit eerder zoiets krankzinnigs gedaan.

'Ik zou ons beiden moeten doden,' schreeuwde Hank.

'Nee!' krijste ik. 'Morgen zul je je beter voelen. God zal ons helpen als we bidden,' zei ik. Mijn tanden klapperden. Ik beefde van angst en kou. Het paard hinnikte en bonkte tegen de zijkant van zijn stal.

Ik verwachtte dat Hank zou antwoorden, maar dat deed hij niet.

'God houdt van iedereen,' zei ik. Ik wist niet wat ik moest zeggen en zei maar wat er in me opkwam.

'God wil niets meer met me te maken hebben,' zei Hank.

'Praat niet zo,' zei ik. Ik verwachtte dat de bliksem de schuur zou treffen en ons zou verbranden. In plaats daarvan roffelde de donder op het dak alsof het een trommel was. De druk deed pijn aan mijn oren. Ik legde mijn hand op Hanks drijfnatte broekspijp. 'Kom naar beneden,' zei ik.

Er was een vlam en een oorverdovend lawaai, en ik hoorde een dreun en gerinkel op het dak van de schuur. Het duurde een seconde voor ik begreep dat Hank met het jachtgeweer op het dak had geschoten.

'God, help ons, alstublieft,' bad ik. 'Help Hank kalm te worden en laat ons zien wat we moeten doen.'

Ik vroeg me af wat ma Richards tegen Hank zou zeggen. Ik hoorde het haar als het ware zeggen. 'Denk je dat je zo belangrijk bent dat God speciaal voor jóu een overstroming zou maken?' zei ik. 'Deze overstroming treft iedereen.'

Hank gaf geen antwoord. Ik kon het verbrande buskruit ruiken.

'Je bent heus niet zo bijzonder,' zei ik. Het waren harde woorden, maar ze waren waar. Ik was zo bang dat ik alleen nog maar de waarheid kon zeggen.

'Het maakt niet uit wat ik doe,' zei Hank.

'Je hebt gewoon medelijden met jezelf,' zei ik.

'Ik kan ons maar beter meteen doodschieten,' zei Hank. De koe loeide. Opnieuw klonk er een donderslag boven het dak van de schuur.

'Dat zou je niet doen,' zei ik. 'Je bluft alleen maar.' Het was de gok die ik moest wagen, hem zo beschaamd doen staan dat hij zijn verstand terugkreeg. Ik moest iets doen om hem te kalmeren.

Het geweer ging opnieuw af. Het klonk of er zand op de hooizolder rondvloog. Ik hoopte dat het Hanks laatste patroon was.

'Denk aan de baby,' zei ik.

'Ik kan nergens aan denken,' zei Hank.

'Laten we teruggaan naar het huis,' zei ik. 'Straks vriezen we nog dood.'

'We zullen verdrinken,' zei Hank.

'Ik denk dat het water zakt,' zei ik. Het leek of het water in de gang van de schuur minder diep was dan het was geweest.

'We kunnen net zo goed worden weggespoeld,' zei Hank.

'Wil je dat de baby sterft?' vroeg ik. 'Wil je dat de baby doodvriest?'

'Dit is geen wereld voor een baby,' zei Hank.

Ik begon te koken van woede. Alle verwarring en angst in me veranderde in woede nu Hank een beetje kalmer was. 'Kom naar beneden en gedraag je als een man,' zei ik en trok aan zijn been.

'Wacht tot het water zakt,' zei Hank. 'Het zou stom zijn om nu terug te gaan.'

Hij heeft gelijk, dacht ik. Ik had het zo koud en ik was zo boos, dat ik trilde en niet meer kon ophouden. Ik moest zo snel mogelijk uit het ijskoude water! 'Laten we in het hooi gaan liggen om warm te worden,' zei ik.

Mijn voeten trilden toen ik de ladder in het donker op klom. Zelfs wanneer het weerlichtte kon je niet veel zien op de hooizolder, behalve de kieren tussen de planken. Ik pakte Hanks hand vast. Op de tast liepen we naar de hooiberg en kropen erin. Ik dekte ons toe met stro. Ik nestelde me tegen Hank aan en probeerde op te houden met beven. Het hooi rook naar schimmel en oude appels. Sinds mijn kindertijd had ik niet meer in een hooiberg gelegen.

Buiten raasde het water. Het paard hinnikte en bonkte tegen de stal onder ons. Maar de koe hoorde ik niet meer. Ze had niet geloeid sinds de laatste keer dat Hank had geschoten.

'Je moet jezelf niet de schuld geven,' zei ik terwijl ik me tegen Hank aan drukte en een arm om zijn middel sloeg.

Hank zei niets. Ik denk dat hij doodop was door alles wat er was gebeurd. Hij legde zijn armen om me heen. Zo lagen we daar in het prikkende stro. Eindelijk hield ik op met beven. Ik moet in slaap zijn gevallen, want ik dacht dat iemand me riep. Het was een hol geluid. En toen ontdekte ik dat het het paard was dat hinnikte.

Ik ging rechtop zitten en luisterde. Het water rond de schuur klonk rustiger dan eerst. Hank was ook ingedommeld. Ik schudde hem wakker.

'Luister,' zei ik.

'Wat?' vroeg hij. Hij draaide zich om.

'Het water is kalmer,' zei ik.

'Ik kan het nog steeds horen,' zei Hank.

'We moeten terug naar het huis en droge kleren aantrekken,'

zei ik. 'Anders krijgen we misschien longontsteking.'

'Je wilt toch zeker niet naar buiten gaan?' zei Hank.

'Het móet,' zei ik.

We schoven het hooi opzij en liepen op de tast naar de ladder. Ik was stijf en had overal pijn, maar ik beefde niet meer toen ik de sporten met de punten van mijn schoenen vond en me in het water liet zakken. Het water stond minder hoog, maar het was zo koud dat het mijn enkels verbrandde. Ik hield Hanks been vast en daarna zijn hand terwijl hij naar beneden klom. Toen we de deur van de schuur bereikten, was alles zo donker, dat we het huis niet konden zien.

'We zullen op ons gevoel moeten afgaan,' zei ik.

'Ik deug nergens voor,' zei Hank.

'Het doet er niet toe of je deugt of niet,' zei ik, 'We moeten terug naar het huis.'

Het water rukte aan mijn benen toen ik erin stapte. Maar ik drukte mijn voeten stevig tegen de grond en omklemde Hanks arm. Op die manier hield ik zowel mezelf als Hank overeind.

'Als ik val, moet je me loslaten,' zei Hank.

'Als jij valt, val ik ook,' zei ik, 'en dan verdrinken we alletwee.' Maar ik wist dat hij niet zou vallen. Hank was zo sterk als een groot Percheron-paard. Hij was zwak in zijn hoofd, maar sterk in zijn brede schouders en zijn krachtige rug. Hij was oersterk. Zonder lantaarn konden we het woeste water niet zien. Het spatte tegen mijn borst. Ik kreeg moeite met ademen. Ik klampte me vast aan Hanks arm, alsof het een eikenboom was.

'Oh!' zei ik toen er ijskoud water tegen mijn hals spatte. De schok van het koude water op mijn borst en buik maakte dat ik mijn zelfbeheersing verloor en bleef staan.

'Schiet op!' zei Hank terwijl hij aan mijn arm trok. Ik hield hem vast terwijl het water tussen mijn benen door raasde. Nu Hank buiten was, in de woeste stroom, kwam hij weer een beetje tot zichzelf. Toen het weerlichtte, zag ik dat de veranda niet was waar ik dacht dat hij was. We waren door de stroom langs het huis geduwd, voorbij de plek waar de wasketel en de waslijn waren. We gingen naar links in het spookachtige licht, en toen was het weer donker.

Op het moment dat we de trap bereikten, waren mijn voeten zo verkleumd dat ik niets voelde. Hank moest me helpen naar boven te klimmen en over de veranda te lopen.

'Laten we naar boven gaan waar het droog is,' zei ik.

'Ik moet een lamp zien te vinden,' zei Hank.

Toen we in de slaapkamer op de zolder kwamen, was alles koud en vochtig. De regen had alles klam gemaakt, en nu het vuur uit was, was het koud in huis. Ik stond boven aan de trap om mijn modderige schoenen en mijn rok zoveel mogelijk te laten uitdruipen. In de slaapkamer zette ik de lamp op de tafel. Daarna ging ik terug naar de trap en wrong de zoom van mijn vieze rok uit. Het was maar goed dat we niet naar beneden, naar de kamer van Mr. Pendergast, waren verhuisd nadat Lou en Garland bij ons hadden gelogeerd. Gelukkig lag het grootste deel van onze kleren boven.

'Er zit niets anders op dan onze natte spullen uit te trekken en onder de dekens te kruipen,' zei ik. Maar Hank gaf geen antwoord. Hij was op het bed gaan zitten en had zijn handen voor zijn gezicht geslagen. Hij huilde. Er ging een ijskoude rilling door me heen. Ik liep naar Hank toe en pakte zijn schouders vast. Hij snikte als een baby. Het leek onmogelijk dat zo'n grote en sterke man als Hank zo overstuur kon zijn.

'Laten we in bed stappen en warm worden,' zei ik. Ik knielde neer en trok zijn doornatte schoenen en sokken uit. 'Trek die natte broek uit,' zei ik. Hij liet zich door me uitkleden alsof het hem niets kon schelen, alsof hij een slaperige baby was die nergens op lette. Ik rilde van de kou toen ik hem in zijn flanellen nachthemd hielp. Toen kleedde ik me uit, trok mijn flanellen nachtgewaad aan en ging naast hem liggen. Onze voeten waren steenkoud. Hank was op zijn zij gaan liggen, met zijn rug naar me toe. Hij snikte niet meer. Hij was alleen maar nukkig en stil.

'Het is hier lekker warm en droog,' zei ik. Ik luisterde naar de regen en naar dingen die tegen het huis sloegen. Ik denk dat planken en bomen in het water tegen de muren botsten. Eenmaal voelde ik de muren schudden. Ik vroeg me af of het huis was losgeslagen. Het was een raar idee dat ik sterker was dan Hank. Hij was uitgeput en ik had nog steeds vechtlust. Ik streek over mijn buik, die al een beetje bol was. Ik legde mijn handen om mijn buik alsof ik hem beschermde.

'Ik ben bang,' zei Hank.

'Ik ook,' zei ik. Het feit dat hij zo bang was, maakte dat ik me minder bang voelde. Ik kon het niet verklaren. Hank draaide zich om en legde zijn hoofd op mijn borst. Ik trok mijn nachthemd opzij, zodat mijn tepel zichtbaar werd. De tepel werd hard en lang. Hij beet er zachtjes op terwijl ik door zijn haar streek.

Hij boog zich voorover en knabbelde aan mijn andere borst, alsof hij honger had. Hij was zo hongerig, dat hij nooit kon worden verzadigd.

'Je hoeft niet zo bang te zijn,' zei ik.

Toen ik de lamp uitdeed was het zo donker in de slaapkamer, dat je het donker niet kon zien. Meestal kun je het donker zien, omdat er een heel klein beetje licht is. Maar het was zo donker dat ik net zo goed blind had kunnen zijn. Het was onmogelijk om iets te zien. Het huis schudde alsof er grote bomen of houtblokken tegen aan spoelden. Het huis kraakte en kreunde, alsof iets ertegen duwde. Er was een soort knal, van de ene plank tegen de andere. En plotseling was er een lichtflits. Het bliksemde opnieuw. Het felle licht verbrandde mijn ogen.

Er klonk een donderslag. Het was alsof er een balk op het dak stortte. Het huis scheen op zijn grondvesten te schudden. De ene donderslag volgde de andere, alsof er een berg grote stenen op het dak viel. Overal in de hemel sloegen deuren met een klap dicht. En zodra het stil was, kwam er wéér een blauwe flits. En dan volgde de donder, als een trein die uit een tunnel denderde. Het klonk of de hemel in grote stukken uit elkaar viel en op de bergflank te pletter sloeg. De bergkammen weerkaatsten het geluid van de donderslagen.

Juist op het moment dat ik het gevoel had dat ik het niet zou kunnen verdragen om nog meer donderslagen te horen, hoorde ik de wind. Plotseling streek de wind langs het huis, alsof hij door de donder was bevrijd en tegen het huis werd gedrukt. De dakrand jammerde en de ruiten trilden. De wind loeide door de bomen aan de andere kant van het dal en op de bergkammen. Ik hoorde nog meer lawaai, het geraas van een waterval verder op in de vallei, waar het overstromingswater honderden meters naar beneden viel, bomen brak en wortels en keien omwoelde.

'Het klinkt als het einde van de wereld,' zei Hank.

'Niets is het einde van de wereld.' Ik zei maar wat, maar ineens besefte ik hoe waar het was. Als alles in de wereld te pletter sloeg, zou de wereld nog steeds bestaan en zou alles opnieuw beginnen. De kreek zou teruggaan naar zijn oevers. Kapotte dingen zouden verrotten en muls en meststof worden. De zon zou de modder en het slib droogmaken, en het onkruid zou weer gaan groeien.

De wind gierde om het huis. 'Het is Kerstmis,' zei ik.

'Dat zou je niet zeggen,' zei Hank.

Toen ik wakker werd lag Hank niet meer in bed. De plek naast me was koud. Het leek of er niets klopte in de slaapkamer. Ik keek om me heen en probeerde te zien wat er mis was. Alles zag er normaal uit, behalve onze natte kleren op de vloer. Ineens zag ik dat het licht was, wat betekende dat het veel later was dan wanneer ik anders opstond. Ik had te lang geslapen en voelde me misselijk.

Het was ook vreemd dat het niet meer waaide. De ruiten trilden niet meer en er viel geen regen meer op het dak. Het had zo lang geregend, dat het griezelig was om geen regendruppels op het tinnen dak te horen. Het was de stilte die zo vreemd was. De dakrand drupte niet meer. Ik luisterde of ik Hank beneden hoorde lopen. Het huis was stil.

Toen ik me aankleedde waren mijn schoenen nog nat, maar ik trok droge kousen aan en liep de trap af. Ik opende de deur van de woonkamer en verwachtte water op de vloer te zien, maar er was niets. In plaats daarvan lagen er overal dingen op de vloer, alsof een beest in de kamer had rondgelopen. Het waren dingen die hadden rondgedreven en achter waren gebleven toen het water zakte: doorweekte, kartonnen dozen, stukken hout, flessen en potten, wasknijpers, een bezem. Wat me opviel was niet de aanblik van de woonkamer, maar de stank. Het was de stank van een natte, zure plek. Het was de stank van schimmelige, rottende dingen. Het water had maar een paar uur in het huis gestaan, toch stonk het huis als wanneer het maanden had staan rotten. Het was de stank van roet en verkoold hout in de open haard en van bittere, doorweekte as. Het was de stank van natte kleren, van vuil en rottende modder. De vloer was glad door een dunne laag modder, en de onderkant van de gordijnen zat onder het slib. De onderste takken van de kerstboom waren ook met modder bedekt.

'Hank,' riep ik. Ik keek in de keuken en zag dat de vloer er net zo uitzag als die van de woonkamer. 'Hank!' riep ik. Maar er was niemand. De keuken stonk nog erger dan de woonkamer. Het hout was drijfnat en begon te schimmelen en te verzuren. Het water had de stank van verkoold hout en roet in het fornuis naar buiten gebracht. En er was de stank van ranzig vet en verrotte kruimels die het water op de tafel had gevonden en had losgeweekt. De vloer was glad door de rode modder.

Ik kneep mijn neus dicht en rende naar de achterdeur. Ik verwachtte dat het erf onder water zou staan, maar ik zag slechts een paar plassen. Het overstromingswater was over het erf geraasd en had het schoongeschrobd. Het meeste gras was verdwenen. Er was hout uit het houtschuurtje gedreven, en daarna had het zich over het erf en de wei verspreid. Een kippenren was meegesleurd naar de omheining van de wei. De wc was omvergegooid. Voor de rest stond alles op zijn plek. De zon scheen op de plassen. Maar ik zag niet meer dan een stuk of zeven kippen in de modder pikken.

'Hank,' riep ik.

Mijn stem weerkaatste tegen de zijkant van de schuur. De lucht was zo warm, dat het leek of het vroeg in de herfst was, maar de bomen op de bergflank waren kaal. Al het ijs was verdwenen en de bomen glommen als zilver in de zon. Het was inderdaad warm geworden na de ijzel. Ik riep nogmaals Hanks naam. Toen zag ik hem met het paard uit de schuur komen. Hij bracht het paard naar de wei en liet het daar los. Daarna liep hij met de melkemmer naar het huis. Aan zijn ingezakte schouders kon ik zien dat er iets aan de hand was.

'De koe is dood,' zei hij toen hij dichterbij kwam.

'Verdronken?' vroeg ik.

'Ze heeft zich opgehangen,' zei Hank. 'Toen het water steeg klom ze tegen de muur van haar stal op en bleef met haar halsband aan een spijker hangen. Toen het water zakte, hing ze zich op.'

'Dat geloof ik niet,' zei ik.

'Ik geloofde het ook niet,' zei Hank. 'Maar de koe is dood, gewurgd door haar eigen halsband.'

'We krijgen een kind en nu is er geen melk!' zei ik.

'Ik heb nooit gehoord van een koe die zich heeft opgehangen,' zei Hank.

'Kunnen we het vlees opeten?' vroeg ik.

'Het was al gaan rotten in dit warme weer,' zei Hank. 'En rundvlees blijft niet zo lang goed als varkensvlees.'

'Kun je het niet zouten?' vroeg ik.

'Het is al gaan rotten,' zei Hank, 'omdat het bloed nog in het karkas zit.' Ik vroeg me af of het vlees kon worden gekookt en geweckt, maar ik zei niets. Ik wilde niet met Hank kibbelen nu hij kalm was na de manier waarop hij zich gisteravond had gedragen.

Toen ik de keuken binnenliep, moesten mijn ogen eerst aan de duisternis wennen. Maar de stank vulde al snel mijn neusgaten. Het was een zoete, misselijkmakende stank, erger dan meeldauwschimmel. Het was de stank van verrotting.

'Allereerst moet de vloer worden schoongemaakt,' zei ik.

Hank haalde de natte as uit het fornuis en liep naar de schuur om droog aanmaakhout te zoeken. Hij sprak niet over wat hij tijdens de overstroming had gedaan, en ik zei er ook niets over. Ik pakte de emmer vers water die op de veranda stond. Het water was schoon en helder en alleen door regenwater aangeraakt. Ik nam een slok, want ik was uitgedroogd door de lange, bange nacht.

'De bron zal eerst moeten worden schoongemaakt. Dan pas kunnen we weer vers water halen,' zei Hank toen hij binnenkwam.

'We zullen het fornuis en de open haard goed moeten laten branden om het huis te drogen,' zei ik.

Ik geloof dat het schoonmaken van het huis van Mr. Pendergast het zwaarste is dat ik ooit heb moeten doen. Als je naar de rode modder op de vloer, de stoelpoten en de tafelpoten keek, en als je de stank van nat hout en natte as rook, wilde je alleen maar het huis uitrennen, de ochtendlucht in, en nooit meer terugkeren. De stank dreigde me misselijk te maken. Ik had zin om een jas en een sjaal te pakken en buiten te blijven.

Het eerste wat schoongemaakt moest worden waren de vloeren, want we lieten overal een spoor van rode modder achter. De modder koekte aan onze schoenzolen. Het was alsof we in rood vet liepen. Alles was bedekt met modder. De laag was zo dik, dat ik niet meteen kon gaan schrobben. Hank maakte een vuur in het fornuis. Toen ging hij naar de woonkamer om ook een vuur in de open haard te maken.

Ik haalde een schoffel uit het gereedschapsschuurtje en ik pakte een oude emmer die we bij het slachten van het varken hadden gebruikt. Toen stak ik een lamp in de keuken aan, zodat ik beter kon zien. Terwijl het vuur in het fornuis knapperde, begon ik de vloer af te schrapen, alsof ik een laag verf verwijderde. Wat ik opschraapte, gooide ik in de emmer. Toen ik de woonkamer bereikte, brandde het vuur al in de open haard. Ik ging naar de kerstboom om de grond eronder schoon te maken. Nu het vuur knapperde rook het huis al beter, alsof de vlammen de vieze geuren opvraten.

Toen ik de emmer met modder naar de achtertuin droeg om hem leeg te gooien, zag ik dat Hank een gat naast de schuur groef. Het was een graf voor de koe. Hij zou het grootste deel van de dag bezig zijn om een gat te graven dat diep genoeg was. Ik wou dat *ík* het kon doen. Het zou fijn zijn om uit het stinkende huis weg te zijn.

Nadat ik de vloeren zo veel mogelijk had schoongeschraapt, maakte ik water warm op het fornuis en deed er een beetje zeep in. Toen schrobde ik de keuken, de woonkamer en de slaapkamer schoon. Ik tilde alle gordijnen op, evenals het beddengoed en de kleren in de hangkast, en ik probeerde de modder in de hoeken en de kieren te verwijderen. Na afloop maakte ik mijn schoenen schoon op de veranda, zette water op voor de gort en maalde bonen voor de koffie.

Toen de koffie klaar was en de gort gekookt, werd er op de voordeur geklopt. Wie kwam er nou op visite op de morgen na een overstroming? Ik was meer geschrokken en nerveus dan gerechtvaardigd was. Ik denk dat ik nog steeds overstuur was door de avond ervoor. Ik wilde dat Hank binnenshuis was en niet ergens achter de schuur. Ik hoopte maar dat het niet Timmy Gosnell was die op kerstmorgen dronken rondliep. Terwijl ik mijn handen aan mijn schort afdroogde, ging ik langzaam naar de voordeur.

Het was dominee Gibbs en zijn vrouw van de Gap Creek Kerk. Sinds de begrafenis van Mr. Pendergast had ik ze niet meer gezien. 'Vrolijk Kerstmis,' zei Mrs. Gibbs.

'Insgelijks,' zei ik. Ik veegde het zweet van mijn voorhoofd. 'Komt u binnen.'

'We komen even langs,' zei de dominee. Ik bracht hen naar de woonkamer. Mrs. Gibbs gaf me een zakje met een lintje erom. Er staken pepermuntzuurstokken uit.

'Hartelijk dank,' zei ik. 'Gaat u zitten. Ik denk niet dat de stoelzittingen nat zijn.'

'Hebben jullie ook last van de overstroming gehad?' vroeg dominee Gibbs.

'In huis stond het water minstens dertig centimeter hoog,' zei ik. 'Ik ben de hele morgen bezig geweest om de modder te verwijderen.'

'Het huis van de Goins is weggespoeld,' zei de dominee. 'Twee van hun kinderen zijn verdronken.'

'En de molen is ook weggespoeld,' zei Mrs. Gibbs. 'Op kerstavond lag een zoon van de Hendersons dronken in de molen. Hij is ook verdronken.'

'We weten niet of hij dronken was, moeder,' zei de dominee.

'Iedereen weet dat hij dronken was,' zei Mrs. Gibbs.

'We moeten geen kwaad spreken van de doden,' zei dominee Gibbs.

'Zal ik uw jassen aannemen?' vroeg ik.

'We kunnen maar een minuutje blijven,' zei de dominee. 'We wilden kijken of alles goed was met jou en Hank.'
'We hebben geluk gehad,' zei ik.
'Jullie zijn door God gezegend,' zei dominee Gibbs.
'De koe is dood,' zei ik. 'Ze is in de stal gestorven. Hank is een gat aan het graven om haar te begraven.'
'God brengt ons van tijd tot tijd in herinnering dat Hij de baas is,' zei dominee Gibbs.
'Het was een afschuwelijke overstroming,' zei ik.
'We zijn gekomen om jullie vrolijk kerstfeest toe te wensen en jullie uit te nodigen naar de kerk te komen,' zei Mrs. Gibbs.
'Wilt u een kopje koffie?' vroeg ik. 'Ik heb net verse gezet.'
'We kunnen niet blijven,' zei dominee Gibbs. 'We nodigen jou en Hank uit om naar de dienst te komen.'
'We maken ons zorgen en vragen ons af wat we moeten doen als de erfgenamen van Mr. Pendergast komen opdagen.'
'Niemand heeft iets van hen gehoord,' zei de dominee.
'Ze waren niet aardig voor Mr. Pendergast,' zei Mrs. Gibbs, 'niet zoals échte kinderen zouden zijn.' Ze zweeg even. Toen zei ze: 'Jonge mensen die een gezin stichten hebben de kerk nodig.' Ze keek naar mijn buik alsof ze wist dat ik in verwachting was. Ik weet niet hoe ze dat wist, maar ze scheen het wel te weten.
'We weten niet waar we zullen gaan wonen,' zei ik.
'Jullie moeten dit huis kopen,' zei dominee Gibbs.
'Ik wou dat we ons dat konden veroorloven,' zei ik.
'Als de erfgenamen gevonden zijn, kunnen jullie misschien een aanbetaling doen,' zei Mrs. Gibbs.
'We hebben niet veel geld,' zei ik. Ik zei niets over Caroline Glascock en haar man. Ik dacht niet dat het zin had te vertellen dat we waren beduveld. En ik zei ook niets over de advocaat die de pot met geld had meegenomen.
'God beschermt de zijnen als je naar de kerk gaat en in hem gelooft,' zei dominee Gibbs.
Het was fijn om iemand te horen die zo vol vertrouwen was over wat er allemaal in de wereld gebeurde. En het was een genot om iemand te zien, na die verschrikkelijke nacht van de overstroming.

Buiten riep een stem. Aanvankelijk dacht ik dat het Hank was. Hij klonk of hij pijn had of in de problemen zat. 'Wat was dat?' zei ik.

'Piieendergaass!' schreeuwde de stem.

'Het is Timmy Gosnell,' zei Mrs. Gibbs. De schrik sloeg me om het hart. Het had iets schandelijks als een dronken man voor je huis stond te raaskallen, vooral op kerstdag, wanneer de dominee op visite was.

'Hij wordt altijd dronken met kerst,' zei Mrs. Gibbs.

'Piieendergaass!' riep de stem. Zijn stem deed pijn, alsof er een zaag langs mijn huid schuurde.

'Misschien gaat hij wel weg,' zei ik. Met een harde dreun viel er een steen op de veranda. Hij rolde tegen de deur.

'Arme Timmy,' zei Mrs. Gibbs. 'Als hij zo dronken is, kan niemand hem helpen.'

'God kan hem helpen,' zei dominee Gibbs, 'maar ik betwijfel of iemand anders dat kan.'

Er viel wéér iets op de veranda. Toen hoorde ik een andere stem. Het was Hank. Waarschijnlijk had hij Timmy horen schreeuwen en was hij naar voren gerend. Ik deed de voordeur open en ging op de veranda staan.

Timmy Gosnell stond op het erf, maar als ik zijn stem niet had gehoord, zou ik hem niet hebben herkend. Hij zag eruit of hij van modder was gemaakt, zoals een sneeuwman van sneeuw. Het leek of hij in de modder had liggen rollen. Elke centimeter van zijn kleren was bedekt met modder en slib. Er was vuil en slib op zijn hals en gezicht. En er was vuil en modder in zijn oren en in zijn haar. Zijn handen waren met een korst van modder bedekt, en op zijn schoenen zaten dikke lagen zand en klei. Hij zag eruit als iets dat wekenlang begraven was geweest en uit de dood was opgestaan. Alleen zijn ogen waren niet met vuil bedekt.

'Wat wil je?' vroeg Hank. Hij hield de schep vast waarmee hij het graf van de koe had gegraven.

'Je bent me géééld schuldiggg,' kreunde Timmy.

'Ik ben je níets schuldig,' zei Hank. Aan zijn stem kon ik horen hoe bang hij was. Onder het vuil kon Timmy een verrot lijk zijn geweest dat uit het graf was opgestaan.

'Het is Timmy Gosnell,' zei ik.
'Maak dat je wegkomt,' zei Hank. Hij bracht zijn schep omhoog.
'Je bent me gééééld schuldiggg,' kreunde de dronkaard.
De dominee en Mrs. Gibbs waren op de veranda komen staan. De dominee liep naar Timmy toe en zei: 'Wat is er met je gebeurd, Timmy?'
Timmy draaide zich om en nam de dominee op, alsof hij er niet zeker van was dat hij hem kon zien. 'Regen gelopen,' zei hij.
'Je moet naar huis gaan en je wassen en andere kleren aantrekken,' zei de dominee. 'Het is Kerstmis.'
Timmy wees naar het huis, alsof hij moeite had te zeggen wat hij wilde. 'Is me geld schuldig,' zei hij.
'Julie en Hank zijn je geen geld schuldig,' zei de dominee. 'En Vincent Pendergast is dood.'
'Ze hebben zijn geld gestóóólen,' riep Timmy.
Hank ging dichter bij de dronkaard staan. 'We hebben níets gestolen,' zei hij. Ik zag hoe bang en boos Hank was, en hoe opgelaten hij zich voelde. Ik was zo bang, dat ik amper kon ademhalen.
'Je gaat met ons mee,' zei dominee Gibbs tegen Timmy. 'We zullen je thuisbrengen.'
De dronken man sloeg naar de dominee, alsof hij probeerde een melaatse weg te jagen. 'Ik ben gered,' zei hij. 'Heeft niks geholpen.'
'Je moet je opknappen,' zei de dominee, 'en iets warms eten. Het is Kerstmis.'
'Dat gepreek van je... daar heb je geen bal aan,' snauwde Timmy tegen de dominee.
'Er is een overstroming geweest,' zei de dominee. 'De helft van het dal is weggespoeld. Het ziet ernaar uit dat jij bent meegespoeld.'
'Allemaal hóóéééren,' zei Timmy. Hij wees eerst naar mij en toen naar Mrs. Gibbs.
'We hoeven niet zo te praten,' zei dominee Gibbs. Hank bracht de schep omhoog, maar de dominee wuifde hem weg.
'Timmy, ga nou maar met ons mee,' zei de dominee. Hij pro-

beerde Timmy's elleboog beet te pakken, maar de dronken man sloeg zijn hand weg.

'Zijn me gééëld schuldiggg,' kreunde hij. Toen draaide hij zich om en strompelde naar de weg. Zijn kleren waren zo zwaar van de modder, dat ze over de grond sleepten.

'Wat een zielig gezicht,' zei Mrs. Gibbs.

'Het enige dat we voor Timmy kunnen doen is bidden,' zei de dominee.

'Iemand moet hem een lesje leren,' zei Hank. Hij stak de schep in de modder van het erf.

'Je kunt een dronken man geen lesje leren,' zei dominee Gibbs.

Toen de dominee en Mrs. Gibbs weg waren, bedacht ik hoe snel de wereld op z'n kop kon worden gezet. Afschuwelijke en krankzinnige dingen wachtten op een kans om te gebeuren. Ik moest naar de woonkamer gaan en me aan het vuur warmen en zorgen dat ik kalmeerde.

Hoofdstuk 10

De overstroming had niet alleen de koe gedood en de kippenren meegesleurd, maar ook de aardappels in de kelder doen rotten. Ik redde een paar aardappels die niet schimmelig waren geworden door ze af te vegen en op de veranda in de zon te leggen. Maar de meeste aardappels waren zacht en in vuil veranderd dat in een emmer moest worden geschept en naar de afvalkuil gebracht.

Na de overstroming moesten veel dingen naar de afvalkuil worden gebracht: doeken waarmee ik modder had verwijderd, kleren die zuur en beschimmeld waren geworden, schoenen die doornat waren geworden en onder de schimmel zaten. Na de kerst leek het of de helft van de spullen in het huis weggegooid moest worden. Er waren gedroogde appels en gedroogde pepers die nat waren geworden en in de keuken lagen te rotten. En in het rookhok was het water tot de onderste planken gestegen, zodat het zout uit een deel van het vlees was gespoeld en het vlees begon te rotten.

Toen ik klaar was met het schoonmaken van het huis, had ik het gevoel dat het overstromingswater vergif was geweest en bijna alles wat het aanraakte had gedood, behalve het gereedschap. De grondvesten van het huis zelf waren drijfnat geworden en de specie tussen de stenen brokkelde af. Het leek of er zuur in het overstromingswater had gezeten dat alles wat het had aangeraakt had verbrand en aangetast. Het erf en de weg waren schoongespoeld op stenen of harde, rode klei na. De weg naar Gap Creek was altijd al oneffen geweest, met lange modderige stukken bij nat weer en diepe voren bij droog weer. Maar nu waren er plekken die zo diep waren, dat er een paard in kon worden begraven. Op het wegdek lag een grote steen zo hoog als een wagenas. Op sommige plekken stroomde de beek over de weg. Sommige voren waren zo diep, dat het zand in het midden van de weg tot aan een disselboom reikte.

Met kerst waren we blut, maar met nieuwjaar was het nóg erger. Al het meel dat we hadden was onbruikbaar geworden, evenals de aardappels en een deel van het vlees. Pas toen Hank naar het maïshok ging om maïs te pellen en naar de molen te brengen, ontdekte hij dat er ook veel maïskolven waren bedorven. Modder en slib plakten als verf aan de kolven onder in het hok. Sommige maïskorrels waren gaan opzwellen en uitlopen. Andere waren beschimmeld of verrot. Het was een zootje, en het begon te stinken.

'Het lijken de plagen van Egypte wel,' zei Hank toen hij me de verrotte maïs liet zien.

'We zullen het moeten drogen,' zei ik.

'Hoe kun je een hok vol natte, beschimmelde maïs drogen?' vroeg Hank. Hij beschuldigde me ervan onze problemen licht op te vatten.

'We zullen de maïs moeten pellen,' zei ik, 'en naar huis brengen om bij het vuur te drogen.'

'Er is geen plaats bij het vuur, en er is geen tijd,' zei Hank. Maar ik dacht dat hij meer met zichzelf twistte dan met mij. Sinds de overstroming had hij weinig gezegd. Ik probeerde te vergeten dat hij op de ladder in de schuur had gestaan en met het jachtgeweer had geschoten.

'We moeten zoveel mogelijk redden,' zei ik.

'Dat zal niet veel voorstellen,' zei Hank. Ik denk dat hij boos op zichzelf was omdat hij boos was, en omdat hij als ma Richards praatte. Hij wilde zich anders gedragen, maar dat lukte niet zo goed. Ik denk dat niemand compleet verandert.

Op oudejaarsdag begonnen we met het pellen van de natte maïs. We legden de droge maïs opzij en haalden er de modderige, natte kolven uit. De kolven waren klef en er droop modderwater uit toen we ze pelden. Mijn handen werden al gauw koud. Ik vond een paar oude handschoenen in de schuur en ging weer aan de slag. Op sommige korrels zat modder. Ze zouden moeten worden gewassen nadat ze waren gedroogd. We pelden enkele manden vol maïs en droegen ze naar het huis. Toen spreidden we de maïskorrels op lappendekens uit die we op de woonkamervloer hadden gelegd. Ze namen bijna de hele kamer in beslag.

Hank maakte een groot vuur van hickoryhout in de open haard. Spoedig rook het hele huis naar beschimmelde maïs, een zoete geur. De opgehoopte maïs leek net een schat in het schijnsel van het haardvuur. Je kon je voorstellen dat de korrels stukjes goud waren. Ik verwarmde mijn handen en daarna ging ik terug om nog meer kolven te pellen.

Toen we de meeste natte maïs hadden gepeld en bij de open haard gelegd, en ik op het punt stond voor de honderdste keer die week de modder van mijn handen te wassen, werd er op de deur geklopt. Het waren opnieuw de dominee en zijn vrouw.

'Goeiendag,' zei Hank. 'Ik zou u graag uitnodigen binnen te komen, maar er ligt allemaal maïs in de woonkamer. We zijn bezig het te drogen.'

De dominee stapte binnen en keek naar de bergen natte maïs. 'We kwamen alleen maar even langs om jullie gedag te zeggen,' zei hij.

De dominee en zijn vrouw gingen voor het vuur staan. Ik wist niet wat ik moest zeggen. Mijn handen waren vuil en koud, en mijn jurk zat onder de modder. De dominee warmde zijn handen aan het vuur. 'Ik ben hier om jullie gelukkig nieuwjaar te wensen en om jullie nogmaals uit te nodigen naar de kerk te komen,' zei hij.

Ik had mezelf altijd als een gelovig iemand beschouwd en niet als iemand die moest worden vermaand en bekeerd. Ik wist dat Hank ook zo over zichzelf dacht. Maar in Gap Creek waren we nieuw voor de gemeenschap, nieuw voor het huwelijk en nieuw voor elkaar, en waren we niet naar de kerk gegaan. Ik besefte ineens dat dominee Gibbs en de mensen van Gap Creek waarschijnlijk zouden denken dat we goddeloos waren. Ze kenden ons helemaal niet.

'We kennen niet veel mensen in Gap Creek,' zei ik.

'Kom dan naar de kerk en maak kennis met je buren,' zei de dominee.

'Als God overal is, kun je bidden waar je ook bent,' zei Hank. 'Ik kan net zo goed in de schuur bidden als in de kerk.'

'Maar in de kerk maken we elkaar sterker en steunen we elkaar. De kerk is de familie van Christus,' zei dominee Gibbs.

'Ik zou het nieuwe jaar niet zonder God durven beginnen,' zei Mrs. Gibbs.

Ik was een beetje gekrenkt door de manier waarop ze praatten, maar tegelijkertijd voelde ik me gevleid omdat ze op oudejaarsdag helemaal naar ons toe waren gekomen om ons opnieuw voor een kerkdienst uit te nodigen. Het ergerde me dat ze op ons neerkeken alsof we een stelletje zondaren waren. Dominees kijken altijd neer op mensen die ze proberen te bekeren. Maar ik stelde het op prijs dat ze ons aandacht schonken. Tot nu toe was het vreselijk eenzaam geweest in Gap Creek.

'We hebben het zo druk gehad, dat we geen tijd hadden om ergens heen te gaan,' zei ik.

De dominee keek naar de bergen maïs op de vloer. 'Het baat niet om je schatten in deze wereld te vergaren,' zei hij. Het was een beetje alsof hij mijn gedachten kon lezen.

'We proberen alleen maar een beetje maïs te redden om de winter door te kunnen komen,' zei ik.

'Na nieuwjaarsdag duurt het nog maar twee en een halve maand voor het lente is,' zei Mrs. Gibbs.

'Dat is de zwaarste tijd van het jaar,' zei Hank.

'We moeten een nieuwe koe zien te krijgen,' zei ik.

'God geeft wat we nodig hebben wannéér we het nodig hebben,' zei dominee Gibbs.

'Helpt u zelf, zo helpt u God,' zei Mrs. Gibbs.

'Ik denk dat christenen even hard moeten werken als ieder ander,' zei Hank.

'Ze moeten even hard werken,' zei de dominee, 'maar het betekent meer.' Het viel me op dat hij niet zei dat christenen het leuker vonden om te werken of het makkelijker hadden. Maar toen hij zei dat hun werk meer betekende, klonk dat meer dan alleen maar geklets. Het klonk als de waarheid, of in elk geval de waarheid zoals híj die zag. Ik had nooit een dominee als dominee Gibbs ontmoet. Hij was helemaal naar ons toe komen lopen om ons nogmaals te bezoeken en uit te nodigen voor de kerkdienst op nieuwsjaarsdag. En hij scheen echt na te denken over wat hij zei. Hij was een man met zilver in zijn haar en rood in zijn wangen. Hij was boer zoals iedereen in Gap Creek. Hij zag eruit alsof hij vaak buiten had gewerkt, in weer en wind.

Ik voelde dat wat de dominee zei, precies was waar het om ging. 'We zullen proberen morgen naar de kerk te komen,' zei ik.

'Jullie zijn van harte welkom,' zei Mrs. Gibbs.

'We zullen probéren te komen,' zei Hank. Hij keek me aan alsof ik te voorbarig was geweest.

'Meer kan ik niet vragen,' zei dominee Gibbs.

Toen ze weg waren zei Hank: 'Misschien moet je in je eentje naar de kerk.'

'Wil je dan niet mee?' vroeg ik.

'Ik ken niemand,' zei Hank. 'En misschien gaan we hier tóch weg!'

'Dit is dé manier om mensen te leren kennen,' zei ik. Maar het was vreemd om mezelf zo tegen Hank te horen praten, want híj was degene die makkelijk contact maakte. Veel makkelijker dan ik. Hij hield ervan om naar de kerk te gaan. Hij hield ervan om in de kerk te zingen. Het kwijtraken van zijn baan, de zorgen om de komst van de baby, het verlies van zijn geld en zijn schaamte over de manier waarop hij zich tijdens de overstroming had gedragen maakten hem afstandelijk. Ik moest hem helpen. De nacht van de overstroming had hem zijn zelfvertrouwen ontnomen.

'We kunnen het proberen,' zei ik. 'Als de mensen niet vriendelijk zijn, hoeven we niet terug te gaan.'

De volgende dag was koud en helder. Op sommige plekken was de grond met ijs bedekt. Nieuwjaarsmorgen geeft een apart gevoel. Het is alsof je met een schone lei begint. In steden vieren ze nieuwjaar om twaalf uur 's nachts. Maar ik vind dat het nieuwe jaar bij zonsopgang begint, in het nieuwe licht van de morgen. Het vroege licht op nieuwjaarsdag ziet er anders uit, en de lucht voelt anders. Ik stel me altijd voor dat ik vers hout en verse dennennaalden ruik. Ik zette koffie en maakte gort en eieren. Ik wist dat ik naar de kerk moest. Het was de eerste dag van de nieuwe week en de eerste dag van de nieuwe eeuw.

'We zullen de buggy nemen,' zei Hank. Ik was bang geweest dat ik in mijn eentje naar de kerk moest lopen, maar waarschijnlijk had hij er 's nachts over nagedacht en had hij zich bedacht. Ik maakte een paar stenen in de open haard warm om ze op de vloer van de buggy te leggen, zodat onze voeten warm bleven. Ik trok mijn overjas aan en bond een sjaal om mijn hoofd. Toen vertrokken we naar het kruispunt, waar de kerk stond. Hank moest langzaam rijden, vanwege alle kuilen en voren in de weg. Onze adem dampte in de bitterkoude lucht.

Sinds de begrafenis van Mr. Pendergast was ik niet meer in het kerkje van Gap Creek geweest. Het was niet groter dan een kapel en gemaakt van gewitte dakspanen. Buiten stonden grote, oudere jongens pijp te roken, zoals altijd voor het begin van een kerkdienst. Ze knikten of tikten de rand van hun hoed aan toen we hen passeerden.

Het was alsof iedereen in de kerk zich omdraaide om naar ons te kijken toen we binnenkwamen. Ik wist dat Hank niet in het koor aan de linkerkant wilde zitten, bij de meeste oudere vrouwen. En ik nam aan dat we niet rechts vooraan, onder de preekstoel, zouden plaatsnemen. We liepen over het middenpad. Halverwege bleef Hank staan. We gingen aan de rechterkant zitten. Ik schat dat er aan elke kant niet meer dan twaalf banken waren.

Het was zo lang geleden dat we naar een kerkdienst waren geweest, dat ik me gespannen voelde, alsof ik niet wist wat ik moest verwachten. Het is dwaas om je zorgen te maken, want het is gewoon een eredienst op nieuwjaarsdag, zei ik tegen mezelf. Maar ik had het gevoel dat er iets belangrijks stond te gebeuren. Ik raakte mijn maag aan en hoopte maar dat ik niet misselijk zou worden.

Een man met krullend, grijs haar en rode mouwophouders

stond op. Hij hield een liedboek in zijn hand. Hij wendde zich tot de vrouw die achter het orgel zat en riep: 'Nummer 243, *Let the Lower Lights Be Burning.*' Ik sloeg het gezangboek open dat op de bank lag, en de organiste begon te spelen. Ik was er vrij zeker van dat ze Linda Jarvis heette. Ik had in geen maanden muziek gehoord, behalve wat ik op kerstavond met Hank had proberen te zingen. De orgelklanken vulden het kerkje alsof ze diep uit de grond kwamen. De lagere tonen klonken als de wind die door een grot speelde, en de hogere tonen waren als zingende vogels in de lucht.

Wat is muziek toch prachtig, dacht ik. Ik was vergeten hoe goed muziek is in een openbare ruimte. Het was maar een klein orgel, maar er was zoveel kleur in de klanken. Ik zag paarse, blauwe en groene tinten in de lucht.

Toen de voorzanger begon te zingen en we ons bij hem aansloten, besefte ik dat ik vergeten was hoe mooi samenzang klonk. Sommige stemmen waren mooi en andere stemmen waren minder mooi. Maar als ze allemaal in de kerk werden samengevoegd, was het iets anders. Alle stemmen vermengden zich en hielpen elkaar één harmonieus geheel te vormen. Samen leken de stemmen op te stijgen. Ze gaven je het gevoel dat de kerk werd opgetild.

Ik besefte dat ik het zingen heel erg had gemist. Ik had het gemist om met andere mensen te zingen en ik had het gemist om God in mijn lied te loven en te danken. Hank zat naast me te zingen.

Toen het lied uit was, begon de dominee te bidden. 'Heer, maak ons dankbaar voor het voorrecht dat we deze nieuwe dag, dit nieuwe jaar en deze nieuwe eeuw kunnen zien,' zei hij. 'Maak ons dankbaar voor het voorrecht dat we leven, voor het voorrecht van uw aanwezigheid en uw zegen. Maak ons dankbaar voor uw liefde, die u onvoorwaardelijk over ons, onwaardige mensen, uitstort. Help ons in wijsheid te groeien in dit nieuwe jaar en deze nieuwe eeuw. Help ons uw gezicht te zien en uw liefde in de gezichten van de mensen om ons heen, waar we ook kijken in de wereld. Want er is geen plek waar uw liefde ons niet is voorgegaan.'

Het was het beste gebed dat ik ooit had gehoord. Het was

het soort gebed dat ik zelf graag had willen maken, als ik dat kon. Het was een gebed dat speciaal voor mij bedoeld was. Als dominee Gibbs mijn gedachten had kunnen lezen en in mijn hart had kunnen kijken, zou hij niet beter tegen me hebben kunnen spreken.

'We zingen het volgende lied,' zei dominee Gibbs. De voorzanger stond weer op. '*We Are Going Down the Valley*,' kondigde hij aan.

We dalen een voor een af naar de vallei
Met ons gezicht naar de zonsondergang
Naar de vallei waar de treurige cipressenboom groeit,
Waar de doodsrivier in stilte stroomt.
We dalen af naar de vallei, dalen af naar de vallei,
We gaan naar het ondergaan van de zon.
We dalen af naar de vallei, dalen af naar de vallei,
dalen een voor een af naar de vallei.

Toen het lied uit was ging dominee Gibbs op de kansel staan, die gemaakt was van doodgewone planken met een oud laklaagje. 'Vandaag lees ik u twee korte teksten voor,' zei hij. 'Het ene is uit Mattheüs en het andere is uit Openbaringen. '*Gaat dan henen, maakt al de volken tot mijn discipelen en doopt hen in de naam des Vaders, des Zoons en des Heiligen Geestes en leert hen onderhouden al wat Ik u bevolen heb. En zie, Ik ben met u al de dagen, tot aan de voleinding der wereld.*'

De dominee bladerde door naar de allerlaatste bladzijden van zijn bijbel.

'*En de Geest en de bruid zeggen: Kom! En wie het hoort, zegge: Kom! En wie dorst heeft, kome, en wie wil, neme het water des levens om niet.*'

De dominee las met een langzame, kalme stem. Hij maakte dat elk woord sprankelde, alsof het iets levends was dat hij omhoog hield in het licht. Ik had die woorden eerder gehoord, maar ze hadden nooit zo krachtig geklonken.

'Dit zijn de woorden waarover ik op deze nieuwsjaarsdag wil nadenken,' zei dominee Gibbs. 'Dit zijn de woorden van de grote belofte van Immanuel, en het Grote Verbond. *En zie, Ik ben met u al de dagen, tot aan de voleinding der wereld.* Dat is wat ik u vandaag wilde zeggen, dat hij bij ons is. Hij is bij ons hier in Cap Creek in de staat South Carolina. Hij is bij ons in de lucht van deze kerk, en hij is bij ons in het zonlicht van nieuwjaarsdag.

God is bij ons als we aan het werk zijn. Hij is bij ons als we de koe melken of hout hakken. Hij is bij ons als we slapen en als we ziek zijn. Hij is bij ons in de stille, kleine uurtjes, en hij is bij ons in het uur van onze dood. Hij houdt ons vast als we verdriet hebben, en hij is bij ons als we blij zijn. Hij is bij de moeder die haar kind zoogt, en hij is bij de moeder die haar kind verliest.

God is in eeuwigheid, maar hij is ook in tijd bij ons. Hij is elk uur, elke minuut en elke seconde aanwezig. De zegen van zijn aanwezigheid is in elk moment en de gedachte aan elk moment. God is in de volheid van de herinnering en in de volheid van de hoop voor de toekomst. God is in de belofte van morgen. In de laatste woorden van Openbaringen, in de laatste woorden van de bijbel, in de laatste woorden sprak de Heiland over de wederkomst. Hij zegt tegen ons dat er verlossing is voor ieder die dat aanvaardt. Verlossing is niet alleen voor de uitverkorenen of de beste mensen of goede mensen. Verlossing is voor de zondaren en voor degenen die bang zijn en worden vervolgd. Verlossing is voor degenen die lijden, voor degenen die invalide zijn, lichamelijk en geestelijk. Verlossing is voor de leugenaar en de echtbreker, voor de godslasteraar. Verlossing is voor ieder die dorst heeft en het water des levens wil nemen om niet.'

Wat dominee Gibbs zei verklaarde iets wat ik me altijd al had afgevraagd. Waarom zou God zoveel mensen van de hemel uitsluiten als hij van iedereen hield, zoals de meeste dominees beweerden? Als alleen goede mensen naar de hemel konden gaan, zou daar nauwelijks iemand zijn.

'Verlossing is niet iets waar je erg naar moet zoeken,' zei dominee Gibbs. 'Verlossing is er voor ieder die de verlossing aanvaardt. Verlossing is gratis als de lucht en het zonlicht en het water in de bron. Verlossing is dichtbij als het stof onder onze voeten en vruchtbaar als nieuwe grond in april. Verlossing is hier en nu. Niet in een vage toekomst. Het enige dat u hoeft te doen is de verlossing aanvaarden.'

Ik had nog nooit zo'n goede dominee als dominee Gibbs gehoord. Hij sprak kalm, alsof hij nadacht over alles wat hij zei. Hij praatte bijna zachtjes. Hij schreeuwde niet en sloeg niet op de kansel. Hij stak geen tirade over het hellevuur af, zoals veel dominees deden. Hij sprak alsof hij vanuit zijn hart tegen je sprak, en alsof hij je respecteerde. Hij sprak alsof hij tegen gelijken sprak, en hij sprak alsof hij rechtstreeks tegen jou sprak. Hij sprak alsof hij je zorgen al begreep. En hij sprak alsof hij in je geloofde, en je wilde opvrolijken en je niet nóg banger maken. Aan de manier waarop hij sprak kon je merken dat hij respect voor andere mensen had. Hij probeerde zijn best te doen de waarheid te vertellen en mensen vertrouwen te geven.

'Als er mensen zijn die naar voren willen komen en op deze nieuwjaarsdag hun leven in dienst van Jezus willen stellen, zal ik met hen bidden en me met hen verheugen,' zei dominee Gibbs. 'Het enige waarvoor we ons moeten schamen is het niet aanvaarden van zijn liefde. We zijn hier in de gemeenschap van de Heilige Geest, en iedereen is welkom.'

De voorzanger stond op. De organiste begon te spelen. *Just As I Am*. Het was doodstil in de kerk. Er hing een enorme spanning in de lucht. Ik voelde dat het tijd voor me was een nieuwe geloofsbelijdenis af te leggen. Hoewel ik gedoopt was en lid van de kerk op de berg, was het tijd dat ik me als een klein kind vernederde en mijn behoefte aan een nieuw verbond met de Heilige Geest bekende.

'Als de Heilige Geest u raakt, kom dan naar voren,' zei de dominee. 'Begin een nieuw leven met het nieuwe jaar. We gaan een eeuw binnen van de telefoon, van stoom en van snelheid. Bent u daar klaar voor?' Ik stond op en ging op het middenpad staan. Ik had het gevoel dat ik gleed. Ik kon amper mijn voeten voelen bewegen. Ik denk dat Hank een hand uitstak om me tegen te houden, maar toen liet hij mijn elleboog los. Terwijl ik naar voren liep voelde ik dat alle ogen op me waren gericht. Ik werd door hun aandacht voortgeduwd. Het was lang geleden dat er door zoveel mensen naar me was gekeken. Maar ik deed wat ik moest doen. Ik liep langzaam naar de voorkant van de kerk en knielde voor het altaar neer.

'We zullen met deze zuster bidden,' zei dominee Gibbs. Ik

legde mijn handen op het gelakte hout van het altaar, alsof ik een balustrade vasthield. De lucht werd verwarmd door de houtkachel links, vóór het koor. De lucht was warm en rook naar brandend eikenhout.

Ik heb me altijd afgevraagd wat mensen bedoelen als ze zeggen dat ze bekeerd zijn of aangeraakt door de Heilige Geest. De pinkstergelovigen hebben het over de doop van het vuur. Sommige mensen, zoals Paulus in de bijbel, hebben het over het zien van een verblindend licht, en predikers hebben het over gewassen worden in het bloed. Ik heb gehoord van vrouwen die flauwvielen, en ik heb gehoord van vrouwen die dansten en schreeuwden en in tongen spraken, zoals Ginny Powell in Green River. Maar ik wist niet wat ik moest verwachten. Iets ontroerde me, maar ik was vrij om te doen wat ik wilde, en wat ik wilde was mijn leven weer in dienst van God stellen.

'Heer, we zijn hier om ons leven aan u te geven,' zei dominee Gibbs. 'We zijn onvolmaakt en soms verward. Maar we weten dat alleen in uw wil en in uw liefde veiligheid is en troost. Geef ons vrede en geef ons het geduld om in vrede te leven en uw liefde te aanvaarden.'

Terwijl de dominee sprak, besefte ik dat het helemaal niet zo moeilijk was om nederig te zijn en het geschenk van het leven te aanvaarden, om de toekomst onder ogen te zien, om kalm naar de toekomst te kijken. Het was anders dan het spreken in tongen, en het was anders dan het soort waanzin en vervoering waar je weleens van hoort. Het was het zachte stemmetje dat ik wilde horen. Ik wilde niet door gevoelens worden verscheurd. Ik wilde kalm en open en wijs zijn, als het licht op nieuwjaarsmorgen.

Terwijl ze achter me nog een vers van het gezang zongen, bad ik in stilte. God, zei ik, maak me waardig een kind te krijgen en het groot te brengen. Het leven met Hank zal zwaar zijn, zoals ieders leven zwaar is. Geef me de kracht het leed het hoofd te bieden en het op te eten als brood. En geef me het verstand om vreugde te kennen en vreugde te aanvaarden. Want ik weet dat ik zwak ben en me niet in mijn eentje staande kan houden. Leer me te aanvaarden wat me wordt gegeven.

Toen het zingen ophield, pakte dominee Gibbs mijn hand

en hielp me overeind. 'Zuster Julie,' zei hij, 'aanvaard je Jezus als je persoonlijke Verlosser?'

'Ja,' zei ik. Het klonk als een huwelijksgelofte.

'Stel je je leven in dienst van zijn wil, zijn glorie en zijn werk?' vroeg de dominee.

'Ja.'

'Wil je deel uitmaken van deze gemeente?'

'Ja,' zei ik. Ik had niet nagedacht over het lidmaatschap van de kerk. Ik had alleen maar gedacht aan het opnieuw in dienst stellen van mijn leven aan God. Maar ik wist dat ik het moest doen. Aangezien ik in Gap Creek woonde, moest ik tot de kerk van Gap Creek behoren en lid van de gemeente zijn.

Wat ik voelde terwijl ik naar de gezichten van de gemeenteleden keek, was geen razende wervelwind of een lichtflits. De vreugde die ik voelde was kalm als de muziek die ik achter me hoorde, krachtig en helder. De gezichten die naar me keken waren niet die van heiligen, maar van doodgewone mensen. En dat was de gemeente waarvan ik deel wilde uitmaken, doodgewone mensen zoals ik. Ik hoefde geen deel uit te maken van een speciale groep. Ik was slechts een zondaar die genade had aanvaard, en ik had de broederschap van andere zondaren nodig.

'Zullen we de deuren van de kerk openen?' riep de dominee. Er werd geknikt en een paar diakenen zeiden ja. 'Wie heeft hier bezwaar tegen?' schreeuwde de dominee. Niemand reageerde.

'Ben je hier om belijdenis van je geloof af te leggen?' vroeg dominee Gibbs.

'Ja,' zei ik.

'Laten we allemaal naar voren komen en zuster Julie de rechterhand van broederschap geven,' zei dominee Gibbs.

Ik stond naast de dominee terwijl de organiste speelde. *By Jordan's stormy Banks*. Een voor een kwamen de mensen naar voren. De vrouwen in het koor kwamen eerst. Sommigen schudden mijn beide handen en keken me aan. Anderen gaven me slechts een hand en keken me niet aan. Sommige oudere vrouwen gaven me een knuffel, en sommige jongere vrouwen hadden tranen in hun ogen. Ik keek hun recht in het gezicht.

Gewoonlijk keek ik vreemden niet recht in het gezicht. Maar ik wilde dichter bij hen staan en dicht bij hen zijn. Ik wilde vlak bij mensen zijn. Er kwamen jonge jongens naar voren, zo jong dat je niet echt zou denken dat ze leden van de kerk waren. Ze keken me niet aan. Ze gaven me een hand met afgewend hoofd en gingen snel weer weg. Sommige grote, oude jongens die uit hun kleren waren gegroeid zodat hun broek slechts tot hun enkels reikte, grijnsden en keken of ze me graag wilden kussen als ze dat durfden. En oudere mannen in werkbroeken en flanellen hemden die bloosden omdat ze niet gewend waren de hand van een jonge vrouw te schudden, kwamen naar voren en hielden mijn hand even vast. De enige volwassen persoon in de kerk die niet naar voren kwam was Hank. Hij stond helemaal alleen en keek naar de bank voor hem.

Als laatsten kwamen de diakenen en de ouderlingen. Sommigen waren erg oud. Ze strompelden met hun stok naar de voorkant van de kerk. Sommigen hadden lange, witte baarden met vlekken van tabakssap rond hun mond. Anderen hadden zich een week niet geschoren en zagen er grauw uit. En weer anderen waren glad geschoren. Hun gezichten waren verweerd, als schoenleer. De ogen van sommige oude mannen fonkelden, alsof ze jonge jongens waren die naar een knap meisje keken. En de ogen van anderen waren dof en troebel, alsof ze niet zo goed konden zien en het zelfs niet probeerden.

Terwijl ik iedereen een hand gaf, had ik een zoet, kalm gevoel. Ik voelde me veilig in hun nabijheid. Ik voelde de warmte van hun aandacht en hun aanvaarding van mij. De kerk was een warme, uitnodigende plek. Op de koude januaridag was het de warmste plek, de plek van broederschap met de gemeente. Het was de plek van muziek, de muziek van verbondenheid.

Toen ik weer naast Hank zat, keek hij me niet aan. Hij keek recht voor zich uit, alsof hij niet wist dat ik er was. Ik vroeg me af waarom hij zo deed. Uiteindelijk was hij lid van de kerk in Painter Mountain, en hij was gedoopt en hij hield van gezangen zingen en vond het fijn om voor te gaan in gebed. Hij staarde naar de donkere hoek van de kerk alsof het hem niets kon schelen, of hij dacht nog steeds aan de nacht van de overstroming.

Nadat ik me bij de kerk had aangesloten, had ik het meer naar mijn zin in Gap Creek. We hadden geen geld. We hadden geen koe. En Hank had geen werk. Maar in de kerk van dominee Gibb was een gevoel van saamhorigheid. Met de steun van andere mensen kun je de zwaarste tijden overleven. In feite, alléén met de steun van andere mensen! Vroeger, toen ik thuis woonde, was ik altijd door mama en mijn zussen geholpen. Ik had het nog nooit helemaal alleen hoeven doen.

Telkens wanneer ik naar de kerk ging, naar een eredienst, een bidstond of een zangdienst, voelde ik me beter. En wanneer een van de vrouwen van de kerk, Mrs. Gibbs, Elizabeth Rankin of Joanne Johnson op visite kwam en in de keuken of bij de open haard met me zat te praten, voelde ik me weer mens. Een vrouw moet een vriendin hebben om mee te praten.

'Ik wist niet dat je lid wilde worden van de kerk,' zei Hank. 'Betekent dat dat je denkt dat we hier zullen blijven?'

'De mensen zijn ontzettend aardig,' zei ik.

'Als dat zo is, waarom helpen ze ons dan niet de erfgenamen van Mr. Pendergast te vinden?' vroeg hij.

Soms gedroeg Hank zich alsof het hem niets kon schelen wat er gebeurde, maar hij maakte zich best wel zorgen over de toekomst. We konden ons niet veroorloven te verhuizen, tenzij hij een nieuwe baan had. En we konden alleen maar in het huis blijven tot de echte eigenaren kwamen opdagen. Al die onzekerheid putte Hank uit, evenals zijn bezorgdheid om de baby die op komst was. Het was typisch iets voor een man om wel zijn bezorgdheid te tonen maar over de oorzaak van zijn woede zo goed als te zwijgen.

Vier weken nadat ik lid van de baptistenkerk in Gap Creek was geworden, sloot Hank zich bij de kerk aan. Ik wist dat hij van gedachten zou veranderen, omdat hij het net zo fijn vond als ik om naar de kerk te gaan en te zingen. En ik wist dat hij van gedachten zou veranderen zonder het me te vertellen, dat hij niet toe zou geven dat hij het mis had, maar gewoon zijn gang zou gaan en lid van de kerk zou worden. Ik wist zo langzamerhand wel hoe Hank in elkaar stak. Ik had verwacht dat hij het zo zou doen, en dat gebeurde ook.

Het was eind januari. We woonden een kerkdienst bij, hoewel de weg bevroren was en er ijs in de plassen lag en langs de randen van de kreek. De kerk werd verwarmd door het kacheltje vóór het koor. De lucht was gevuld met de geur van heet metaal en brandend eikenhout, en met de stem van de dominee. Toen dominee Gibbs een oproep deed om naar het altaar te komen, stond Hank op en liep door het middenpad naar de voorkant van de kerk. Het leek of hij het al dagen van plan was. Hij had een besluit genomen zonder mij in te lichten. Zo was hij gewoon.

Hank knielde niet voor het altaar neer om te bidden. Hij bleef voor de dominee staan en zei iets tegen hem. Ik zag dat hij zijn hand uitstak, alsof hij de dominee een hand wilde geven, alsof hij had gezegd dat hij zich door zijn geloofsbelijdenis bij de kerk wilde aansluiten. En toen zag ik hem voorover vallen, alsof hij op de schouder van de dominee wilde leunen. Ineens zag ik hem niet meer.

Ik moet hebben geschreeuwd, want ik hoorde iemand schreeuwen toen ik het middenpad af rende om te kijken waar Hank op de vloer was gevallen. Ik had een dreun gehoord, alsof een blok hout door een steen was geraakt. Het moest Hanks hoofd zijn geweest dat de vloer raakte. Hij lag languit op zijn buik voor het altaar. Het leek of hij was flauwgevallen. Ik boog me over hem heen. De dominee rolde hem op zijn rug. 'Hank,' zei de dominee.

Hanks gezicht was lijkbleek, en zijn ogen waren dicht. Ik vroeg me af of hij dood was of een soort toeval had. 'Achteruit, mensen,' zei de dominee. Het zingen was opgehouden en de mensen waren toegesneld om naar Hank te kijken.

'Geef hem wat water,' zei dominee Gibbs. Iemand vulde een scheplepel met water uit de emmer achter in de kerk. De dominee tilde Hanks hoofd op. Ik bracht de lepel naar Hanks lippen.

'Wakker worden, Hank,' zei ik terwijl ik de lepel tegen zijn mond hield. Er droop water langs zijn kin. Hank opende zijn ogen, en er kwam weer wat kleur op zijn wangen. Hij keek geschrokken toen hij alle mensen zag die naar hem keken.

'Achteruit,' zei de dominee. Hij zwaaide met zijn linkerarm.

'Wat...' zei Hank.
'Waarschijnlijk ben je flauwgevallen,' zei ik. 'Neem een slok water.'
'Ik wil niets drinken,' zei Hank. Hij legde zijn handen op de grond om zich omhoog te duwen. De dominee en ik hielpen hem overeind. Op zijn voorhoofd zat een rode vlek die al een buil aan het worden was. Hank haalde diep adem, alsof hij na een vechtpartij kalm probeerde te worden. Hij grijnsde en voelde zich duidelijk opgelaten. Alle mensen keken naar hem. Het was onmogelijk aan hun aandacht te ontsnappen.
'Broeder Hank heeft gevraagd of hij zich bij onze kerk mocht aansluiten door geloofsbelijdenis te doen,' zei de dominee. 'Zijn jullie vóór zijn lidmaatschap?'
'Ja!' riepen enkele stemmen.
'Wie heeft hier bezwaar tegen?' schreeuwde de dominee.
Niemand reageerde. De dominee verklaarde dat de motie was aangenomen. 'Kom allemaal naar voren en geef broeder Hank de rechterhand van broederschap,' zei hij. Hij gebaarde naar Linda Jarvis, de organiste. Ze begon te spelen. *Bringing in the Sheaves*.
De mensen gingen in een rij staan en kwamen naar voren om Hank een hand te geven. Hij glimlachte, want hij wist niet wat hij anders moest doen nadat hij in het bijzijn van de hele gemeente in katzwijm was gevallen. Maar ik denk dat hij ook opgelucht was. Net als ik wilde hij zingen en bidden met de leden van de gemeente. Hank hield ervan om een gebed uit te spreken, en hij wist net zo goed als ik dat het beter was met anderen te zingen dan er zwijgend bij te staan.

Hoofdstuk 11

Het was goed dat Hank en ik ons bij de kerk hadden aangesloten en steun van de kerk kregen, want die winter werd het allemaal nog moeilijker. In de loop van februari vroor het dat het kraakte. Het deed me aan Koude Vrijdag denken.

De zon kwam op maar het hielp niet veel. De zon was klein en koud in de hemel, als het puntje van een ijspegel. De grond was hard als staal. Het was zo koud, dat er ijsbloemen op de vensterruiten groeiden, ondanks het vuur in de open haard. Het was zo koud, dat de modderplassen en de lager gelegen delen van de weg keihard waren.

'Het kan niet lang zo koud blijven,' zei Hank toen hij met een rood gezicht en rode handen binnenkwam.

'En als het nu eens gaat sneeuwen?' vroeg ik.

'Het is te koud om te sneeuwen,' zei Hank.

'Hoe kan het nu te koud zijn om te sneeuwen?' zei ik.

'Het kan niet sneeuwen als de temperatuur onder nul is,' zei Hank.

Bijna al onze aardappels waren onbruikbaar geworden, evenals een deel van de ingemaakte spullen. Bijna al het vlees op de onderste planken van het rookhok was rot geworden door de overstroming. In het begin van februari moesten we bijna alles opeten wat er nog van het vlees over was. De koe was dood en er was geen melk of boter. Hank vond het veel te koud om de berg op te klimmen en op kalkoenenjacht te gaan.

'Alles houdt zich schuil in het struikgewas,' zei Hank.

We hadden alleen nog maar wat maïsmeel, gort en een beetje vlees. Maar we hadden bijna geen koffie en suiker meer en anderen dingen die gekocht moesten worden. We hadden slechts een paar cent. Vroeg in februari begon mijn buik zichtbaar dikker te worden. Iedereen kon zien dat ik een kind verwachtte.

'Je zou meer moeten eten,' zei Hank.

'Ik eet genoeg,' zei ik.

'Je moet meer eten om een sterke baby te krijgen,' zei Hank.

Waar ik hevig naar begon te verlangen in het koude weer was jam, warme broodjes en koude jam. Ik had alle jam opgegeten die mama aan Lou en Garland had meegegeven. Er stonden nog potten bramenjam, druivenjam en appeljam in de kelder, maar niet veel. Ik bracht ze een voor een naar boven, stofte ze af en at drie keer per dag jam. Ik moest me dwingen niet tússen de maaltijden jam te eten. Ik deed jam op maïsbrood, en ik deed jam op havermout. Ik verlangde zo naar jam, dat ik het wel met een lepel had kunnen eten. Ik dacht constant aan de koele, trillende zachtheid van jam die op mijn tong smolt. Jam is niet vloeibaar, zoals honing of stroop. Jam is zachte robijnen of amber. Jam leeft bijna. Ik snakte zo naar jam, dat ik het op gort deed en op maïsmeelpap toen ik geen meel meer had om broodjes te bakken. Ik was zo dol op jam, dat ik op alles wat ik at jam smeerde.

Ik droomde over jam en stelde me voor dat ik jam met boter en geroosterd brood at, lang nadat we geen boter meer hadden. Ik droomde dat ik jam at en melk dronk, en dat was heel goed voor de baby. Ik droomde over jam en was bang dat de jam op zou raken voordat de baby was geboren. Ik telde de potten. Er waren er nog maar vier.

Op de vierde dag van de koudegolf, toen de hemel zo helder was als een grote luchtbel waar de zon op scheen, werd er op de deur geklopt. Ik vroeg me af wie er buiten stond in de vrieskou. Ik hoopte dat het niet Timmy Gosnell was. Het waren Elizabeth Rankin en Joanne Johnson. Ze hadden sjaals om hun hoofd en hun gezicht gebonden. Ze hadden een vuurrode neus.

'Kom binnen vóór jullie doodvriezen,' zei ik. Toen ik de deur had gesloten, voelde ik de kou die van hun jas afkwam. Ik bracht ze naar de open haard.

'We wilden even kijken hoe het met je gaat,' zei Elizabeth, met een blik op mijn buik.
'Ik heb al mijn krachten nodig om warm te blijven,' zei ik. Toen vroeg ik of ze niet wilden gaan zitten.
Met hun jas aan namen ze plaats. 'We kunnen maar heel even blijven,' zei Joanne.
'Ik ben dolblij met jullie komst,' zei ik.
Elizabeth maakte haar jas open en haalde een zak te voorschijn die ze eronder had gedragen. 'Hier zijn een paar babyspullen die je volgens mij wel zou kunnen gebruiken,' zei ze. Ze opende de zak en haalde er een klein, flanellen jasje uit dat klein genoeg leek voor een pop.
'Het meeste is voor een grotere baby,' zei Elizabeth. 'Maar je zult een paar dingen nodig hebben voor als het pas is geboren.'
'En omdat het geel is, kun je het zowel voor een jongen als voor een meisje gebruiken,' zei Joanne. Ik pakte het jasje beet. Het was niet groter dan een handschoen. Het flanel was zacht als fluweel.
Elizabeth stak opnieuw haar hand in de zak en haalde er een jurkje, nóg een jasje en een mutsje uit. 'Mijn Jessie heeft deze kleren een paar jaar geleden gedragen, maar ze zijn zo goed als nieuw,' zei ze.
'Ik ben jullie heel dankbaar,' zei ik. Ik voelde dat mijn ogen vochtig werden. Ik had nooit veel vriendinnen gehad en ik was ontroerd dat ze me de babykleertjes waren komen brengen in de ijzige kou. Ze maakten de koude februarimaand zoeter, en ze maakten de warmte van het vuur zoeter.
Joanne haalde iets uit haar zak dat in vloeipapier was gewikkeld. 'Ik heb dit voor je meegebracht,' zei ze. Het waren twee gebreide schoentjes en een bijpassend mutsje. Ze waren gemaakt van glanzend, lavendelblauw garen, in een patroon dat me deed denken aan een afbeelding van gebrandschilderde ramen die ik eens had gezien.
'Ik denk dat deze kleur zowel voor een jongetje als voor een meisje geschikt is,' zei Joanne. Haar vingers waren zo ruw en opgezwollen, dat het moeilijk moest zijn om te breien. Ik boog me voorover en gaf haar ontroerd een knuffel.

'Jullie hebben me een boel werk bespaard,' zei ik.

'Als er een baby komt, heeft een vrouw geen tijd om kleren te maken,' zei Elizabeth.

Ik ging zitten, met de babykleertjes op schoot. Ik keek ernaar en streelde het zachte flanel en het warme, gebreide garen van het mutsje en de schoentjes.

'Verlang je naar zure of naar zoete dingen?' vroeg Joanne.

Ik durfde niet te zeggen dat ik naar beide verlangde, omdat het zo dwaas klonk.

'Soms verlangt een vrouw naar zoute dingen,' zei Elizabeth.

'Daar heb ik nog nooit van gehoord,' zei Joanne.

'Ik ben altijd al een zoetekauw geweest,' zei ik giechelend.

'Nou, ik heb dit voor je meegebracht,' zei Elizabeth. Ze haalde iets donkers uit haar jaszak. Het was een pot jam. 'Dit is kersenjam,' zei ze.

'Hoe wist je waar ik naar verlang?' riep ik uit.

'Het was maar een gok,' zei Elizabeth. 'Ik weet nog hoe hevig ik naar jam verlangde.' Ze had rimpels in haar gezicht en ze had een paar grijze haren, maar ze zag er heel tevreden uit, zoals mensen eruitzien wanneer ze iemand iets geven of iemand blij maken.

Kersenjam had ik in geen jaren gehad. Het was anders dan bramenjam, druivenjam en appeljam. Ik had zin de jam meteen naar binnen te werken. Elizabeth had niets kunnen meebrengen waar ik blijer mee was geweest. 'Hoe kan ik je bedanken?' zei ik.

'En ík heb dít voor je meegebracht,' zei Joanne. Ze haalde een pot uit haar jaszak. De pot leek bijna zwart, maar toen ik hem in het licht van het haardvuur hield zag ik dat de inhoud donkerrood was.

'Frambozen,' zei Joanne.

Ik zette de twee potten op de schoorsteenmantel. Toen draaide ik me, met tranen in mijn ogen, naar Joanne en Elizabeth om en zei: 'Ik weet niet hoe ik jullie moet bedanken.'

'Het zijn maar een paar afgedankte kleren en een beetje jam,' zei Elizabeth.

'De beste manier om ons te bedanken is het krijgen van een gezonde baby,' zei Joanne.

'De wereld zou niet zo lang hebben bestaan als vrouwen elkaar niet hielpen,' zei Elizabeth.

'De wereld zou een betere plek zijn als mensen elkaar meer hielpen,' zei Joanne.

Ik hield de babykleertjes een voor een omhoog. 'Jullie zijn ontzettend lief voor me,' zei ik.

'Dat is wel het minste wat we kunnen doen,' zei Elizabeth.

Toen ik die nacht in bed lag bleef ik maar denken aan het feit dat Joanne en Elizabeth zo aardig voor me waren geweest. Het maakte dat ik me volwassen voelde en óók aardig, omdat ze me zo behandelden. Het maakte dat ik me groter voelde. Ze maakten dat ik nóg aardiger wilde zijn.

Er was een knal, als een geweerschot, niet zo ver van het huis. Hank vloog overeind, alsof hij ook niet vast had geslapen.

'Wat was dat?' vroeg ik.

'Ik hoorde het in mijn slaap,' zei hij.

'Je zult wel niet echt geslapen hebben,' zei ik.

We luisterden in de koude duisternis. Het was de koudste nacht die ik me kon herinneren. De lucht in de slaapkamer stak, zo koud was het. Het dak van het huis kraakte, zoals in een huis gebeurt wanneer de temperatuur ver onder nul zakt.

'Ik weet wat het was,' zei Hank.

'Wat dan?' vroeg ik.

'Een boom die ontplofte,' zei Hank.

'Hoe kan een boom nou ontploffen?' zei ik.

'Wanneer het echt koud wordt en het sap in een esdoorn of een populier bevriest, barst een boom uit elkaar.'

Ik lag in het donker en dacht aan een grote populier die was versplinterd. Lang geleden had ik iets dergelijks gehoord, maar ik was het vergeten. Het puntje van mijn neus was ijskoud.

'Ik denk dat mensen ook zouden ontploffen als ze bevroren,' zei ik. Ik dacht aan arme stakkers als Timmy Gosnell die in het donker konden zijn verdwaald en in een kuil gevallen.

'Mensen hebben te veel zout in zich om te bevriezen,' zei Hank.

'Mensen vriezen dood,' zei ik. 'Dronken mensen vriezen dood.'

'Maar ze bevriezen niet door en door, en ze ontploffen niet,' zei Hank.

Er klonk nog een klap. Het was alsof een hamer uit de hemel viel. Boven op een grote steen. Het was een oorverdovend geluid dat twee of drie keer weerkaatste tegen de bergflanken en de rots die ik 'Oud Streng Gezicht' noemde.

'Het lijkt wel of er oorlog woedt,' zei Hank.

'Ik ben blij dat ik binnen ben,' zei ik.

'En ik ben blij dat de baby lekker warm in je zit,' zei Hank.

Zo lagen we in het donker te praten. Ik kon me herinneren dat ik mama en papa in het donker hoorde praten toen ik een klein meisje was. Het was fijn om te praten als je niets kon zien. We lagen onder de warme dekens alsof we in een nest, een tent of een grot lagen.

'Hoe zullen we de baby noemen?' vroeg ik.

'Als het een jongen is zullen we hem Lafayette noemen, naar mijn vader,' zei Hank.

'Dat is een lange naam voor een kind,' zei ik.

'De mensen zullen hem "Fate" noemen,' zei Hank.

'We zouden hem ook naar míjn vader kunnen noemen,' zei ik.

'Maar hij zal een Richards zijn,' zei Hank.

'En als de baby een meisje is? Wat dan?' vroeg ik.

'Dan zullen we haar naar je moeder noemen,' zei Hank.

Ik was blij dat hij dat had gezegd, want ik zou het afschuwelijk hebben gevonden mijn dochter naar ma Richards te noemen. 'Delia is een mooie naam,' zei ik.

Er klonk opnieuw een klap. Deze keer minder luid en binnenshuis. We lagen stil te luisteren naar het gekraak in huis. En we hoorden een dreun op zolder, alsof er een ham was gevallen.

'Dit huis staat op instorten,' zei Hank.

'Het blaft harder dan het bijt,' zei ik. We schoten beiden in de lach. En toen was er opnieuw een explosie in het bos aan de overkant van de kreek, waar een Canadese den, een populier of een komkommerboom in de kou was opengebarsten.

Ik had gehoord dat Timmy Gosnell wegens openbare dronkenschap in Greenville was gearresteerd en dat hij in de districtsgevangenis zat. Het moest waar zijn, want ik had hem al weken niet op de weg gezien. Soms viel zijn naam wanneer ik met Elizabeth, Joanne of de vrouw van de dominee sprak.

'Die arme Timmy,' zeiden ze. 'Wat een triest geval!'

'Hij heeft nooit gedeugd,' zei de een.

'Ik denk dat zijn vader nog erger was dan hij.'

Elizabeth vroeg of het waar was dat ik Timmy met de wandelstok van Mr. Pendergast van het erf had gejaagd.

'Ik was zo boos, dat ik amper wist wat ik deed,' zei ik. Ik schaamde me om aan die dag te denken.

'Hij maakt me bang,' zei Joanne. 'De manier waarop hij naar je gluurt! En dan die stem die de woorden zo lelijk uitrekt!'

'Hij zou de baby van een zwangere vrouw kunnen brandmerken,' zei Elizabeth.

'Hoezo?' zei ik.

'Er zit een duivel in hem die maakt dat hij drinkt,' zei Elizabeth. 'Hij is bezeten door een demon die een baby zal brandmerken, zodat de baby wankelt, met zijn ogen rolt en niet goed bij zijn hoofd is, zoals Timmy Gosnell.'

Toen Hank en ik op een zaterdag zaten te eten, hoorden we iemand vanaf de weg roepen. We aten slechts maïsbrood en sperziebonen, maar het smaakte heel lekker. Ineens werd er geroepen aan de voorkant van het huis. Er ging een rilling door me heen, want ik wist meteen wie het was.

'Piieendergaasss!' schreeuwde de stem.

'Is dat Timmy Gosnell?' vroeg Hank.

'Ik denk van wel,' zei ik.

'Die zuiplap,' zei Hank. 'Ik dacht dat hij in de gevangenis zat.'

'Dat dacht ik ook.'

'Piieendergaasss!' riep de stem, 'kom naar búúíííten.'

'Hij mag ons niet lastig komen vallen,' zei Hank. Ik zag dat hij bang was, omdat hij niet gewend was aan dit soort problemen. En omdat híj bang was, was ík bang. Maar ik was niet zozeer bang voor Timmy Gosnell als wel voor wat Hank zou kunnen doen waar hij later spijt van zou krijgen. Als Hank bang was verloor hij zijn zelfbeheersing. En deze keer was dominee Gibbs er niet om te helpen.

Hank schoof zijn stoel naar achteren en vloog met stoel en al naar de voordeur. Ik rende achter hem aan. Toen hij de voordeur openzwaaide, zag ik Timmy Gosnell staan, halverwege de weg en de trap. Hij droeg zijn lange, zwarte jas. Hij had zijn hoed verloren. Zijn hoofd was bijna kaal. Er zat een korst op, alsof Timmy daar verwond was.

'Waar is Piieendergaass?' vroeg Timmy. Hij snakte naar adem toen hij Hank en mij op de veranda zag staan.

'Mr. Pendergast is dood,' zei Hank.

Timmy Gosnell keek alsof hij probeerde te begrijpen wat Hank had gezegd. Hij keek ons door zijn samengeknepen ogen aan. 'Piieendergaasss verstopt zich,' zei hij, 'omdat hij me géééld schuldig is.'

'Wij zijn je geen geld schuldig,' zei Hank. Hij liep naar de trap.

'Je lieggggttt!' zei Timmy Gosnell.

'Noem me geen leugenaar,' riep Hank woedend uit.

Timmy Gosnell keek opzij en knipperde met zijn ogen tegen het zonlicht. 'Piieendergaass verstopt zich,' zei hij.

'Verdwijn en ga naar huis,' zei Hank.

'Dit is jouw huis niet,' zei Timmy.

'Maak dat je wegkomt,' zei Hank.

'Je kan me wat!' zei de dronken man. Hij hief zijn arm naar Hank op.

Hank keek om zich heen en zag een schommelstoel op de veranda. Het was een stoel waarin ik op warme dagen ging zitten om sokken te stoppen. Hank pakte de schommelstoel beet en hield hem voor zich terwijl hij de trap afliep. 'Maak dat je wegkomt,' zei hij nogmaals.

'Niets doen!' zei ik tegen Hank. Ik wist hoe bang Hank was. Ik vreesde dat hij zijn zelfbeheersing zou verliezen, zoals in de nacht van de overstroming.

'Bemoei je er niet mee,' zei Hank tegen me.

Timmy Gosnell legde een hand boven zijn ogen en keek me aan alsof hij me nog niet had opgemerkt. 'Die vrouw heeft het geld van Piendergaass,' zei hij.

'Hou je mond!' zei Hank. Hij duwde de stoel tegen de borst van de dronken man. Timmy viel achterover.

'Je kunt het niet verbergen,' zei Timmy. 'Piendergaass weet wat hij heeft gedaan.'

'Doe hem geen pijn,' zei ik. 'Hij is gewoon dronken.' Ik was bang dat, als Hank Timmy Gosnell pijn deed, de sheriff zou komen en Hank zou arresteren. Uiteindelijk waren wij de nieuwkomers in Gap Creek. Ik herinnerde me dat Elizabeth had gezegd dat Timmy door de duivel was bezeten en in staat was de baby te brandmerken van een vrouw die in zijn rode ogen keek. Ik probeerde hem niet aan te kijken.

'Maak dat je wegkomt,' herhaalde Hank. Hij duwde de dronken man op de grond.

'Er klopt iets niet! Je gaat naar de kerk maar je steelt wel het geld van Piendergaass,' schreeuwde Timmy.

'Ik heb níemands geld gestolen,' zei Hank.

'Laat hem toch,' zei ik. Ik pakte Hank bij de elleboog, maar hij rukte zich los. En toen leek het of alles tegelijk gebeurde. Ik zag Timmy Gosnell het mes uit zijn jaszak halen. Het was geen zakmes en geen slagersmes, misschien een oud jachtmes. En tegelijkertijd voelde ik dat Hank zijn zelfbeheersing verloor. Het was waar ik bang voor was geweest. Hij duwde de stoel in Timmy's borstkas en gezicht en raakte hem met een schommelhout op zijn mond.

'Toe maar, dood me in plaats van me te betalen,' lachte de dronkaard. Hij veegde het bloed van zijn mond en lachte opnieuw, alsof hij geen pijn voelde.

'Maak dat je wegkomt!' schreeuwde Hank. Hij zwaaide met de stoel en raakte Timmy boven op zijn hoofd. Ik zag bloed op het kale hoofd waar de korst kapot was geslagen. Timmy lachte wéér en greep naar zijn oor.

'Hank!' gilde ik. Maar Hank luisterde niet naar me. Hij smeet de stoel weg, pakte Timmy bij de kraag van zijn jas en sleepte hem over het erf naar de weg. Er zat bloed op de kin en het voorhoofd van de dronken man. Hij schreeuwde als een mager varken. Hank sleepte hem naar de overkant van de weg en duwde hem in de kreek.

'Hij zal verdrinken,' riep ik, en ik rende naar de oever van de kreek. Timmy Gosnell lag in het water alsof hij te zwak was om te gaan staan. Hij spartelde en probeerde zijn hoofd boven water te houden. In de zwarte jas leek hij net een dier dat uit de modder was gekropen.

'Hij zal doodvriezen,' zei ik.

'Laat hem maar doodvriezen,' zei Hank hijgend. Hij veegde zijn handen aan zijn broek af, alsof hij probeerde ze schoon te maken.

'Je zult gearresteerd worden wegens moord,' zei ik. 'En wat moeten we dán?' Ik liep naar de kreek en probeerde Timmy omhoog te hijsen. Hij was zo zwaar als een zak stenen.

'Laat me maar verzuipen,' zei Timmy. Er kwam bloed uit zijn mond.

Ik ging in het water staan om hem beter te kunnen vastgrijpen, maar het lukte me niet hem naar de kant te slepen. Ik trok hem een beetje naar de oever voordat Hank me kwam helpen. Samen hesen we de dronken man uit het water en sleepten hem door het onkruid naar de weg.

Toen zetten we Timmy overeind. Het water scheen hem een beetje te hebben ontnuchterd. Hij bloedde uit zijn neus en uit zijn mond. 'Ik zal mama en papa vertellen wat jullie hebben gedaan,' zei hij. Hij begon te lopen, met kleine stapjes. Zijn jas was nat en bedekt met modder en stukjes stro.

'Je bent zo krankzinnig, dat je denkt dat je mama en je papa nog in leven zijn,' riep Hank hem na.

'Ik ga het ze vertellen,' schreeuwde Timmy terwijl hij verderliep.

'Hij is een idioot!' zei Hank.

'Dat was afschuwelijk,' zei ik. 'Hij weet niet wat hij doet.'

'Misschien heeft hij nu een lesje geleerd,' zei Hank. Maar ik zag dat Hank zich schaamde, zoals alle mensen nadat ze hun zelfbeheersing hebben verloren. Ik had medelijden toen ik Timmy Gosnell de weg af zag sloffen.

'Zou jij je gewoon door hem laten beledigen?' vroeg Hank.

'Hij is dronken,' zei ik.

Het is beschamend om toe te geven dat je honger hebt gehad, dat je honger hebt gehad als een volwassen vrouw, als een getrouwde vrouw. Het is nóg beschamender om toe te geven dat je honger hebt gehad tijdens je zwangerschap. We moesten het doen met wat we nog hadden en wat leden van de kerk ons gaven. Maar tegen het einde van de winter hadden we helemaal niets meer en werd het gewoon een kwestie van overleven.

Eind maart was al ons vlees op, op een beetje vet na. Het lege rookhok rook muf. De aardappels waren op, en het ingemaakte voedsel dat de overstroming had doorstaan was allemaal opgegeten. We hadden niets meer in huis, behalve een beetje maïsmeel en gort van de maïs die we uit de overstroming hadden gered.

Elke dag pakte Hank het jachtgeweer van Mr. Pendergast en ging de bergen in. Maar de kalkoenen waren allemaal omgekomen in de strenge winter, of door andere jagers doodgeschoten. Ze waren verdwenen uit het gebied waar het vroeger altijd wemelde van de kalkoenen. Het was het verkeerde seizoen om eekhoorns en konijnen te schieten, maar soms doodde hij een eekhoorn en dan maakte ik er stoofpot van. En toen waren zijn patronen op.

'Een patroon kost zo veel, dat het zonde is hem aan een eekhoorn te verspillen,' zei Hank.

'Kun je geen patronen lenen?' vroeg ik.

'Ik zou me schamen om te vragen of ik patronen voor een jachtgeweer kan lenen,' zei Hank, 'tenzij ik iets groters dan eekhoorns kan doden.'

'Het zal gauw lente zijn,' zei ik.

'Niet gauw genoeg,' zei Hank.

Ik wist dat, als ik Elizabeth, Joanne, dominee Gibbs of een aantal andere mensen om hulp zou vragen, ze ons zouden helpen. Maar ze hadden ons al geholpen. Bovendien, die winter had iedereen het moeilijk gehad. We moesten voor onszelf zorgen. Als we een volwassen echtpaar waren dat een gezin stichtte, moesten we leren voor onszelf te zorgen. Het zou een schande zijn erop te rekenen dat andere mensen ons eten zouden brengen.

Toen alle gedroogde bonen en appels op waren, hadden we alleen nog maar maïsmeel en de eieren die de kippen legden.

Zes kippen hadden de overstroming overleefd. Aan het eind van de winter leggen kippen bijna geen ei meer. Maar toch had ik nog tien eieren per week. En als het moet, kun je lang leven op gort en eieren. Maar Hank en ik konden niet elke dag een ei eten. Daar waren er niet voldoende voor. Als er slechts één ei was, klutste ik het en maakte er roerei van, waarvan ik Hank de helft gaf.

'Nee, jij neemt het ei,' zei Hank dan.

'Ik wil het hele ei niet,' zei ik.

'Je eet voor de baby,' zei Hank.

'De baby wil het ei niet,' zei ik.

'Ik moet er niet aan denken dat ei te eten,' zei Hank. 'Het zou net zo smaken als zand.'

Ik ontdekte dat honger je niet ontstemd maakte. Honger maakt je traag en somber, omdat je steeds maar zit te wachten en te wachten. Je hebt geen zin om ergens heen te gaan of iets te doen. Honger maakt je lui, het maakt dat je vroeg naar bed wilt en lang uitslaapt. Je wilt nergens over nadenken, want als je denkt, denk je aan lekkere dingen om te eten. Wanneer je honger hebt *wíl* je helemaal niet denken. Je wilt dat de tijd voorbijgaat. Je wacht tot er iets gebeurt. Je wilt geen energie verspillen. Je spaart het vet op je botten en de kracht in je bloed. Je spaart je adem. Wanneer je honger hebt dagdroom je zelfs niet veel. Je laat je meevoeren door de tijd en het eerste wat je weet is dat er wéér een dag voorbij is, dat er wéér een nacht voorbij is. Maar je wilt vooral vergeten.

Op een nacht werd ik gewekt door de wind die het raam van de slaapkamer deed rammelen. Hank werd ook wakker. We lagen een paar minuten in het donker. Ik lag maar te piekeren over de vraag hoe we ons moesten redden.

'Zou je geen werk als timmerman kunnen vinden nu het lente is?' zei ik.

'Dat heb ik geprobeerd,' zei hij.

'Je hebt toch ook als metselaar gewerkt?' vroeg ik.

'Als leerling-metselaar,' zei Hank.

We lagen daar in het donker. Als je een beetje honger hebt val je niet zo snel weer in slaap.

'Waarom ga je niet naar de plek waar ze de winkel in

Tigerville bouwen en vraag je of ze werk voor je hebben?' vroeg ik.

'Dat is te ver lopen,' zei Hank.

'Niet verder dan Lyman,' zei ik. Maar al gauw had ik spijt van mijn woorden. Ik had mijn mond moeten houden.

'Dat is míjn zaak,' zei Hank.

'Dat weet ik,' zei ik.

'Je hoeft me niet te vertellen waar ik werk moet zoeken,' zei Hank.

'Dat deed ik ook niet,' zei ik. We lagen in het donker en luisterden naar de wind die over de bergkam denderde, als honderd goederentreinen. Opnieuw was er een windvlaag die het huis deed schudden. Het is moeilijk om zo dicht naast iemand in het donker te liggen als hij boos is. Ik wist dat het beter was dat ik niets meer zei. Sommige dingen van Hank begreep ik niet, en het had geen zin hem aan het praten proberen te krijgen.

Ik wist niet of ik mijn hand op zijn borst moest leggen en me tegen hem aan nestelen om te laten zien hoeveel ik van hem hield, of dat ik op mijn zij moest gaan liggen en hem in zijn eentje over zijn woede heen laten komen. Ik had geen zin om weer te gaan slapen. De wind had me gewekt, en door Hanks boosheid had ik helemaal geen slaap meer.

'Ik weet dat je heus wel een andere baan zult vinden,' zei ik terwijl ik dichter naar hem toe schoof en mijn wang op zijn schouder legde. Ik trachtte het zo te zeggen dat het klonk alsof ik niet alleen maar probeerde hem op te vrolijken. Ik wachtte om te kijken hoe hij zou reageren.

'Ik zal geen ander werk krijgen,' zei Hank.

'Natuurlijk wel,' zei ik.

'Het bericht heeft de ronde gedaan,' zei hij.

'Welk bericht?' Een ijskoud gevoel bekroop me.

'Het bericht dat niemand me in dienst wil nemen,' zei hij met een zucht.

'Wat een onzin!' zei ik. 'Je bent zo'n goede werkkracht!'

'Ze hebben me in Lyman niet ontslagen omdat alle stenen klaar waren,' zei Hank.

Ik zei niets. Ik moest wachten tot hij verder ging. Het was beter dat ik niets zei.

'Ik ben ontslagen omdat ik had gevochten,' zei Hank.
'Met wie?' vroeg ik.
'Ik heb de voorman een klap op zijn kop gegeven!'
De wind klonk als een oceaan van doem die de vallei overspoelde.
'Hij schold me uit en toen sloeg ik hem op zijn kop,' zei Hank.
'Hij zal het wel nodig hebben gehad,' zei ik.
'Hij was een bullebak,' zei Hank. 'Ik wist dat ik hem zou slaan als hij me bleef uitkafferen. Daarom zal niemand me in dienst nemen.'
'Niet iedereen zal het je kwalijk nemen,' zei ik.
'Het bericht heeft de ronde gedaan,' zei Hank. 'Ik sloeg hem voor ik het wist. Hij bleef me uitschelden, en ik sloeg hem op het hoofd. Het was niet christelijk om dat te doen!'
'Je vindt heus wel ander werk,' zei ik.
'Niemand zal me ooit nog in dienst nemen,' zei Hank.

Aangezien er geen koe was om te melken ging Hank elke morgen naar buiten om het paard en de kippen te voeren en de eieren in het kippenhok te rapen. Soms kwam hij zonder eieren terug. Soms kwam hij terug met een ei in elke hand, alsof hij een tovenaar was en ze uit de lucht had geplukt. Op een morgen, toen ik water kookte voor de gort, kwam hij zonder eieren het huis binnen. Hij keek of hij de duivel in eigen persoon had gezien.
'Je zult het niet geloven,' zei Hank.
'Wat?' vroeg ik.
'Kom mee en kijk zelf maar,' zei hij.
Ik liet de pan op het fornuis staan en liep achter hem aan door de achterdeur. Hij marcheerde over het erf, en ik volgde. Ik vroeg me af of het paard was gestorven of dat hij een dief in de schuur had betrapt of dat hij een spook op de zolder van de schuur had gezien. Maar hij beende rechtstreeks naar het kippenhok en trok de deur open. 'Kijk!' zei hij. Hij ging opzij, zodat ik in het kippenhok kon kijken.
Aanvankelijk zag ik niets in het donker, behalve de stok en de nesthokken, gevuld met dennennaalden. Zoals altijd rook

het kippenhok zoet en bitter. Maar ik rook ook bloed. En het was doodstil. Er was geen gekakel, zoals je vroeg in de morgen zou verwachten. Het was net zo stil als in het rookhok. 'Wat is er?' vroeg ik.

'Kijk!' zei Hank.

En toen zag ik een kip op de grond liggen. Het dier lag plat, met zijn nek uitgestrekt. Er zat een beetje bloed op zijn nek. En toen zag ik daarachter nog een kip in het stof liggen. Ik tuurde in het duister en zag dat alle zes kippen op de grond lagen. 'Wie heeft dat gedaan?' vroeg ik. Ik voelde dat ik wit wegtrok.

'Een nerts, denk ik,' zei Hank. 'Alleen een nerts zou ze allemaal doden alleen maar voor de smaak van bloed én voor zijn plezier.' Ik dacht aan de nerts die ik in de herfst in het koelhuis had gezien.

'Tegenspoed komt nooit alleen!' zei ik. Terwijl ik naar de dode kippen keek, bedacht ik dat die nerts nooit het kippenhok zou zijn binnengeslopen om de kippen te doden als wij genoeg te eten hadden gehad en Hank werk had gehad, en als er geen baby op komst was geweest. Het beest zou het kippenhok van iemand anders zijn binnengeslopen. Het zou iemand anders hebben gevonden die tegenspoed had en zo arm was als Job.

'God heeft genomen,' zei Hank.

'En de laatste tijd heeft hij niet veel gegeven,' zei ik. Maar ik had al gauw spijt van mijn woorden.

Die morgen plukten we alle dode kippen en maakten ze schoon. Ze konden niet worden bewaard. Daarom braadde ik er twee. De andere vier kookte ik en maakte stoofpot en kippensoep, die ik in weckpotten deed. Een van de gebraden kippen liet ik door Hank naar het huis van dominee Gibbs brengen. We hadden de dominee niets gegeven en we hadden geen geld om de kerkbelasting te betalen. Bovendien konden we niet twee kippen tegelijk eten. De stoofpot zou een week goed blijven, en de soep iets langer. Maar de gebraden kippen moesten binnen een dag of twee worden opgegeten.

Net toen we de eieren het meest nodig hadden, en net toen

de kippen eindelijk weer gras, insecten en kevers konden eten, waren de dieren gedood. Zoiets maakte dat je wilde gaan zitten huilen. Het maakte dat ik het wilde opgeven.

De avondmaaltijd bestond uit gebraden kip, wat maïsbrood en gort. Ik had nog een klein beetje stroop voor op het brood.

Hank en ik gingen aan tafel zitten met de warme kip, het maïsbrood en de dampende gort. Hank bad. Hij dankte voor de kip die we moesten eten. We zaten heel langzaam te eten. We hadden geen boter voor het maïsbrood en de gort.

'De kip is verrukkelijk,' zei ik.

'Ja,' zei Hank. Ik wist dat hij zich neerslachtig voelde en ik wilde niet dat hij weer een van zijn buien kreeg. Zijn kaken waren gespannen.

'Misschien achtte God het juist om ons wat vlees te geven toen we het het meest nodig hadden,' zei ik.

'Misschien wil God ons nu voeden zodat hij ons later kan laten verhongeren,' zei Hank.

'Het is bijna lente,' zei ik.

'Het zal tijd worden!' zei Hank.

Zodra Hank klaar was met eten schoof hij zijn stoel naar achteren. 'Ik ga naar buiten,' zei hij terwijl hij zijn kin afveegde.

'Waar ga je heen?' vroeg ik.

'Ik moet weg uit dit huis!' zei hij. En voordat ik iets kon zeggen was hij vertrokken.

Hoofdstuk 12

Door op stoofpot en maïsbrood te leven, en later op kippensoep en maïsbrood, kwamen we zonder te verhongeren een groot deel van de lente door. Ik verlangde nog steeds naar jam, maar nadat ik de jam van Elizabeth en Joanne had opgegeten, had ik niets meer. Ik verlangde naar iets vers, iets groens, maar het was een late lente. De knoppen van de esdoorns waren rood als luciferskopjes.

'Denk je dat er al wilde sla is?' vroeg ik aan Hank.

'Ja, maar de bladeren zijn nog te klein om te plukken,' zei hij. 'Het zal makkelijker zijn klavertjevier te plukken.'

Maar ik dacht dat er beschutte plekken langs de kreek of een van de beken die in de kreek uitkwamen moesten zijn waar de bladeren van de wilde sla groot genoeg waren om te plukken. Op een avond pakte ik een emmer en liep naar de plek waar Briar Fork, een beekje, in de kreek stroomde. Langs de oever van de kreek was groen gras, maar de velden die in de herfst waren omgeploegd waren nog steeds modderig. Ik liep langs de rand van de omgeploegde aarde, op zoek naar nieuwe spruiten en loten.

Briar Fork voerde naar een klein dal. Het was bijna een speelgoeddal. Langs de beek waren lapjes grond waarop maïs werd verbouwd. Ze waren niet breder dan een voortuin. Tussen de bergen aan de ene en de bergen aan de andere kant was net genoeg ruimte voor de beek en de schoongemaakte grond aan weerszijden. Zulke kleine stukjes grond kon je met een schoffel schoonmaken. Ergens op de bergkam klonk de roep van een kraai, en in de verte klonk het geraas van een waterval. Bijna recht boven me op de bergkam staken dennenbomen donker af tegen een blauwe hemel met een paar witte wolken. Ik was verborgen voor de wereld, diep in het dal.

Terwijl ik omhoogkeek raakten mijn voeten iets zachts. Het onkruid tierde welig aan de rand van het omgeploegde veld. Ik keek naar beneden en zag dat ik op wilde slabladeren was gestapt. Ze waren groot genoeg om te plukken. Ik knielde neer en pakte een handvol bladeren. Ze waren zo teer en zacht, dat sommige tussen mijn vingers werden geplet en een groene vlek achterlieten. Ik begon voorzichtiger te plukken. De bladen waren zo vers dat ze bijna smolten als je erop drukte. De regen had sommige bladen met zand bespat. Ik probeerde de schoonste uit te zoeken.

Toen ik neerhurkte zag ik de modder onder mijn schoenen. Het was alsof ze extra zolen hadden gekregen, gemaakt van verschillende kleuren modder. Het was moeilijk voorover te buigen met zo'n dikke laag modder onder mijn voeten. Ik kreeg pijn in mijn buik van het vooroverbuigen. Ik ging staan en liep naar het gras om de modder van mijn schoenen te verwijderen. Ik veegde mijn voeten zo hard mogelijk over het gras, harder en harder, in een poging de zolen schoon te maken. Toen voelde ik een pijnscheut diep in mijn buik. Het was alsof ik darmkrampen had. Ik stond stil om mijn ingewanden tot rust te laten komen.

Het geraas van de waterval klonk dichterbij, alsof de lucht vochtig was geworden en het geluid doorgaf. Bijna recht boven me kraste een kraai. Toen ik stilstond ging de pijn weg, maar ik had nog steeds een heet gevoel in mijn buik, alsof er iets was verrekt. Waarschijnlijk was het niets. Kramp door het vooroverbuigen. Ik wilde nog meer wilde sla plukken, want als je de bladen kookte slonken ze. Dus moest je er veel van plukken. In de lente is niets lekkerder bij warm maïsbrood dan wilde sla. Ik had een hele emmer vol nodig om een fatsoenlijk maal te hebben. Er waren geen gekookte eieren om erbij te eten, maar ik had nog wat azijn om de wilde, bittere smaak te verzachten en het volmaakt te maken.

Ik boog me langzaam voorover en begon nog meer wilde sla te plukken. Er ging een pijnscheut door me heen alsof ik aan een te strakke draad had getrokken. Deze keer trok de pijn door tot in mijn kruis. Ik rechtte mijn rug. De pijn werd een beetje minder. Ik bleef staan en keek naar de wolken die over de rand van de bergen dreven. Wat moest ik doen? Na dat hele eind te hebben gelopen en eindelijk de wilde sla te hebben gevonden, wilde ik een emmer vol mee naar huis nemen. Hank en ik hadden de groente nodig als voorjaarstonicum, om ons bloed dunner te maken en ons klaar te maken voor warm weer. En ik had de mineralen in de bladen nodig om de baby sterke botten en sterke zenuwen te geven. Sinds nieuwjaarsdag had ik geen melk meer gehad. Ik moest een heleboel groene bladeren hebben om bij het maïsbrood te eten.

Maar de pijn in mijn buik bleef en trok door naar mijn middel. Het was meer een brandend gevoel dan een verscheurende pijn. Ik probeerde me te herinneren of ik iets had gegeten wat zoveel pijn zou kunnen veroorzaken. Zou er iets in me worden losgerukt als ik me vooroverboog? Ik streek met groenbevlekte handen over mijn buik en wachtte tot de pijn weer zakte. Als ik lang genoeg stilstond zouden mijn ingewanden vast en zeker afkoelen. Ik moest wachten tot de pijn over was en dán wilde sla plukken.

Maar de pijn nam niet af. Ik ging van de ene voet op de andere staan. Ik luisterde naar de kreek en de waterval erboven. De pijn was niet hevig genoeg om barensweeën te kunnen zijn. Trouwens, als de baby negen maanden na onze trouwdag werd geboren, zou het vroeg in de zomer zijn. Als de baby gewoon op tijd kwam, zou het warm weer zijn voor het kind het daglicht zag. De baby werd pas over een week of zes verwacht.

Ik boog naar voren. Mijn buik deed minder zeer. Maar ik kon niet bukken en nog meer bladeren plukken. Meer wilde sla zat er voor vandaag niet in!

Heel voorzichtig en met kleine stapjes droeg ik de emmer terug naar de beek. Ik liep stijf, als een kind dat het in zijn broek heeft gedaan. Voorzichtig, om me niet te stoten, klom ik over hekken. Toen ik eindelijk de weg langs de kreek bereikte, liep ik zo langzaam als een jichtige, oude vrouw terug naar huis.

Toen ik binnen was had ik alleen nog maar zin om op de sofa te gaan liggen. Ik trok mijn vieze schoenen uit en plofte neer. Ik voelde dat mijn gezicht bleek was geworden.

'Je ziet er niet zo best uit,' zei Hank toen hij me zag.

'Er is niets aan de hand,' zei ik. 'Ik heb alleen buikpijn.'

'Is het je tijd?' vroeg Hank.

'Gewoon wat buikkrampen,' zei ik. Ik leunde achterover en hield mijn buik vast alsof ik de pijn met mijn handen kon verzachten.

Nadat ik een tijdje stil had gelegen scheen de pijn wat af te zakken. Ik bleef op de sofa liggen tot het etenstijd was. Toen stond ik op en maakte wat maïsbrood om bij de wilde sla te eten. Het was niet de avondmaaltijd die ik voor ogen had gehad, maar het was voldoende. Ik had tóch niet zo'n trek. Ik had nog steeds last van mijn buik.

'Ben je misselijk?' vroeg Hank, die zag dat ik zat te kieskauwen.

'Gewoon een beetje last van darmkrampen,' zei ik.

'Het is bijna je tijd,' zei Hank.

'Ik heb nog minstens een maand,' zei ik.

'Ik ga ma halen,' zei Hank. 'Ik heb tegen haar gezegd dat ze kon komen helpen als het je tijd was.'

'Het duurt nog zes weken,' zei ik. Ik wilde niet zeggen dat ik liever helemaal geen hulp had dan dat ma Richards bij me was. Ik denk dat Hank bang was en dat hij niet alleen met me wilde zijn als de baby kwam. Daarom had hij bedacht ma Richards erbij te halen. Ma kon hem vertellen wat er gedaan moest worden als het tijd was een vroedvrouw te halen.

'Morgen voel ik me weer prima,' zei ik. Ik wou dat ik me niet voorover had gebogen om wilde sla te plukken.

Door de brandende pijn in mijn onderbuik sliep ik niet zo goed die nacht. Ik bleef maar denken aan wat er zou gebeuren, en aan het feit dat Hank ma Richards ging halen. De hele nacht lag ik alleen maar aan erge dingen te denken. Ik werd er doodop van en probeerde de slaap te vatten. Toen Hank me 's morgens vroeg hoe ik me voelde, zei ik dat ik beter was, want ik wilde dat hij ervan afzag ma Richards op te halen.

'Nu je je beter voelt is het tijd om te gaan,' zei Hank.

'Wat bedoel je?' vroeg ik.

'Ik wil niet wachten tot de weeën beginnen. Dan is het te laat,' zei hij.

'Je zou máma kunnen gaan halen,' zei ik.

'Je moeder heeft het te druk. En ma zou zich gekrenkt voelen als je de baby kreeg terwijl zij er niet bij was.'

Ik voelde me te zwak om er ruzie over te maken. Het bezoek van ma Richards leek minder erg dan opnieuw met Hank te ruziën voor de baby was geboren.

Die morgen vertrok Hank na het ontbijt. Hij liep naar buiten en spande het paard voor de buggy zonder iets te zeggen. Wanneer hij bang was hield hij meestal zijn mond, want als hij praatte zou hij zijn woede misschien uiten. Hij wilde niets van de hevigheid van zijn woede verliezen, omdat hij bang was dat dat hem zwak maakte. Ik begreep hoe hij zich voelde, maar als ik hem dat vertelde zou hij nóg bozer worden. Ik stond door het keukenraam naar hem te kijken terwijl hij het paard voor de wagen spande. Dat kon hij sneller dan wie ook. Hij maakte dat het optuigen van een paard er net zo makkelijk uitzag als het vastbinden van je schoenveters.

Ik zag dat hij in de buggy klom en een ruk aan de teugels gaf. En toen rende ik naar de woonkamer om hem na te kijken tot hij uit het zicht verdween bij de bocht waar de weg begon op te lopen. De pijn in mijn buik werd hevig en trok door naar mijn zij. Ik was een beetje misselijk. Ik legde een hand op mijn keel en zat een poos stil tot het gevoel verdween. Toen waste ik de ontbijtboel af, liep naar het erf, gooide het afwaswater weg, pakte de bezem en veegde de woonkamer en de keuken schoon. De beste manier om mezelf op te vrolijken was aan het werk te blijven.

Halverwege de morgen werd er op de deur geklopt. Toen ik opendeed, zag ik een magere man met zilver haar en een mooi, grijs pak. Zo te zien zou hij een dominee of een advocaat kunnen zijn. 'Goeiendag,' zei ik. Ik opende de deur niet helemaal.

'Ma'am, ik ben Wilson Caldwell,' zei hij terwijl hij zijn hoed aantikte.

'Aangenaam kennis te maken,' zei ik. Ik verwachtte dat hij iets zou zeggen over het vertegenwoordigen van de erfgenamen van het huis van Mr. Pendergast. 'Mijn man is er niet,' zei ik.

'Ik kom voor de vrouw des huizes,' zei hij.

Ik nam hem mee naar de woonkamer en vroeg hem plaats te nemen. Toen zag ik de aktetas die hij bij zich had. Hij was als die van een advocaat, maar dan groter.

'Ik vertegenwoordig de Palmetto Apothecary Company,' zei hij. Hij zette de grote tas op de sofa en maakte hem open. Je hebt nog nooit zo'n verzameling flesjes, potten en pillendoosjes gezien. 'Aangezien u een heel eind van een apotheek vandaan woont, breng ik de apotheek naar u toe,' zei hij.

'We hebben geen geld,' zei ik. Er ging een pijnscheut door mijn buik.

'Onze prijzen zijn de redelijkste van de staat,' zei Mr. Caldwell.

'Dat zal best, maar we zijn blut,' zei ik. Ik drukte een hand tegen de stekende pijn in mijn maag. Dat leek te helpen.

'Niets is zo kostbaar als je gezondheid,' zei de venter. Het was duidelijk dat hij me niet geloofde toen ik zei dat we geen geld hadden. Misschien dacht hij dat ik niet blut kon zijn omdat ik in een groot, oud huis woonde.

'Ik kan u voorzien van elke zalf, elk tonicum en elke pijnstiller. Ik heb magnesium, kamfer en kruidnagelolie.' Vanwege de pijn in mijn buik had ik geen zin met hem in discussie te treden. Ik ging op een stoel zitten en liet hem tonen wat hij bij zich had: middelen om te laxeren en middelen om te ontwormen, bitterzout en reukzout, pijnstillende en kalmerende middelen, leverkruidthee en maanzaadthee, bloedverdunners en bloedverdikkers, peroxide en alcohol. 'En dit is ons allerbeste product,' zei hij. Hij hield een amberkleurige fles met een paars etiket omhoog.

'Wat is dat?' vroeg ik.

'Het is onze Mineral Spring Tonic. Het maakt dat de ouderen zich jong voelen en dat de jongeren zich sterker voelen,' zei hij met een knipoog.

'Ik heb alleen maar iets tegen buikpijn nodig,' zei ik.

'Dit is het volmaakte medicijn,' zei hij. 'Wilt u het uitproberen?'

'Ik heb geen geld,' zei ik.

'Het kost u niets,' zei hij. Hij haalde een lepel uit zijn tas en vulde hem met het tonicum. Het spul leek op stroop, alleen bruiste het een beetje. Toen ik het tonicum doorslikte, brandde het als maïswhisky. Ik voelde het helemaal naar mijn maag zakken.

'Dit tonicum is door mijn vader uitgevonden,' zei Mr. Caldwell. 'Hij heeft zijn leven lang kruiden en geneesmiddelen van de Cherokes, dat is een indianenstam, bestudeerd. Hij heeft door de bergen gelopen om kruiden en wortels te verzamelen.'

'Deze bergen?' vroeg ik.

'Alle bergen van South Carolina,' zei Mr. Caldwell. 'Hij kende alle heuvels en bergen van deze staat.'

Het tonicum gaf me een warm gevoel, maar het verdreef de pijn niet.

'Het opmerkelijkste was dat mijn vader blind was,' zei Mr. Caldwell. 'Toch reed hij in zijn buggy door South Carolina en ging langs alle huizen.'

'Dat is verbazingwekkend,' zei ik. De pijn in mijn buik werd erger.

'Niet zo verbazingwekkend als het feit dat hij kruiden in het bos kon vinden,' zei Mr. Caldwell. 'Op de wegen had hij uiteindelijk het paard om hem te leiden. Maar in het bos had hij alleen een stok om zijn weg over de paden te vinden. Zonder enige hulp groef hij ginseng, barbarakruid en vingerhoedskruid uit. En hij is nooit van een klif gevallen, hoewel hij over de richels klom.'

'Hoe deed hij dat dan?' vroeg ik. De pijn was zo hevig, dat ik er misselijk van werd.

'Dat weet niemand,' zei Mr. Caldwell. 'Het was een gave. Hij is nooit door een slang gebeten. Eenmaal heeft hij zelfs een ratelslang gedood. Hoe kan een blinde man nou een ratelslang doden?'

'Was hij helemaal blind?' vroeg ik.

'Hij was blind geboren,' zei Mr. Caldwell. 'Hij kon alleen voelen waar bomen, rotsstenen en geneeskrachtige planten waren. Hij was met die gave gezegend. Hij kon ook op een gitaar spelen en op een trekharmonica, en hij kon zich alles herinneren wat hij ooit had gehoord. Hij kon zich herinneren hoeveel stappen hij moest nemen naar een bepaalde plek. En in een stad kon hij aan de geluiden van de straat horen waar hij was.'

'Hij moet een bijzonder iemand zijn geweest,' zei ik. Ik wou dat de venter vertrok zodat ik op de sofa kon gaan liggen.

'Hij heeft dit tonicum uitgevonden,' zei Mr. Caldwell. 'Het was zijn levenswerk.'

'Oh!' zei ik toen de pijn door mijn buik schoot. Ik kon er niets aan doen.

'Bent u... ziek?' vroeg Mr. Caldwell.

'Ik ben een beetje misselijk,' zei ik terwijl ik mijn handen op mijn buik legde.

'Het zal bijna uw tijd zijn,' zei Mr. Caldwell.

'Dat vrees ik ook, ja,' zei ik.

'Ik kom nog wel eens langs,' zei hij. 'Misschien heeft u dan iets voor de baby nodig.'

'Misschien,' zei ik.

Mr. Caldwell begon de geneesmiddelen weer in zijn tas te stoppen. Hij gaf me een kleine fles tonicum. 'Dit mag u houden,' zei hij.

'Dank u,' zei ik. Ik drukte beide handen tegen mijn maag.

'Veel succes met de baby,' zei Mr. Caldwell alvorens te vertrekken.

'Dank u,' zei ik, maar ik voelde opnieuw een pijnscheut en wendde mijn gezicht af.

Mijn ellende was niet voorbij toen de venter eindelijk weg was. In plaats van minder werd de pijn in mijn buik erger. Het was bijna lunchtijd, maar ik had geen zin iets te eten te maken en ik had ook geen trek. Mijn buik deed ontzettend pijn. Wat als dit betekent dat de baby komt? dacht ik. Wat als dit barensweeën zijn? Maar volgens mijn berekening kon de baby pas over meer dan een maand worden verwacht. Ik moest blindedarmontsteking hebben of verstopte darmen of een gezwel in mijn buik.

Ik keek de weg af, maar Hank was in geen velden of wegen

te bekennen. De dichtstbijzijnde buren waren George en Hester Poole, bijna twee kilometer verderop. Als ik buiten op de veranda ging staan schreeuwen, zou niemand me horen. Ik was alleen in het huis, en ik was alleen in de diepe vallei.

De beste manier om pijn te bestrijden is hem te negeren. Ik zou warm maïsbrood maken voor vanavond. En als ik zin had kon ik er straks ook wat van eten. Maar zodra ik de keuken binnenliep en me over de meelton boog, voelde ik opnieuw een scherpe pijnscheut. Het was alsof een stuk staal mijn ingewanden doorboorde. Het was een ander soort pijn. Zulke hevige pijn had ik nog nooit gevoeld. De gedachte kwam bij me op dat het de pijn was van een reus die me per ongeluk had geslagen.

De pijn was zo krachtig, dat ik niet meer rechtop kon staan. Toen de pijn iets minder werd, strompelde ik naar de tafel en zette me schrap door me aan de rugleuning van een stoel vast te houden. Ik voelde me zwak en beefde als een rietje. Wat is dit? zei ik tegen mezelf. Ik wist dat het een ander soort pijn was. De pijn joeg door mijn botten. Zodra de pijn afnam, verzamelde ik al mijn krachten en strompelde langzaam terug naar de woonkamer. Had ik een acute blindedarmontsteking? Moest ik naar buiten en proberen de weg af te lopen om hulp te zoeken? Er was geen dokter in Gap Creek, dus al zou ik naar het huis van Elizabeth of Joanne of de dominee lopen, ze konden weinig doen. Was er iets tegen de pijn in het huis van Mr. Pendergast? De laudanum was opgebruikt toen Mr. Pendergast stierf. Het enige dat ik had was het flesje tonicum van Mr. Caldwell. En toen herinnerde ik me de maïswhisky op de plank waar Mr. Pendergast zijn medicijnen bewaarde. Misschien zou een slok sterke drank de pijn verzachten.

Ik ging terug naar de keuken en stond op het punt naar de plank te reiken om de whisky te pakken toen ik opnieuw een pijnscheut voelde. De pijn kwam van opzij, alsof er een trein tegen me aanreed. De pijn was zo hevig, dat ik naar adem snakte, alsof iemand me een klap op de rug had gegeven. 'Au!' schreeuwde ik zonder dat het mijn bedoeling was. Het was alsof deze pijn nog erger was dan de vorige. Ik hield me vast aan de rand van de plank, alsof mijn benen mijn gewicht niet konden dragen. 'Oh God,' zei ik zonder erbij na te denken.

Het leek of er een spijker door mijn buik en mijn kruis werd gedreven. Een lange spijker met een scherpe punt. Ik dacht dat ik zou vallen, maar ik klampte me aan de plank vast en bewoog mee met de pijn. Ik bereed de pijn alsof het een bokkend paard was en ik op het punt stond afgeworpen te worden. De pijn werd sterker en sterker, en ik kon er niet aan ontsnappen, want de pijn zat diep in mijn binnenste.

Toen de pijn begon af te nemen dacht ik dat mijn benen het zouden begeven. Ik hield me aan de plank vast en voelde overal zweet. De brandende pijn was heet. Mijn voorhoofd en slapen waren nat van het zweet. Pijn is als een verschrikkelijke hitte. Ik voelde me als iemand die in een oven was verbrand. Maar toen mijn krachten terugkeerden, reikte ik naar de pot met sterke drank. Hij was halfvol. Ik nam de pot mee naar de tafel en schroefde het deksel eraf. De geur van alcohol vulde mijn neusgaten. Ik nam een snelle slok, zodat de vloeistof door mijn keelgat zou gaan zonder dat ik er iets van proefde. De whisky verbrandde mijn keel, maar de pijn in mijn buik werd minder. Ik schroefde het deksel weer op de pot.

Toen ik terugliep naar de woonkamer wist ik dat ik weeën had. Het wegebben van de pijn en de tijd tussen de pijnaanvallen maakten me dat duidelijk. Hoeveel tijd had er tussen de aanvallen gezeten? Ik probeerde me te herinneren wat ik over barensweeën had gehoord. Als je wist hoeveel tijd er tussen de weeën was, kon je berekenen wanneer de baby kwam. Ik probeerde me te herinneren wat ik nog meer over het ter wereld brengen van een kind wist. Want ik was alleen en het was niet mogelijk de komst van de baby tegen te houden. Misschien arriveerden Hank en ma Richards pas na het vallen van de avond. Het duurde nog uren voor het zover was. Ik probeerde te bedenken wat ik allemaal moest doen. Ik probeerde te bedenken wat ik allemaal moest hebben. We moesten water koken toen mama mijn jongste zus en Masenier baarde. En we gebruikten veel schone washandjes en badhanddoeken.

Ik had gehoord dat indiaanse vrouwen altijd het bos in gingen en in hun eentje een baby kregen. Ze liepen op en neer langs de oever van een rivier tot de baby klaar was om te komen. En dan trokken ze hem uit hun lichaam en beten de navelstreng door. Ik snapte niet hoe ze de kracht hadden met al die pijn. Ik strompelde naar de kast en pakte schone handdoeken en washandjes. Ik maakte een vuur in het fornuis. Ik stond op het punt de handdoeken mee te nemen naar de slaapkamer, maar toen vroeg ik me af of dat wel de beste plek was. Zou het beter zijn om de baby in de slaapkamer te krijgen of vlak bij de open haard in de woonkamer? Of zou de keukenvloer de beste plek zijn? Ik zou een deken op de keukenvloer kunnen leggen en later alles weer schoonmaken. Het warme water zou dicht bij zijn in de keuken. Dat leek me het beste plan.

Snel, voordat de volgende wee kwam, zette ik water op en veegde de keukenvloer aan. In de kieren tussen de planken zat nog steeds rode modder. Ik maakte de vloer zo goed mogelijk schoon, spreidde een lappendeken vóór het fornuis uit, en legde de handdoeken en washandjes ernaast. Ik haalde zelfs een kussen uit de slaapkamer en legde het op de deken.

Hoewel ik wist dat er een wee kwam, was ik niet voorbereid op de kracht van de volgende wee. De pijn kwam van achteren, als een zaag die dwars door mijn ruggengraat en ingewanden ging. De tanden van de zaag waren een paar centimeter lang en zo bot, dat ze het vlees openreten. Wat moet ik doen? dacht ik. Zoveel pijn kan ik niet verdragen. Ik kán dit niet alleen! De pijn was zo hevig, dat mijn benen bezweken en ik op de deken neerzeeg. Ik ging op mijn zij liggen, in een poging de pijn te verlichten. Ik rolde me op om te proberen minder pijn te voelen. Niets hielp. Ik duwde mijn handpalm tegen mijn rug. Dat hielp een beetje. De pijn was een muur die me beukte. Ik besefte dat de pijn erger zou worden, niet minder. De pijn zou zo erg worden als ik me niet had kunnen voorstellen.

Ik was zo zwak, dat ik niets anders kon dan daar liggen. Het plafond van de keuken golfde op en neer boven mijn hoofd. Ik hield me vast aan een tafelpoot om te maken dat alles stil werd. Wat voor hoop is er? dacht ik. Wat voor hoop is er voor de baby? Ik wist dat ik alles voor de baby moest doen. Ik telde niet meer. Met mij was het afgelopen, met mij was het afgelopen. Maar de baby moest gered worden. De baby moest beschermd worden, maar in mijn eentje was ik vrijwel machteloos.

Het enige prettige dat ik kon bedenken was dat Jezus misschien met liefde en bezorgdheid op me neerkeek. Er was niemand anders die me in mijn ellende zag. Er was niemand anders om me erdoorheen te helpen. 'Alstublieft, Jezus,' zei ik, 'ontferm u over mij. Niet omwille van mij, maar omwille van de kleine baby.'

Ik was misselijk, zwak en doodsbang, en ik lag plat op mijn rug. De pijn tussen mijn benen werd nog erger. Maar ik had het gevoel dat iemand mijn hand vastpakte. Ik had het gevoel dat er een aanwezigheid was in de lucht om me heen. Ik balde mijn handen tot vuisten en knarsetandde toen de pijn heviger werd. Er klonk geschreeuw. Ik vroeg me af wie er schreeuwde. En toen besefte ik dat ík moest hebben geschreeuwd. Het water op het fornuis kookte en aan het licht dat door het raam naar binnen scheen kon ik zien dat het halverwege de middag was. Ik had er geen idee van hoeveel tijd er tussen de weeën zat. Het leek of ik bijna voortdurend pijn had. Ik dacht aan wat er in de bijbel stond: *Ik zal zeer vermeerderen de moeite uwer zwangerschap; met smart zult gij kinderen baren.* Het woord 'smart' klonk waardiger dan 'pijn'. Smart was iets van alle eeuwen.

Ik lag te kronkelen van de pijn en sloeg met mijn ellebogen op de deken. 'God, help me door deze smart heen,' zei ik. Mijn gezicht was nat van het zweet, evenals mijn verwarde haren. Mijn bezwete rug plakte aan de deken. Als ik geen pijn had, zou ik in slaap vallen van vermoeidheid. Hoewel ik niet wist hoe het verder moest, was het zeker dat ik er nog lang niet was. Het was een volle dag werken. Baren is werken, had ik wel eens gehoord. Hard werken. Ik zou proberen het als werk te beschouwen en niet als pijn. Ik had een hoop werk te doen. Ik kon maar beter de hand aan de ploeg slaan. Het was onmogelijk er onderuit te komen. En dat wilde ik ook niet.

Dit is míjn werk, dacht ik. Dit is werk dat alleen ík kan doen. Dit is werk dat vanaf het begin der tijden voor míj is bestemd. En dit is werk dat me in een eindeloze keten van mensen naar het einde der tijden leidt. In de loop der jaren hebben andere vrouwen hun werk gedaan, en nu ben ík aan de beurt. Er zit niets anders op dan de pijn vast te grijpen en ermee te worstelen. Opgeven kan niet.

Maar toen de stekende pijn in mijn buik groter en breder werd, een razende, rode vloed van pijn die door en uit me stroomde, besefte ik dat ik me ergens aan moest vasthouden. Ik kon niet gewoon op mijn rug op de deken liggen en hard duwen, zoals nodig was. Ik moest tégen de pijn duwen. Ik ging zo liggen, dat ik de tafelpoten kon beetpakken. Daardoor had ik iets om me schrap tegen te zetten, en ik moest me schrapzetten om te duwen.

Het werk was de baby naar buiten duwen. Het was zwaar, alsof je de hele wereld een paar centimeter verschoof. De baby naar buiten duwen was net zo zwaar als de aarde en de hemelen verschuiven. Ik greep de koude tafelpoten vast alsof ik de tafel op zou tillen. Er zat nog een beetje opgedroogde modder van de overstroming aan de poten. De modder werd als stof in mijn bezwete handen. We zijn slechts stof, dacht ik. Maar het wonder van de mens is dat de stof vorm krijgt en verandert, zodat hij kan voelen en ademen en denken en zich iets herinneren.

Toen was het alsof de pijn die ik voelde mijn botten verpletterde. Ik had zoveel pijn, dat mijn adem stokte. De tranen stroomden uit mijn ogen en vermengden zich met het zweet op mijn wangen en slapen. Ik wierp mijn hoofd van de ene kant naar de andere, mijn wangen sloegen tegen de deken. De deken was kletsnat van het zweet. Dit betekent het om mens te zijn, om te werken en pijn te lijden, dacht ik.

Toen de pijn op zijn hoogtepunt was, voelde ik dat ik openging. De pijn was zo afschuwelijk, dat ik rechtop ging zitten op de deken. Ik spreidde mijn benen zo wijd mogelijk. Ik opende mezelf wijder dan ik ooit had kunnen dromen. Door alle pijn heen voelde ik het genot van uitrekken. Het was zo'n intens genot, dat ik het geen naam kon geven. Het genot was zo hevig dat ik het gevoel had dat er bloed uit mijn aderen en door mijn huid werd getrokken. Het genot doorboorde me alsof het mijn hart zou doen barsten. Het licht van de avondzon scheen door het keukenraam op mijn gezicht. Het verblindde me bijna. Het raam was zo helder dat het scheen te stralen. Het raam wierp licht op me alsof het over me waakte, alsof de witte lichtstraal me had uitgekozen.

Ik boog me zo ver mogelijk voorover en legde mijn handen tussen mijn benen. Ik kreeg zweet en haren in mijn ogen, maar ik kon ze niet wegvegen. Wat ik voelde komen was groter dan een ui, een harige ui, of een appel. Ik duwde met alle kracht die ik nog over had. Het hoofdje kwam verder naar buiten. 'Alstublieft, Jezus,' schreeuwde ik. Ik pakte het kleine hoofdje vast, dat glibberig, warm en nat was, alsof er boter op zat, boter en bloed. Ik hield het zo voorzichtig mogelijk vast en trok.

Het licht van het raam scheen precies op de plek waar mijn handen de oortjes vasthielden. Ik dacht aan zaad en woord en de manier waarop dominees over 'het woord in de schoot' spreken. 'Alstublieft, Jezus,' zei ik opnieuw, en ik hield het hoofdje vast alsof het de kostbaarste vrucht was. Ik kan niet beschrijven hoe fijn het was om zo hard te trekken. Mijn ogen prikten en puilden uit door de inspanning. Ik trok aan het hoofdje, en toen voelde ik de schouders. Het was een piepklein lichaampje, bloederig en plakkerig. Ik haalde het er net zo makkelijk uit als wanneer je een peul uit zijn schil haalt. Ik was zo zwak en afgemat, dat ik beefde. Dit is de kern van het bestaan, dacht ik.

Ik hield de baby omhoog in het gouden licht. Zijn ogen waren dicht. Zijn gezicht en lichaam waren glibberig door het bloed en een soort grijze boter die eraan vastkleefde. De blauwe, bloederige navelstreng moest worden doorgesneden. Maar ik had geen mes of een schaar bij de hand. En ik kon de baby niet neerleggen om er een te halen. Er zat niets anders op dan de baby dicht bij mijn gezicht te brengen en de kronkelige streng door te bijten. Hij smaakte naar het zout in het bloed en het glibberige spul. Alles smaakte zout en aards. Ik kon de streng opeten als het moest.

Toen zag ik dat het een meisje was. Ik had vermoed dat het een jongetje zou zijn. En nu hield ik een klein meisje vast. Ik legde mijn linkerhand om de buik van de baby om haar vast te houden en gaf met mijn rechterhand een klap op haar kontje. Er was geen reactie. Kon de baby dood zijn? Ik keek naar het gezichtje. De kleine oogjes waren nog steeds gesloten. Ik sloeg opnieuw op het kontje, en toen was er een zacht gejank, meer als een lam of een geit dan iets menselijks. Maar het werd een schreeuw. Het was de schreeuw van een baby. De baby ademde.

Haar huid zag er grauw uit onder het sap en het bloed. Maar waar ik de huid schoonwreef, was hij roze. Ze was bijna te klein om vast te houden. Ik hield haar in beide handen en keek naar de gesloten ogen en de rimpel in de neus. Ik hield haar omhoog in het licht van het raam. Ik was zo moe, dat ik amper rechtop kon zitten. Toch voelde ik me sterker dan ooit.

'Er is iets mis met de baby,' zei Hank. Het was het eerste dat ik hoorde toen ik uit de oceaan van slaap ontwaakte. Na de pijn van de nageboorte was ik in slaap gevallen. Ik had me zo goed mogelijk schoongemaakt. Daarna had ik de baby in een deken gewikkeld en naast me gelegd. Ik was gaan slapen zonder het te weten, dromend dat de baby werd geboren en in een bloem veranderde. Maar het was een bloem die met melk moest worden gevoed.

'De baby is zo grauw als pijpaarde,' zei Hank. Maar hij sprak niet in mijn droom. Ik was wakker aan het worden.

'Het is een broodmagere baby,' zei ik. Hank boog voorover om naar het bundeltje in mijn elleboogholte te kijken.

'Het is een vroege baby,' zei hij. 'Ik denk niet dat God er klaar voor was.'

'Ik heb haar gebaard,' zei ik. Ik had zo vast geslapen dat ik kalm was. Ik was niet van plan me op stang te laten jagen. Ik had al het werk in mijn eentje gedaan, en ik was niet bang meer. Ik had pijn vanbinnen en vanbuiten en mijn benen waren stijf. Maar ik dacht met een tevreden gevoel terug aan alles wat ik had gedaan.

'De baby moet gewassen worden,' zei Hank.

'Wassen is niet zo belangrijk als voeden,' zei ik.

'De baby lijkt te zwak om te zogen,' zei Hank. Hij boog voorover alsof hij de baby wilde optillen. Automatisch hield ik het bundeltje steviger vast. Het was míjn baby en ík kon haar zogen.

'De keukenvloer is geen plek voor een baby,' zei Hank.

'Waar is ma Richards?' vroeg ik.
'Ik heb haar niet meegebracht,' zei hij. 'Halverwege de berg ben ik omgekeerd, omdat ik dacht dat er misschien iets mis was gegaan,'
'Godzijdank,' zei ik.
'Nu zouden we haar hulp kunnen gebruiken,' zei Hank.
'Nu is het te laat,' zei ik.
'Ik zal je naar de slaapkamer dragen,' zei Hank.
'Ik kan zelf wel lopen,' zei ik. Ik kon niet op de vloer blijven liggen. Hank tilde de baby op. Ik begon overeind te komen, maar er ging een pijnscheut door mijn buik en ik was te zwak om mijn benen te bewegen. Ik was zo zwak dat ik achterover viel op de deken, niet in staat overeind te komen.
'Over een minuutje gaat het wel weer,' zei ik.
'Blijf liggen,' zei Hank. Hij droeg de baby de woonkamer binnen. Daarna kwam hij terug en tilde me op. Elke plek die hij aanraakte deed zeer.
'Wees voorzichtig met de baby,' zei ik toen hij me naar de slaapkamer droeg. Ik was zo zwak, dat ik slap in zijn armen lag.
Nadat Hank me had neergelegd, leunde hij voorover en kuste me. Terwijl zijn lippen over de mijne streken raakten onze voorhoofden elkaar. Hij rook naar tabakssap en hij voelde koel aan.
'Je gloeit,' zei Hank.
'Ik ben alleen maar moe,' zei ik.
'Je hebt koorts,' zei Hank. Hij stak een lamp aan en zette hem op het nachtkastje naast het bed.
'Ik heb geen kraamvrouwenkoorts,' zei ik. Ik wist dat vrouwen die na de bevalling koorts kregen een infectie hadden en dat de meesten stierven.
'Je bent gloeiend heet,' zei Hank. Zijn stem scheen een beetje uit te rekken in de lucht. Ik kon me herinneren dat ik koorts had toen ik een meisje was en dat de woorden van de mensen uitgerekt klonken en hakkelig.
'Ik heb alleen behoefte aan een teug koud water,' zei ik. Ik wist dat de gedachte dat ik ziek was Hank opnieuw boos zou maken. Ik wilde dat hij wist dat ik alleen maar moe was.

Hank gaf me een scheplepel vol water. Ik nam een slok. Het koude water maakte dat ik huiverde, en door de huivering voelde ik de pijn in mijn botten. Behalve de pijn in mijn middel en mijn kruis, had ik ook pijn in mijn gewrichten en mijn benen. Ik huiverde nogmaals. Ik kon me herinneren dat, toen ik als kind koorts had, ook pijn in mijn botten had gehad. Het was alsof elk gewricht was gekneusd.

'Ik moet alleen maar uitrusten,' zei ik. Maar mijn arm beefde toen ik de scheplepel aan Hank teruggaf.

'Morgen ga ik de dokter halen,' zei Hank.

Het was al lang donker. Hank liet de lamp laag branden. Ik lag in het bed te rillen en ik kon alles horen wat Hank in de keuken zei. Zijn stem golfde op en neer.

Het klonk of ik met Hank in de kamer was. En toen was het net of hij ver weg was en ik door een tunnel of een buis onder het huis luisterde. Ik kon Hank zacht horen praten tegen de baby. Hij had ergens melk vandaan gehaald, misschien van de Pooles. Hij druppelde de melk met een oogdruppelaar in de mond van de baby. Het was laat in de avond, maar het was niet de avond na de geboorte van de baby. Misschien was het twee avonden later. Dat wist ik niet zeker. Het was later dan ik had gedacht, en ik was lang ziek geweest. Hank probeerde de baby te voeden met behulp van een fles waarin hij suikerwater had gedaan of iets als gerstewater, maar het werkte niet. De baby was te zwak om meer dan een paar druppels tegelijk te drinken.

Ik wist waar de baby sliep. Ze sliep niet naast me, in de holte van mijn arm. Ze sliep in een schoenendoos in een stoel bij de open haard. Ik had Hank de plek die hij voor de baby klaarmaakte horen beschrijven. Ze was te klein voor een wieg, hoewel Hank de week ervoor een wieg van populierenhout had gemaakt. De baby was te teer om te verplaatsen. Je moest de luiers om en over haar heen leggen.

'Ik heb de baby schoongemaakt,' riep Hank. Ik wist dat hij zich zorgen maakte. Hij was niet gewend aan baby's. 'Ik ga een suikerspeen voor haar maken.'

'Ze heeft ook melk nodig,' zei ik.
'Ik denk niet dat je haar kunt zogen,' zei Hank.
'Ik kan haar wél zogen,' zei ik.
'Je bent te zwak om rechtop te zitten,' zei Hank. 'En je hebt koorts.'
'Breng de baby hier,' zei ik.
'De baby is te zwak om te verplaatsen,' zei Hank.
'Het is míjn baby,' zei ik, 'en ik heb het recht haar te zogen!' Het klonk alsof ik ergens ver weg praatte. Het klonk alsof ik in een andere kamer was.
'Je bent te ziek om te weten wat je zegt,' zei Hank.
'Breng de baby naar me toe,' zei ik.
'Ik heb gehoord dat koorts de melk van een vrouw bederft,' zei Hank.
'Het enige dat een baby nodig heeft is moedermelk,' zei ik.
Hank ging naar de woonkamer en kwam met de baby terug. Hij droeg haar in twee handen, alsof ze een gloeiende kool was die niets mocht aanraken. Ze was in een luier gewikkeld die veel te groot voor haar was. Ik nam de baby van Hank over en hield haar tegen mijn kin. Haar kontje in mijn handpalm was zo klein als een kippenei.
'Het meisje heeft melk nodig,' zei ik. Ik maakte mijn nachthemd open. Zodra ik de kleine lipjes naar de tepel bracht, begonnen ze te zuigen. 'We weten wat een baby nodig heeft,' zei ik.
De lipjes bleven werken en werken, en toen lieten ze los en slaakte de baby een droef kreetje. 'Wat is er?' vroeg ik.
'Je hebt geen melk,' zei Hank.
'Wat bedoel je?' vroeg ik. Ik bracht de lipjes van de baby naar de andere tepel en hield haar daar toen ze zoog. Ik hoopte dat alles goed zou komen, maar ik wist dat er iets mis was. Op de een of andere manier moest de borst anders voelen. De baby zoog en zoog. Toen liet ze los en begon te huilen.
'De melk komt heus wel,' zei ik.
'Soms hebben vrouwen geen melk,' zei Hank.
'Daar heb ik nog nooit van gehoord,' zei ik.
De baby bleef huilen. Ik probeerde het opnieuw met beide borsten. Tevergeefs.

'Wat is er aan de hand?' vroeg ik.

'Je hebt geen melk,' zei Hank. Hij nam de huilende baby uit mijn armen en droeg haar, in beide handen alsof ze uit elkaar zou vallen, terug naar de open haard in de woonkamer. Het was afschuwelijk om haar daar bij het haardvuur te horen huilen. Ze was mijn baby en ze had honger, en ik kon er niets aan doen. Ik werd geacht haar te voeden, en er was niemand anders om dat te doen. Ik had de pest aan mezelf omdat ik geen melk had.

Ik weet niet hoeveel tijd er voorbijging. Ik weet dat Hank een keer met een dokter binnenkwam. De dokter keek naar me en zei: 'In geval van koorts kun je haar het beste warm houden.'

'Maar ze is al zo heet,' zei Hank.

'Je beste hoop is dat ze zal gaan zweten en dat de koorts zakt,' zei de dokter. Hij droeg een hoog boord en een donkerrode das. Ik weet niet waar Hank hem had gevonden.

'Kijk alstublieft naar de baby,' zei ik.

'Maak je maar geen zorgen om de baby,' zei de dokter.

'Ze is een beetje buiten zichzelf,' zei Hank.

'Ik ben binnen mezelf,' zei ik. 'Ik bén niet buiten mezelf!' Ik bleef denken dat ik zo heet was dat ik wel moest rijpen als een appel of een tomaat die in zilverpapier was gewikkeld. Ik werd heet en zacht. En later zou ik melk hebben. Ik hoorde muziek. Het was het getinkel van snaren. Het was muziek ergens in de lucht. Het was harpmuziek in het gouden schijnsel van de lamp.

'Het moet koning David zijn die zijn harp bespeelt,' zei ik.

'Je droomt,' zei Hank.

'Vraag hem nog een keer te spelen,' zei ik. Want de noten deden pijn, maar verzachtten tegelijkertijd. De noten sneden de lucht in schaduwen van blauw, paars en rood, alsof er levende glas-in-loodramen om me heen waren. De noten sneden ook de tijd en kleurrijke vormen. Ik dacht aan de mantel van vele kleuren en de seconden van vele kleuren. Minuten waren gemaakt uit stralende delen die beelden vormden. Ik zag een beeld van Mozes uit de bijbel, gemaakt van gloeiende seconden van veelkleurig glas. En ik zag een duif die liefde betekende en die bijna klonk als de kreun van liefde.

Het was alsof de tijdsdelen steeds groter en langer werden. Ze begonnen zich als stof door de lucht te bewegen. De kleuren dansten als in een lichtstraal in de late namiddag. Stofjes zaten elkaar achterna. Ik dacht dat het noten waren. Alle kleuren waren als draaiende geluiden. De kleurrijke noten speelden in de lucht.

'Zeg tegen David dat hij op zijn harp moet blijven spelen,' zei ik.

'Je bent buiten jezelf,' zei Hank naast de deur.

'Ik ben binnen mezelf,' zei ik.

Mijn botten deden zeer, maar de pijn was ook zoet. Het was een diepe, bruine zoetheid als hitte van een heet bad. Het was een zoetheid die jeukte en me deed huiveren, zoals je uitrekken als je stijf bent. Het was de zoetheid van jeuk vlak voor je krabt.

Op dat moment zag ik de deuropening aan de andere kant van de kamer. Het was geen grote deuropening, maar de deur was open. Erachter was licht, maar het licht was niet verblindend. Het was het licht van een lenteavond. Het was een deur die toegang gaf tot een grazige heuvel waar een pad overheen liep. De deur was open en wachtte. Het enige dat ik hoefde te doen was mezelf aansporen op te staan en door de deur te lopen. Aan de andere kant zou de schitterende wereld zijn waarvan ik altijd had gedroomd. Het gemaaide gras en het pad leidden naar het dennenbos en naar een open plek in het dennenbos, die eruitzag als een nis. Het was een plek waar jonge mensen op een lentemiddag zouden kunnen dansen, omringd door pijnbomen en met witte wolken boven hun hoofd.

Ik keek door de deuropening en zag dat de hemel helder was, op de witte wolken na. En er was nog een pad voorbij de nis, een pad dat naar de pijnbomen leidde, heuvelopwaarts. Het was een pad dat me uitnodigde het te volgen. Het was een pad dat leefde, een pad dat ik met mijn voeten kon voelen ook al waren mijn ogen dicht. Het was een pad dat naar de rand van de heuvel voerde naar de rand van de hemel. Het was het pad naar de hemel. Ik kon daar voetje voor voetje lopen, door de deuropening in het avondlicht, over het koele gras.

Toen ik wakker werd stond Hank over me heen gebogen met een kopje warme thee. De damp die van het kopje afkwam maakte dat mijn wangen zweetten. 'Neem hier een slokje van,' zei hij.

'Ben ik beter?' vroeg ik. Ik herinnerde me de glanzende deuropening die ik de avond ervoor had gezien.

'Je koorts is gezakt,' zei Hank.

'Dan ben ik beter,' zei ik.

'Koorts zakt 's morgens altijd,' zei Hank. 'En dan stijgt hij 's avonds weer.'

'Hoe is het met de baby?' vroeg ik.

'De baby is zo zwak, dat ik haar niets anders kan geven dan een suikerspeen en melk in een oogdruppelaar,' zei Hank.

'Dan moet ik haar zogen,' zei ik.

'Dat kun je niet,' zei Hank. Ik voelde de leegte in mijn borsten.

'Ik wil de baby zien,' zei ik.

'Je moet rusten,' zei Hank.

Toen Hank weg was, zocht ik de verlichte deuropening in de muur van de slaapkamer, maar ik zag alleen de muur met jassen en werkbroeken aan haken. Maar toen ik mijn ogen sloot en door mijn wimpers keek, zag ik de stralende drempel. Hij was er altijd als je maar goed keek, zoals sterren in de hemel rond het middaguur, wanneer ze tenminste zichtbaar waren.

Ik sloot mijn ogen en luisterde naar de geluiden buiten het huis. Ergens in het bos aan de overkant van de kreek klonk de roep van een duif. Het was als het geluid van de wind die langs een grot woei.

Hank was in de keuken kleren aan het verzamelen om ze naar de wasketel buiten te brengen. Hij had een vuur onder de wasketel gemaakt en water uit de bron gehaald om de ketel en de waskuipen te vullen. Voor zover ik wist had Hank nog nooit kleren gewassen. 'Het water kookt,' riep Hank. 'Ik wil de baby geen minuut alleen laten.'

'Je kunt haar niet mee naar buiten nemen,' zei ik.

'Ik ben bang dat ze zal ophouden met ademen als ik haar de rug toekeer,' zei Hank.

'Ze is in Gods hand,' zei ik. Maar ik wist niet of ik in mijn hoofd praatte of dat ik écht tegen Hank praatte. Ik wist het verschil niet meer.

Ik kon Hank horen praten, alsof ik bij hem in de kamer was. Ik hoorde hem de kleren naar de wasketel dragen en ik hoorde hem zachtjes zingen terwijl hij met de roerstok in het kokende water roerde. Hank had nooit eerder kleren gewassen, maar nu had hij geen keus. Hij zong *By Jordan's Stormy Banks*. Hij zong verscheidene liederen terwijl hij de kleren omroerde, ze met de stok uit het water haalde en ze op het wasbord kwakte.

Hank liet de baby in de schoenendoos op de stoel bij de open haard achter terwijl hij de was deed en hout hakte. Ik hoorde de klap van de bijl en dan de klap van de echo vanaf de bergkam aan de overkant van de kreek. *Boem-boing. Boem-boing. Boem-boing.* Zijn bijl maakte muziek en de duif maakte muziek. Alles maakte zijn eigen muziek. De stof in de lucht was muziek en de wolken in de hemel waren muziek. En het kreetje van de baby was muziek die pijn deed.

Ik werd rillend wakker. Het was alsof er ijswater door mijn botten stroomde en er ijs in mijn gewrichten zat. Mijn tanden klapperden en mijn ellebogen schokten. Hank boog zich over me heen en zei: 'Je hebt koude koorts.' Hij wikkelde de dekens steviger om me heen, maar ze voelden aan als een dun stofje waar de wind doorheen blies. Er was niets tussen mij en het ijs op de noordpool.

'Drink dit op,' zei Hank. Hij hield een glas warme thee bij mijn lippen. De thee rook naar whisky. Mijn kaken trilden zo erg, dat ik amper uit het glas kon drinken. Ik slikte wat thee door. Het gleed als een hagedis van vuur door mijn keelgat naar beneden. Het kroop in mijn buik en krulde zich op in een nest gloeiende kolen. Ik nam nog een slok, en het nest kolen werd groter.

'Alles opdrinken,' zei Hank. Ik dronk en slikte. De warme kruidenthee maakte dat ik nog erger begon te rillen. Rillen laat zien dat je nog steeds in leven bent, had iemand gezegd. Ik rilde en schokte in bed heen en weer. Mijn borsten waren leeg, en tóch wilde ik de baby vasthouden. Maar ik kon mijn armen niet eens stilhouden. Ik probeerde stil te liggen. Ik had het gevoel dat mijn botten tegen elkaar rammelden.

Toen de warme vloeistof zich in mijn buik begon te verspreiden en door mijn aderen en botten naar mijn tenen en vingertoppen stroomde, hield ik een beetje op met trillen. Ik lag op mijn rug in de kussens en zag de deur in de muur van de slaapkamer. Warm avondlicht viel door de deur op het gras en tussen de dennen. Iemand riep me op het pad, vanaf een plek die ik net niet kon zien.

Nu kon ik twee dingen tegelijk denken. Ik kon Hank in de woonkamer horen praten terwijl hij het lichaampje van de baby – onhandig – met een vochtige, flanellen doek waste. De baby was zo klein dat een normale luier haar bijna bedekte. De huid was te teer om te wrijven. Hank raakte de huid aan met het vochtige flanel zoals hij een zere plek of een wond zou schoonmaken. Hij raakte de baby aan alsof hij bijna bang was haar aan te raken.

'Het is een wonder als deze baby blijft leven,' zei Hank.

'Dat geldt voor élke baby,' zei ik. Maar ik wist niet of ik alleen maar in mijn hoofd sprak. Ik kon de baby niet zogen. Ik had haar in de steek gelaten.

Het was donker buiten. De duisternis die het huis omgaf maakte het nietig.

Maar door de deur in de muur van de slaapkamer kwam het licht van een zomeravond. Vogels zongen in de gouden bomen en het gras was warm door de zon. Je kon zo zien waar het pad in het gras was, want het was een beetje verzonken. Het pad slingerde zich door de pijnbomen, de heuvel op. 'Julie,' riep iemand vanaf een plek tussen de bomen die ik niet kon zien.

Wie zou me roepen om naar buiten te komen in de late avondzon, naar het bos waar de zonnestralen niet konden komen? Ik vroeg me af of ik uit bed moest stappen. Ik had zo lang stil gelegen, dat ik zwak was en mijn benen bevroren leken. Als ik zo'n koorts had als Hank had gezegd, moest ik dan wel onder de dekens vandaan gaan en naar buiten lopen?

'Kom je, Julie?' riep de stem. Tegelijkertijd hoorde ik Hank vanuit de woonkamer praten. 'Ik heb gehoord dat je een baby ginsengthee moet geven om zijn hart te stimuleren.'

'Ginsengthee is te sterk voor een baby,' riep ik. 'Ik zou niets sterkers geven dan bergamotthee.'

'Je zou een kleinere of een lichtere dosis kunnen geven,' zei Hank. Hij strooide talkpoeder op het meisje en legde een luier onder haar billetjes. Hank ging voorzichtig te werk. Hij raakte de tere huid amper aan. De baby was zo zacht dat één aanraking haar al kon bezeren. De huid was zachter dan een rozenblaadje en zou net zo makkelijk breken.

Ten slotte maakte Hank de luier met veiligheidsspelden vast. Zijn handen waren te groot voor dat soort werk, maar hij deed zijn best. Ik zag een onvermoede kant aan Hank. Hij praatte tegen de baby. 'Ze is een knap meisje, is het niet?' zei Hank. 'Het knapste meisje van de hele wereld. Ze heeft nog geen naam, het knappe ding.'

Maar terwijl ik Hank hoorde praten – hij zong bijna tegen de baby – kon ik ook de stem horen die vanaf de pijnbomen riep. 'Julie, ik wil je iets laten zien.'

Wiens stem was dat? Hij klonk zo bekend. 'Julie,' riep de stem, 'ik wil dat je naar buiten komt, zodat ik je kan zien.'

Plotseling wist ik dat het papa's stem was. Dat was me nog niet opgevallen, want het was niet papa's stem toen hij oud was, maar toen hij jong was. Het was zijn stem als jongeman, toen hij kennis met mama maakte. Hij riep me met de stem van zijn jeugd. Hij riep me vanuit het dennenbos.

'Ik mag niet lopen,' riep ik terug.

'Maar je kunt het wél,' zei papa, bijna als een kind dat riep of ik buiten kwam spelen. Ik schoof de dekens opzij en stapte uit bed. Mijn benen waren sterker dan ik had gedacht. Ik moest langzaam lopen, maar ik viel niet om. Met kleine stapjes liep ik door de deur naar het gras.

Het was daar een wereld voor een picknick. Ik had nooit zo'n volmaakte plek gezien. Het korte gras was warm en glad. De wereld was een park, een tuin. Zo moest de wereld in het begin zijn geweest. Er waren struiken die naar parfum roken, en bloeiende azalea's. Langs de rand van het gras waren kleine korenbloemen. Het was gras waar je op wilde zitten. Het was gras waarin je op je rug wilde liggen en naar de voorbijdrijvende wolken kijken.

Papa riep me nogmaals, maar hij was dieper in het bos dan ik dacht. 'Kom je, Julie?' vroeg hij. Het was alsof hij een wandeling op het pad van de berghelling was gaan maken en op me wachtte. We gingen wandelen over het pad dat zich door de pijnbomen naar de rand van de hemel slingerde.

Maar in de woonkamer stond Hank nog steeds tegen de baby te praten. Hij legde een witte, flanellen deken over haar heen, tot aan haar kin. 'Dit kleine meisje zal leven tot het einde van deze eeuw,' zei Hank. 'Ze zal leven om het einde der tijden mee te maken. Want dominees zeggen dat de wereld aan het eind van het millennium zal ophouden te bestaan. Dit kleine meisje begint in een schoenendoos bij de open haard en zal Jezus in al zijn glorie uit de oostelijke hemel zien nederdalen.'

'Hoe kan er nou een einde aan de tijd komen?' zei ik in mijn hoofd.

'Er zal een einde aan de tijd komen wanneer het Woord is vervuld,' zei Hank.

'De tijd kan niet eindigen, want wat volgt zou ook tijd zijn,' zei ik.

'Geloof je de bijbel niet?' zei Hank. 'Weet je niet dat er duidelijk in Openbaringen te lezen staat dat de tijd zal ophouden?'

'Maar wat daarna komt zal nog méér tijd zijn,' zei ik.

De baby slaakte een kreetje. Zo klein als een vogel zou kunnen maken. Zo klein als de herinnering aan een kreetje. Ze huilde, en ik kon haar niet voeden.

'Je loopt op heilige grond,' riep de stem in de dennen tegen me.

'Ik ben blootsvoets,' zei ik.

'Nog maar een paar stappen,' riep de stem. Maar nu was hij verder op het pad. Hij was in de schaduwen onder de pijnbomen. De dennen hadden paarse en groene schaduwen. Het pad kronkelde dieper het bos in.

Nu was het alsof er muziek kwam uit alles waar ik naar keek. Het gloeiende gras onder mijn voeten had zijn eigen muziek, en de schaduwen bliezen diepe orgelmuziek uit. Ik wist dat de muziek in mijn hoofd was, maar het was de aanblik van de prachtige wereld van gras en dennen die maakte dat ik aan muziek dacht. Er kwam muziek van onder de grond, zo diep dat hij pijn deed aan mijn botten en door mijn ingewanden ging. Alles had een andere stem, maar de stemmen pasten bij elkaar, zoals in de kerk, als de gemeente zong.

'Julie,' riep de stem toen ik de open plek tussen de dennenbomen betrad. Het was een plek om te dansen. Ik keek of ik papa zag, maar er was niemand. Het bos werd verlicht door de avondzon, maar ik zag niemand. Het was het soort plek waar je verwachtte een brandende struik te zien. Ik liep zo makkelijk over het zachte gras alsof ik gleed.

'Papa,' riep ik tegen het pad dat de heuvel opliep. Er was niemand te zien tussen de dennen, en niemand gaf antwoord. Maar ik dacht dat ik iemand hoorde praten, of misschien was het een duif die riep. Ik ging op het pad staan en wist dat er iemand wachtte, want ik had de stem mijn naam horen roepen. De muziek was in mijn hoofd, maar de stem kwam uit de richting van de pijnbomen. 'Papa,' riep ik opnieuw. Maar toen ik de bocht omkwam, was er niemand. 'Alstublieft, Jezus,' fluisterde ik, 'laat me met papa praten.'

'Julie,' zei de stem. Hij klonk dichtbij maar boven me. Ik rende snel over het pad naar boven en zag dat er geen bomen groeiden op de heuveltop. Hij was bedekt met gras. Een stralende, witte wolk hing zo dichtbij, dat het leek of hij tegen de heuveltop leunde. Het was alsof ik zó van het pad op de glanzende wolk kon stappen.

'Papa,' riep ik, maar ik zag niemand op de heuveltop. Alleen ik was er en de hemel en de witte wolk.

'Julie,' zei de stem achter me. Ik draaide me om. Waar niemand had gestaan stond nu een jongeman die een beetje op papa leek. Hij had rossig haar en een rossige baard. Hij droeg een wit hemd. Hij had magere schouders en een huid die zo wit was als ik nog nooit had gezien.

'Ken je me niet?' vroeg hij.

'Ik denk van wel,' zei ik.

Ik stond op de top van de wereld en er was niemand, behalve

hij en ik en de glanzende wolk die bijna mijn elleboog raakte.
'Ik ben hier om je mijn liefde te tonen,' zei hij.

'Waarom bent u naar me toe gekomen?' zei ik. Ik werd gekweld door schaamte. Ik had niet eens mijn baby kunnen zogen!

'Omdat je de ware liefde hebt getoond,' zei papa.

'Hoe dan?' vroeg ik. Mijn knieën beefden.

'Omdat je meer van anderen hebt gehouden dan van jezelf,' zei hij.

'Ik heb gedaan wat ik moest doen,' zei ik.

'Je bent gezegend,' zei hij.

'Wat voor droom droom ik?' vroeg ik.

Maar papa gaf geen antwoord. Hij draaide zich om en liep de heuvel verder op. Ik was bang dat hij zou oplossen in het licht. Hij zag er zo dun en zo uitgehongerd uit. Ik was bang dat hij zou verdwijnen voor ik kon achterhalen waarom hij naar me toe was gekomen.

Er waren dingen die ik papa wilde vragen, dingen die ik hem nooit meer zou kúnnen vragen. 'Zal ik blijven leven?' vroeg ik.

'Ik ben hier gekomen om je te vertellen dat je zult blijven leven,' zei papa. 'Je zult blijven leven en je zult doorgaan met werken en liefhebben.'

'Dat klinkt simpel,' zei ik. 'Simpel en zwaar.' Dat waren twee woorden die bij mijn leven pasten, het leven dat ik had geleefd. Sinds ik me kon herinneren was het werk zwaar geweest en had ik er vaak de pest aan gehad. Ik keek of ik papa zag, maar hij was niet op de heuveltop. Ik keek achter me, maar daar waren alleen maar pijnbomen en gras. De wolk was weggedreven en hing in de verte boven de vallei.

'Ik wilde vragen of de baby zal blijven leven,' riep ik. Maar er was alleen het gefluister van lucht om me heen.

Ik stond op de heuvel tot het licht langzaam begon te verdwijnen. Ver aan de rand van de wereld dacht ik een ster te zien die als een kristal te voorschijn kwam. Het was tijd om de heuvel af te dalen.

Ik hoorde de baby in de woonkamer huilen.

'Ik zal wat extra hout op het vuur leggen,' zei Hank.
'Het is bijna bedtijd,' zei ik.
'Het maakt niet uit hoe laat het is,' zei Hank. 'Ik ga nog wat thee voor de baby maken.'
'Wat voor thee?' vroeg ik.
'Ik zal er een beetje kamille in doen,' zei Hank,' om de baby te helpen slapen. Om haar te kalmeren zodat ze niet meer huilt.'

Ik voelde hoe warm en vochtig het laken om me heen was. Ik haalde mijn hand onder de dekens vandaan en raakte mijn voorhoofd aan. Mijn huid was nat van het zweet, en koel. Maar ik kon de ziekte op mijn hand ruiken, de geur van oud vel dat heet geweest was van de koorts en nodig gewassen moet worden. Ik was drijfnat van het zweet.

Hoofdstuk 13

Toen mijn koorts gezakt was, ging Hank ma Richards halen. Ma Richards hielp me voor de baby te zorgen terwijl ik weer op krachten kwam.

Ma Richards klaagde, maar ze hielp me met de kleine Delia alsof ze haar eigen baby was. Dat moet ik ma nageven. Maar we schoten er niets mee op. Het kind was te vroeg geboren. Ze was te klein om te kunnen leven op melk, suikerwater en de watergruwel die ma Richards maakte. Het brak mijn hart om te zien dat de kleine Delia zo klein was en niet zwaarder werd. Haar vingers en tenen waren kleiner dan luciferskopjes. Haar armpjes waren zo groot als mijn vingers. Voor Delia zorgen was anders dan voor een andere zieke baby zorgen, die je vasthield en wiegde, die je tonicum gaf en warme melk. Delia was zo klein, dat je haar niet rechtop durfde te houden. Ze was zo zwak, dat je haar niet méér wilde bewegen dan nodig was. En ze was zo teer, dat je bang was dat je haar huid of arm zou breken door haar op te tillen.

'De Heer zal de baby laten leven,' zei ik, 'als het Zijn wil is.'

'De Heer heeft zijn eigen plannen voor mensen,' zei ma Richards op een toon die me altijd ergerde.

'Maar toch kunnen we vragen om wat we willen,' zei ik.

'Ja,' zei ma, 'maar dat betekent niet dat de Heer moet antwoorden.'

Naarmate ik sterker werd was ik ma Richards sympathieker gaan vinden. Ik was minder op mijn hoede, misschien omdat ik had besloten ma te mogen. Vóór die tijd was ik extra voorzichtig geweest als ze bij me was en had ik me ingehouden omdat ik zo'n hekel aan haar had. Maar nu kwam de woede diep uit mijn binnenste en vulde mijn mond.

'Ik neem aan dat u alle geheimen van God kent,' zei ik. Ik klonk als mama wanneer ze boos was. Het flapte er gewoon uit. Ik deed geen poging het tegen te houden.

Ma Richards zat aan de keukentafel luiers op te vouwen. Ze hield op en keek me aan. Ze was niet gewend dat mensen haar tegenspraken. Ze was zeker niet gewend dat ík haar tegensprak.

'Ik probeerde de waarheid te zeggen,' zei ma.

'Waarom zou God u meer inzicht in de waarheid geven dan ieder ander?' vroeg ik. Ik voelde een schaduw in de lucht om me heen, alsof het daglicht werd achtervolgd. Ik was nog nooit zo ver gegaan als ik met iemand ruzie maakte, behalve misschien met Lou. Maar ik wilde pas ophouden als ik nog verder was gegaan. Het was fijn om je boosheid in woorden om te zetten.

'Ik heb een paar dingen geleerd in mijn leven,' zei ma. 'Bijvoorbeeld, hoe dwaas de jeugd kan zijn als ze geen raad aannemen.'

'De enige raad die u wilt geven is de baas spelen,' zei ik. Ik was al zo ver gegaan. Nu kon ik net zo goed nóg verder gaan.

Ma Richards ging weer luiers vouwen. Toen de ene luier klaar was begon ze aan de andere. Er was een grijns op haar gezicht, alsof ze lang op een aanvaring had zitten wachten en niemand haar dat genoegen had gedaan. 'Je laten gaan tegenover mij maakt de baby niet beter,' zei ma.

'Het kan u niet schelen wat er gebeurt, zolang u maar de bijenkoningin kunt zijn,' zei ik. Mijn stem was scheller dan ik wilde.

'Het kan me voldoende schelen om hierheen te komen en dag en nacht te werken om voor jou te zorgen,' zei ma.

Ik wilde haar de keuken uit jagen. Ik wilde de luiers zélf vouwen. Ik pakte een luier van de stapel en begon hem te vouwen. Hank was buiten bij de schuur. Ik wilde niet dat hij me ruzie met ma Richards hoorde maken.

'U denkt dat behalve u niemand weet hoe iets gedaan moet worden,' zei ik. Nu ik eenmaal begonnen was, kon ik niet meer stoppen.

'Wat mankeert je, Julie?' vroeg ma. 'Je moet gek zijn geworden.'

'Ik geloof in het respecteren van oude mensen,' zei ik. 'Maar ik heb nog nooit iemand als u ontmoet.'

'Hank schijnt het niet erg te vinden dat ik ben zoals ik ben,' zei ma Richards.

'U hebt zijn hele leven de baas over hem gespeeld,' zei ik. 'Hij is een goede man, anders zou hij het niet hebben gepikt.' Ik dacht dat ik net zo goed de waarheid kon zeggen nu ik toch bezig was. 'U bent de oorzaak van het overgrote deel van zijn problemen.'

'Wat voor problemen?' zei ma.

'Dat hij zo snel ontmoedigd is en geen baan kan vinden,' zei ik.

'Neem je míj kwalijk dat de wereld zo in elkaar zit?' zei ma.

'Ik neem u kwalijk hoe Hánks wereld in elkaar zit,' zei ik.

'Je slaat plotseling een hoge toon aan,' zei ma.

Ze reikte naar een andere luier, maar ik pakte hem voordat ze hem kon aanraken. 'U bent niet gewend dat mensen u de waarheid vertellen,' zei ik.

'Ik heb niets gedaan waar ik me voor moet schamen,' zei ma, 'jou heb ik in elk geval niets misdaan.'

'Het kan me niet schelen wat u me aandoet,' zei ik. 'Ik word woedend over de manier waarop u over Hank heen loopt.'

'Heeft Hank dat tegen je gezegd?' vroeg ma.

'Dat was niet nodig,' zei ik. 'Ik heb ogen in mijn hoofd.'

'Sommige vrouwen zijn bang hun man te verliezen, en dat maakt ze gemeen,' zei ma. 'Ik denk dat jij er een van bent.'

De tranen sprongen in mijn ogen. Ik kon er niets aan doen. Plotseling werd alles in de kamer onscherp. Het leek of ma me meesmuilend aankeek. 'Let eerst maar eens op uw eigen gedrag,' zei ik.

'Het is een algemene zwakheid om andere mensen de schuld te geven van je eigen tekortkomingen,' zei ma met een wrang glimlachje.

'U bent heel erg gewend het laatste woord te hebben,' schreeuwde ik.

'Misschien stoort je dat, omdat jij bang bent voor alles,' zei ma.

'Het is míjn huis' schreeuwde ik. Maar ik had meteen spijt. Ik was te ver gegaan. Ik had het gevoel dat ma me er op slinkse wijze toe had gekregen boos te worden en tegen haar te schreeuwen. Hoewel ze me tijdens mijn herstel met de baby had geholpen, was het haar gelukt me mijn zelfbeheersing te laten verliezen.

'Julie, ik weet niet wat je bezielt,' zei ma. Maar ze zei het alsof het omwille van iemand anders was. Ik vermoedde dat Hank de keuken was binnengekomen terwijl ik aan het schreeuwen was. Ik draaide me om. Daar stond hij in de deuropening, met een blik van verbazing in zijn ogen. Mijn ogen waren betraand, maar toch kon ik de angst op zijn gezicht zien.

'Wat is hier aan de hand?' vroeg Hank zachtjes.

'Julie is boos,' zei ma.

'Ik heb het recht om boos te zijn,' zei ik. Maar ik had meteen spijt van mijn woorden, want ik schoot er niets mee op om te proberen Hank tegen zijn moeder op te zetten. Hij zou zich nooit tegen haar keren, en ze zou het doen lijken of de ruzie alleen míjn schuld was.

'Gaat het slechter met de baby?' vroeg Hank.

'Ik heb al het mogelijke gedaan om te helpen,' zei ma Richards.

Ik besefte hoe verkeerd het was geweest om me te laten gaan. Maar er was nog één laatste restje woede over. 'U hebt al het mogelijke gedaan om me slecht te doen lijken,' zei ik tegen ma.

'Ik heb al het mogelijke gedaan om je te helpen,' zei ma. Ze heeft me verslagen door gedwee te klinken, dacht ik.

Hank keek ma aan en hij keek mij aan. Hij stapte naar voren. Toen legde hij een hand op mijn schouder. Zijn andere hand legde hij op de schouder van ma. 'Laten we knielen en bidden,' zei hij. 'We vormen een familie, en we moeten samenleven als een familie.'

De opstandigheid en de woede in me verdwenen. De vrijmoedigheid die bezit van mijn tong had genomen smolt weg. Ik knielde neer op de keukenvloer. Hank legde zijn ene arm om mij heen en zijn andere arm om ma Richards.

'God, help ons van elkaar te houden,' zei Hank. 'Leer ons

onze gevoelens van wrevel en wrok te negeren, evenals onze valse opmerkingen en onze gekwetste gevoelens. Leer ons onze ijdelheid en onze trots op te geven. Help ons de fatsoenlijke mensen te zijn die we diep vanbinnen zijn.' Hij trok me naar links en ma naar rechts. Ik kon ma niet aankijken, en ik denk dat zij het ook niet kon verdragen mij aan te kijken. Ik staarde naar de vloer.

'Ik wil dat jullie elkaar een kus geven,' zei Hank.

Ik bleef zwijgend staan. Ik denk dat mijn lip trilde.

'Dit moet ophouden,' zei Hank. 'Er is geen hoop voor een familie die voortdurend ruzie maakt.' Ik had Hank nooit zo waardig en wijs horen praten. Gewoonlijk was híj het die zijn zelfbeheersing verloor terwijl ík de mijne bewaarde. Maar nu klonk hij als een diaken die voorging in gebed en het hoofd van de familie was. Zijn kalmte raakte me dieper dan wat dan ook. Ik was er trots op dat hij een man was die ik kon vertrouwen en op wie ik kon rekenen. Hij was niet alleen de vader die zijn en mijn baby had verzorgd, maar hij kon me ook laten zien wat ik moest doen wanneer ik woest was en buiten mezelf door teleurstelling en wrok. Het was alsof Hank een stuk ouder was geworden.

Ik stak een hand uit, legde mijn armen om ma Richards knokige schouders en kuste haar wang. Er welde een snik in me op. 'Het spijt me,' zei ik.

'Ik hou van je, Julie,' zei ze. Ik zag de tranen over ma's gerimpelde wangen biggelen. Ik had het gevoel dat ze het meende, dat ze de waarheid zei. Het klonk oprecht en er was geen scherpte in haar stem.

Ik snikte opnieuw. Ten slotte snoot ik mijn neus en bette mijn ogen. Mijn wangen waren nat, alsof ik in de regen had gelopen. Ik voelde me uitgewrongen van binnen, maar ook schoongeschrobd en opgelucht. De wereld was weer in evenwicht. Op dat moment hoorde ik kleine Delia zachtjes huilen.

'Ik ga even naar haar kijken,' zei ma Richards.

'Ik ook,' zei ik.

De baby werd steeds zwakker in plaats van sterker. Al snel bleek dat ze gewicht verloor. Haar huid was zo wit, dat hij doorzichtig leek. Onder haar huid waren blauwe aderen zichtbaar, als inktvlekken.

'Ze is heel zwak,' zei ik.

'Het is zo'n lieve, kleine schat!' zei ma.

'Is er geen medicijn voor een vroege baby?' vroeg ik.

'De dokter zei dat we haar melk, suiker en wat gerstewater moesten geven,' zei Hank.

'Haar maag is te jong om iets te kunnen verdragen,' zei ma.

'Ze geven baby's met buikkrampen opiumtinctuur,' zei Hank.

'Ik zou het verschrikkelijk vinden om zo'n kleintje opiumtinctuur te geven,' zei ik. Delia gilde niet zoals een baby gewoonlijk doet als hij last van buikkrampen heeft. Ze lag daar maar zachtjes te jammeren. Ze had geen verhoging. Er was geen teken van koorts. Niets geeft je zo'n machteloos gevoel als een zieke baby. Het is jouw taak er iets aan te doen, maar je weet niet wát. Ik was net weer op de been en kon niet helder denken.

'Misschien zal een beetje sterke drank haar hart stimuleren,' zei Hank. Het verbaasde me nog steeds dat hij voor de kleine baby had leren zorgen. De meeste mannen zijn bang voor baby's en willen hen niet vasthouden. Bij grotere kinderen hebben ze geen last van angst. Maar toen ik ziek was had Hank voor de kleine Delia moeten zorgen. Hij was net zo bezorgd als ik. Hij hield het vuur in de open haard dag en nacht aan, hoewel het al laat in de lente was. Aangezien Delia niet veel kon eten, was het net of ze op de warmte van het vuur leefde.

'Ik zou zo'n kleine baby geen sterke drank durven geven,' zei ik.

'Ik heb gehoord dat mensen baby's muntthee geven met een drupje brandewijn erin,' zei Hank.

'We hebben geen brandewijn,' zei ik.

'Een drupje sterke drank zal net zo goed helpen,' zei Hank.

Er groeide pepermuntkruid naast het pad naar de bron. Ik stuurde Hank naar buiten om een pan vol te plukken. Daarna legde ik de groene bladeren in de oven om te drogen. Het huis werd gevuld met de geur van mint. Het rook naar medicijnen. Voor de bladeren konden verbranden, haalde ik ze uit de oven.

Zodra het water voor de thee kookte, vroeg ik aan ma Richards hoeveel sterke drank ik in de thee moest doen.

'Een paar druppels in één eetlepel thee,' zei ma.

Ik maakte de thee klaar en goot er wat van in de oogdruppelaar die ma had gebruikt om Delia melk te geven. Ik bracht de oogdruppelaar naar de lippen van de baby en druppelde een druppel in haar mond, en toen nog een. Haar ogen knipperden een beetje, maar ze bleven dicht. Haar lippen waren getuit voor het zogen. Het deed me pijn dat ik haar geen borstvoeding kon geven.

'De munt zal haar maag tot rust brengen,' zei ma Richards.

Ik druppelde nog wat meer druppels in Delia's mond. Er kwam een beetje kleur op haar wangetjes. Misschien begon ze sterker te worden door de thee.

Toen ik midden in de nacht opstond om naar de baby te kijken, dacht ik aanvankelijk niet dat er iets mis was. De baby was meestal rustig en stil. Ik was van plan nog meer thee te zetten. Ik overwoog een beetje sterke drank met suikerwater te mengen en haar dat te geven. Ik zette de lamp op de schoorsteenmantel. De baby lag stil in de schoenendoos. Toen zag ik dat haar ogen gesloten waren en dat er geen kleur op haar wangen was. Ze heeft nóg een beetje thee nodig, dacht ik. Ik legde mijn hand op haar voorhoofd. Het was koud. Ik moet het haardvuur aansteken, dacht ik.

En toen besefte ik dat Delia's kleine voorhoofd écht koud was! Ik trok de deken weg en pakte haar handje. Het was zo koud als een ijspegel. Toen wist ik dat ze dood was.

Dit is het ergste wat je ooit is overkomen, zei ik tegen mezelf. Al word je negentig, dit is het meest trieste moment van je leven. Het was zo triest dat ik het niet echt kon voelen. Misschien zou ik het later voelen. Nu overkwam het iemand anders. Het was triester dan toen Masenier stierf, en toen papa stierf, maar ik voelde helemaal níets.

Ik ging bij de open haard zitten en keek naar mijn baby. Over een paar seconden zou ik het Hank moeten gaan vertellen. En dan zou híj het aan ma Richards vertellen. Maar ik wilde nog even wachten. Als ik het niemand vertelde was het misschien niet waar. Misschien zou Delia weer gaan ademen. Misschien zou mijn leven niet ophouden zoals het scheen te hebben gedaan.

Jezus, laat dit niet waar zijn, bad ik. Ik dacht hoe hulpeloos en onschuldig Delia was. Ik dacht hoe wreed het was dat een klein kindje als zij ter wereld kwam om te lijden en dan te sterven, zonder iets anders te kennen. Wat voor wereld liet zoiets gebeuren? Maar ik zette het uit mijn hoofd omdat ik het Hank moest gaan vertellen. Zo'n groot verdriet kon ik niet in mijn eentje dragen. Het verdoofde gevoel in mijn buik strekte zich uit naar mijn tenen en mijn vingertoppen.

Later kwam dominee Gibbs naar ons huis. In de woonkamer hield hij een kleine rouwdienst voor Delia. Toen begroeven we haar in een hoek van de boomgaard, in een eiken kistje dat Hank van planken had gemaakt die hij in de schuur had gevonden. Na de begrafenis voelde ik me anders dan ik had verwacht. Ik had het gevoel dat alles onwerkelijk was, dat ik zo licht was dat ik nauwelijks de grond raakte. Ik werkte me in het zweet om alles wérkelijk te doen lijken. Ik schrobde de vloer van het huis, haalde water uit de bron, waste al het beddengoed en schoffelde het aardappelveld. Hoe harder ik werkte, des te lichter ik me voelde. Als ik sprak klonk het alsof het mijn stem niet was. En als ik dacht leek het of iemand anders dacht. Ten slotte ging ik in een schommelstoel op de veranda zitten en wachtte tot mijn gewicht naar me terugkeerde.

'Zal ik de avondmaaltijd gaan klaarmaken?' vroeg ma Richards.

'Als u dat wilt,' zei ik.

'Wat wil je dat ik klaarmaak?' vroeg ma.

'Het maakt me niet uit,' zei ik.

De volgende dag bracht Hank ma Richards terug naar de berg. Ik gaf haar een kus voor ze in de buggy klom, en ik zei dat ik van haar hield. Ik kon niet anders na de manier waarop ze met de kleine Delia had geholpen en na de manier waarop ze zich na onze ruzie had gedragen. Wat ze had gedaan had haar liefde voor Hank en mij getoond. Maar toch was het een opluchting dat ze wegging. Ik voelde me beter omdat ze vertrok en ik het huis voor mezelf zou hebben.

Zodra de buggy het erf af reed, haalde ik een emmer warm water en een doek. Ik schrobde de trap aan de voorkant en die aan de achterkant tot ze glommen. En ik schrobde de veranda aan de achterkant van het huis en die aan de voorkant van het huis tot de planken kaal leken. Toen veegde ik het erf zo schoon, dat het stof glinsterde als schuurpapier. Ik nam een emmer mee naar de kreek, vulde hem met vers, wit zand, en strooide dat uit over de voor- en de achtertuin. Het leek of de grond met suiker was bedekt. Ik trok de drooglijn strak en maakte de wc schoon. Daarna boende ik de buitenmuren van het huis, voor zover ik erbij kon.

's Avonds begon ik met de binnenkant van het huis. Ik maakte de vloeren, de muren en de ramen schoon. De ramen glansden zo, dat het net leek of ze er niet waren. Het leek of ik nergens controle over had, behalve over het werk dat ik deed. Ik kon de klok niet terugdraaien, maar ik kon wél de vloer en de afwas doen glanzen. Ik maakte het fornuis schoon toen het was afgekoeld, en poetste het. Ik wil dat één plekje in de wereld zo helder is als kristal, dacht ik. Ik wil één klein plekje op de wereld helemaal volmaakt maken. Nadat ik het fornuis had gepoetst, poetste ik het zilver. En toen poetste ik Hanks zondagse schoenen en die van mezelf met zadelzeep.

Toen Hank in de loop van de avond terugkeerde was ik afgepeigerd, maar het huis glom. Ik had zelfs de plafonds en de achterkant van de deuren schoongemaakt.

Later die maand, toen ik weer een beetje was aangesterkt, plantte ik alle zaadjes die ik kon vinden. In de hitte van South Carolina en in de vochtige grond langs de kreek ontkiemden en groeiden ze snel. Ik zaaide snijbonen, pronkbonen, peulen, sla, okra's, paprika's, Spaanse pepers, pompoenen, aubergines en rapen. De zomerpompoenen groeiden als kleine, gele ganzen en de winterpompoenen zwollen op als speldenkussens. Ik zaaide watermeloenen en inmaakmeloenen in de zachte klei langs de kreek.

Al dat harde werken leidde tot steeds méér werk. Ik gaf de

dominee aardappels en wortelen in plaats van geld voor de kerkbelasting. En ik hielp ieder ander waar ik kon. Ik gaf mensen die ons huis passeerden nieuwe aardappels en pompoenen.

Wanneer ik aan Delia dacht ging ik nóg harder werken. Met de zeis maaide ik het gras in de wegberm. Ik snoeide de struiken en verwijderde het onkruid. We hadden niet genoeg geld voor schoenveters, maar alles wat ik deed was gratis. Het zweet was gratis, evenals het water uit de bron, de lucht en het zonlicht. Maar het grootste geschenk was de tijd die dag na dag terugkeerde. Na de dood van de kleine Delia had ik het gevoel gehad dat de tijd stopte. Maar de tijd ging tóch verder.

Elke dag leidde naar een andere nacht, en elke nacht naar een andere dag. De tijd bleef maar doorstromen. Alleen door te werken kon ik vat op de minuten krijgen en ze zin geven.

'Je werkt jezelf nog eens helemaal dood, idioot,' zei Hank. Maar het klonk niet lelijk. Hij had geen werk kunnen vinden. Hij had het in Tigerville gevraagd en hij had het in Pumpkintown gevraagd. Ik denk dat, zoals hij had gevreesd, het bericht zich had verspreid dat hij de baas op de katoenfabriek in Lyman had geslagen, en dat niemand hem in dienst wilde nemen. Hank werkte even hard als ik. Hij plantte een groot veld vol maïs in een groot veld en pootte zoete aardappels. Hij plantte een rij tabaksplanten die hij op krediet van Poole had gekocht. Hij ploegde de grond rond de fruitbomen om en deed wat snoeiwerk in de boomgaard. Op de berg had ik nooit zulke mooie watermeloenen gezien als die we bij de kreek lieten groeien. Met de slee vervoerde Hank rotsstenen en legde die langs de beek in de wei, zodat de oevers niet zouden wegspoelen. Hij lapte de omheining op met behulp van een buigtang en stukken ijzerdraad die hij in de schuur had gevonden. Hij mestte de hooizolder en het maïshok uit. Het feit dat hij geen geld had om spijkers en verf te kopen, maakte dat hij nog harder werkte.

Ik hielp Hank maïs oogsten in de augustushitte. En in de septemberhitte hooiden we en brachten het hooi in bundels naar de schuur, die zoet begon te ruiken, als groene thee. We plukten appels en maakten cider met behulp van een oude vruchtenpers die we in het gereedschapsschuurtje hadden gevonden. Ik sneed de appels in stukken en droogde de schijfjes op lakens in de zon, om er in de winter taarten van te maken.

Die zomer woonden we elke bidstonde, elke kerkdienst en elke zangdienst bij. Ik bracht aardappels, cider en gekonfijt fruit naar zieken en bejaarden. Ik maakte jam, bonen, perziken en tomatensap in. Ik weckte bramen- en druivensap. De dagen waren boordevol verdriet, en ik vocht me al werkend door elke minuut heen. Ik worstelde met elk karwei alsof het een duivel was, of een engel. Ik zocht voorzichtig een weg alsof ik van steen naar steen klom op een lastig pad. Mijn zweet en mijn inspanning maakten tijd mogelijk. Wanneer ik een andere vrouw met een baby zag, wendde ik mijn hoofd af. Daarna herwon ik me en probeerde blij voor haar te zijn.

Ik lag op mijn knieën de okra's te wieden toen ik iemand vanaf de weg hoorde schreeuwen. Het was een stem die ik vrijwel meteen herkende. Mijn knieën deden pijn door de harde kluiten aarde, maar de pijn die de stem door mijn borst joeg was erger.

'Piieendergaass!' riep de stem.

Ik hoopte dat Hank hem niet hoorde. Timmy Gosnell had ons met rust gelaten sinds Hank hem in de kreek had gegooid. Timmy was alleen lastig als hij stomdronken was. Af en toe had ik hem langs ons huis zien lopen. Ik betwijfelde of hij weleens nuchter was. Maar alleen als hij ladderzat was dacht hij aan Mr. Pendergast en het geld van de ginseng. Ik ging door met mijn werk, verborgen achter de zoete maïs en de tomatenplanten. Misschien zou Timmy doorlopen als niemand aandacht aan hem besteedde.

'Piieendergaass!' schreeuwde hij opnieuw. Ik hoorde een steen tegen de zijkant van het huis knallen. Ik hoopte dat hij geen raam had gebroken, want we hadden geen geld om een nieuwe te kopen. Toen hoorde ik opnieuw een steen vallen. Deze keer op de veranda. Ik kromp ineen.

'Je bent me geld schuldigggg!' riep Timmy.

Ik was bang voor wat er zou gebeuren als Hank weer boos werd. Sinds de dood van de baby was Hank in een kalme stemming geweest. Maar ik wist niet wat hij zou doen als Timmy hem boos maakte. Ik wist dat ik moest zorgen dat Timmy vertrok voor Hank hem hoorde. Hank was naast de beek aan het schoffelen.

Toen ik opstond, zag ik Timmy Gosnell bij de hoek van het huis staan. Hij boog voorover met zijn handen op zijn knieën om zich staande te houden. En toen reikte hij naar een andere steen. Ik was duizelig omdat ik me zo lang voorover had gebogen, en haalde diep adem.

'Je bent me geld schuldiggg!' riep Timmy in de richting van het huis.

'Je weet dat Mr. Pendergast dood is,' zei ik zo kalm mogelijk.

Timmy draaide zich bliksemsnel om. Hij viel bijna op de grond. Zijn hemd hing open en hij zag er roodverbrand uit, alsof hij in de hete Gap Creek-zon had liggen slapen. Hij hield zijn hand boven de ogen om naar me te kijken. 'Piieendergaasss is me geld schuldiggg,' zei hij.

'Mr. Pendergast is afgelopen herfst gestorven. Snap je dat niet?' Ik probeerde kalm en redelijk te klinken.

'Dan ben jíj me geld schuldig,' zei hij terwijl hij naar me wees.

'Als ik geld had, zou ik het je geven,' zei ik.

'Je móet,' zei Timmy. Hij kwam een stap dichterbij. Ik deinsde terug. Hij stonk verschrikkelijk en rond zijn ogen zaten zweren. Hij zag er zowel verward als boos uit.

Ik spreidde mijn vuile handen. 'Kijk, ik heb geen geld,' zei ik.

'Je moet me betááálen,' zei hij stampvoetend.

'Ga naar huis,' zei ik. Ik wist dat hij in zijn eentje in een oud huis woonde, ver weg bij Hominy Branch. Vreemd dat hij als hij dronken was alleen maar dacht aan de paar dollar die Mr. Pendergast hem verschuldigd was.

'Ben niet eerlijk beháááandeld,' zei Timmy. Hij stond met zijn vinger naar me te zwaaien. Hij knipperde met de ogen, alsof hij moeite had tegen de zon in te kijken. Toen hij een stap naar voren deed, deed ik een stap naar achteren. 'Ben niet eerlijk beháááandeld!' schreeuwde hij hoofdschuddend.

Op dat moment zag ik Hank met de schoffel op zijn schouder komen aanlopen. 'Je kunt beter weggaan,' zei ik tegen Timmy. 'Hank zal boos zijn.'

'Ben niet bang van hééémmm,' zei de dronken man.

Hank liep naar Timmy toe en bleef staan. De schoffel rustte als een staf op de grond. Hij had zo gezweet, dat zijn hemd aan zijn schouders plakte. 'Ik heb je gezegd dat je hier niet meer mag komen als je dronken bent,' zei Hank.

'Je bent me geld schuldig, Ríííchards,' zei Timmy.

'Hoe kom je daarbij? Mr. Pendergast is dood.'

'Omdat je al het geld van Piieendergaass hebt gekregen,' zei de dronken man.

'Ik heb geen cent gekregen!' zei Hank. Hij scheen niet bang te zijn, zoals de laatste keer dat Timmy bij ons was. Hij wiste het zweet van zijn voorhoofd. 'Ga naar huis,' zei Hank.

'Ben niet bang van jóúúú,' snauwde Timmy. Hij boog zich, met één oog halfdicht geknepen, naar Hank toe. Zijn roodverbrande gezicht was al aan het vervellen.

'Ik wil helemaal niet dat je bang voor me bent,' zei Hank.

Timmy deed een stap achteruit, alsof hij probeerde te begrijpen wat Hank had gezegd. Hij was gewend dat mensen tegen hem schreeuwden. Hij keek een paar seconden naar de grond. Toen keek hij om zich heen. 'Je bent een vervloekte leugenááár,' zei hij.

'We willen zo niet praten,' zei Hank. Hij tilde de schoffel op, maar zette hem meteen weer neer.

Timmy draaide zich om en wees naar me. 'Zij ook,' zei hij, 'jullie zijn alletwee... leugenááárs.'

Ik besefte dat de dronkaard dolgraag wilde vechten. Hij wilde geslagen worden en verwond en in de kreek gegooid. Dáár was hij voor gekomen. Hij wilde gekwetst en vernederd worden. Hank moet dat ook hebben gezien.

'We willen ons als christenen gedragen,' zei Hank.

'Praat me niet over chrííístenen,' zei Timmy. Hij zwaaide met zijn arm, alsof hij een vlieg wegsloeg. 'Heb ik geen vertrouwen in.'

'We zouden je wat koffie en maïsbrood kunnen geven,' zei Hank. 'En als je een tijdje blijft kan Julie bonen en aardappels voor je klaarmaken.'

'Je bent geen dominee,' zei Timmy. Hij maakte opnieuw een zwaaibeweging.

'Je zult je beter voelen als je iets eet,' zei Hank.

'Je bent een dief,' zei Timmy. 'Praat me niet over chrííístenen.'

'Niemand heeft iets van je gestolen,' zei Hank.

'Mijn hele leven ben ik door mensen bestolen,' zei Timmy. 'En dat terwijl ik níets heb!'

'We zouden je wat nieuwe aardappels en een maaltje bonen kunnen geven,' zei Hank.

Timmy keek naar het huis, en toen keek hij naar de hemel, alsof hij probeerde te bedenken wat hij vervolgens wilde zeggen. Het was allemaal anders gegaan dan hij had verwacht. Niemand had hem geslagen of bedreigd. 'Ik weet wat jullie zijn,' zei hij, 'hierheen komen en het geld van Piieendergaass stéééIen.'

'We hebben van níemand iets gestolen,' zei Hank. Hij keek Timmy boos aan.

Ik zweette zo hard, dat het zweet in mijn ogen drupte, maar mijn handen waren te vies om mijn voorhoofd af te vegen. Ik gebruikte de achterkant van mijn pols, maar daar zat ook vuil op. Ik had het gevoel dat ik smolt als een talkkaars.

'Jij gaat naar de hel,' zei Timmy, 'jij en je hoer!'

'Het lijkt hier wel de hel, ja, zo pal in de hete zon,' zei Hank.

Maar Timmy Gosnell liet zich niet afleiden. Hij keek naar de grond, en hij keek naar Hank. Toen hij met zijn vuist zwaaide, liet Hank de schoffel vallen, pakte de dronken man bij de schouders, draaide hem met zijn gezicht naar de weg en zei: 'Tijd om naar huis te gaan.'

'Ik ga niet,' zei Timmy. Hij zette zich schrap met zijn voeten.

'Je gaat naar huis, en we zullen voor je bidden,' zei Hank.

'Niet voor me bííídden,' schreeuwde Timmy. Hij rukte zich los en draaide zich naar Hank om. 'Ik wil niet dat je voor me bííídt,' zei hij.

'We zullen voor je welzijn bidden,' zei Hank.

'Om de dooie dood niet!' zei Timmy.

Toen zag ik dat Hank een idee kreeg. Ineens wist hij wat hij moest doen om te zorgen dat Timmy vertrok. In plaats van

Timmy tot bloedens toe te slaan, wat de dronken man had verwacht, zei Hank: 'Ik ga nú voor je bidden.' Hij knielde vóór Timmy neer op de harde grond.

'Niet voor me bíííдden,' riep Timmy.

'Heer, we vragen u om leiding,' zei Hank, met een hand boven zijn ogen tegen het felle zonlicht. 'Broeder Gosnell heeft pijn en is verward. Wilt u zijn hart tot rust brengen, zijn wilskracht versterken en hem de weg wijzen?'

Timmy stond als verstijfd te luisteren. Hij wilde iets zeggen maar hij bedacht zich. Hij zwaaide met zijn arm, alsof hij een mug wegsloeg.

'Toon broeder Gosnell de weg naar de waarheid. Genees zijn pijn en verwarring,' bad Hank. Hij klonk als prediker Gibbs. 'Want hij is een zondaar, zoals wij allemaal.'

Timmy deed een stap naar achteren, alsof hij bang was. En toen nog een. Hij keek mij aan, en daarna Hank, die nog steeds aan het bidden was. 'Ahhh!' zei hij terwijl hij opnieuw met zijn arm zwaaide. Daarna draaide hij zich om en vertrok.

Toen Timmy al een eindje weg was, deed Hank zijn ogen open en ging staan. 'Als je terugkomt, zullen we nog een keer voor je bidden,' schreeuwde hij. Maar Timmy keek niet achterom. Hij strompelde de weg af tot hij de bocht omging. Hank keek me grijnzend aan. Hij was veranderd sinds de winter. Hij had geweten wat hij moest doen om Timmy kwijt te raken zonder hem te verwonden. Ik gaf hem een knuffel met mijn ellebogen en mijn polsen, aangezien mijn handen zo vuil waren, dat ze zijn natte hemd zouden besmeuren.

Laat in de herst, nadat de maïs in het maïshok was gelegd, de aardappels waren gerooid en de appels geplukt, de bieten waren geweckt en de vosdruivenjam was gemaakt, de winterpompoenen in het hooi waren gelegd en de kolen in een heuvel achter de schuur begraven, begon Hank weer te jagen. In de zomer had hij forel gevangen in de kreek. We bakten de vis voor de zondagse maaltijden. Maar sinds de vorige winter hadden we geen rood vlees gehad. Na de eerste vorst doodde Hank een paar eekhoorns, waar ik stoofpot van maakte. En toen doodde hij een wilde kalkoen. In november schoot hij een hert neer. We hadden zoveel hertenvlees dat ik niet wist wat ik ermee moest doen. Hank zoutte wat hertenvlees en legde het in het rookhok.

We hadden geen geld. Onze kleren waren zo goed als afgedragen. Ik verstelde Hanks werkbroeken en stopte zijn sokken. Zijn hemden waren bij de ellebogen versleten. Maar je kunt voldoening halen uit schone, verstelde kleren. Je kunt voldoening halen uit het feit dat je zonder geld in leven kunt blijven, alleen door hard te werken. Ik dacht al aan Kerstmis, en aan een bezoek aan mama en mijn zussen op de berg.

Op een morgen werd er op de deur geklopt. Het was koud. In de wateremmer op de veranda was een laagje ijs. Ik droogde mijn handen aan mijn schort af en opende de deur. Het was dominee Gibbs, in gezelschap van een man met een hoog boord en een zwarte jas.

'Komt u binnen,' zei ik. Ze namen een heleboel kou mee.

'Julie, dit is Mr. Raeford uit Greenville,' zei de dominee.

'Prettig kennis te maken, meneer,' zei ik. 'Gaat u zitten.'

'Ik vertegenwoordig de erfgenamen van Mr. Pendergast,' zei Mr. Raeford.

'Juist ja,' zei ik.

'Aangezien zijn erfgenamen meer dan een jaar onkundig waren van de dood van Mr. Pendergast, eisen ze nu pas hun eigendom op,' zei Mr. Raeford.

'Ik heb Mr. Raeford verteld dat jij en Hank uitstekend voor het huis hebben gezorgd,' zei dominee Gibbs.

'Dat is te zien,' zei de advocaat.

'Neemt u plaats,' zei ik. Ik nam aan dat deze advocaat écht de vertegenwoordiger van de erfgenamen was, aangezien dominee Gibbs hem vergezelde. De twee mannen gingen zitten. Ze legden hun hoed op hun knie. De advocaat maakte een leren diplomatenkoffertje open en haalde er een aantal papieren uit. Het was het soort papieren dat je een gevoel van angst bezorgde. Het was het soort papieren dat moeilijk te lezen was voor gewone mensen.

'De erfgenamen hebben me opdracht gegeven het huis voor hen te verkopen,' zei Mr. Raeford.

'Juist ja,' zei ik. Ik vond het vreselijk hem te vertellen dat we geen cent hadden en dat we leefden van het wild dat Hank in het bos neerschoot en van het eten dat ik 's zomers had ingemaakt.

'En ze hebben me gevraagd huur te innen voor de maanden na Mr. Pendergasts dood,' zei de advocaat.

'Huur?' vroeg ik. Het woord bleef in mijn keel steken.

'Jullie hebben gebruikgemaakt van het huis, het land, het paard en de rest van de levende have,' zei Mr. Raeford.

'Mr. Pendergast heeft ons nooit huur laten betalen,' zei ik. De advocaat had een beetje poeder op zijn gezicht, en hij rook naar eau de toilette.

'Dominee Gibbs vertelde dat jij de huishouding voor Mr. Pendergast hebt gedaan,' zei de advocaat. 'Sinds zijn dood zijn de erfgenamen de eigenaren van dit huis.'

'U bent natuurlijk dankbaar dat Hank en Julie voor het huis en alles eromheen hebben gezorgd,' zei dominee Gibbs.

'Ik ben slechts een advocaat die de belangen van mijn cliënten behartigt,' zei Mr. Raeford. 'Ze hebben me gevraagd achterstallige huur te innen en maatregelen te treffen voor de verkoop van hun bezit.'

'Dat is niet erg netjes,' zei dominee Gibbs. 'Het jonge paar heeft hier veel werk verricht.'

'Ik ben slechts advocaat,' herhaalde Mr. Raeford. 'Mijn cliënten zijn bereid redelijk te zijn. Ze gaan akkoord met honderd dollar achterstallige huur.'

'We hebben geen geld,' zei ik, 'en we hebben ook geen manieren om eraan te komen.'

'Dan moet ik jullie vragen het pand te verlaten,' zei de advocaat. 'Ik zal de sheriff vragen al jullie bezittingen in beslag te nemen, als betaling.' Hij stopte de papieren weer in het diplomatenkoffertje en ging staan.

'Ik ben stomverbaasd,' zei de dominee tegen de advocaat. 'Ik zou me schamen om deze mensen zo te behandelen na alles wat ze hier hebben gedaan. Ze wisten niet hoe ze in contact met de erfgenamen moesten komen. Dat wist niemand in Gap Creek.'

'Ik ben slechts advocaat,' zei Mr. Raeford nogmaals.

De advocaat gaf me een papier. Daarin stond dat Hank en

ik voor het gerecht zouden worden gedaagd wegens achterstallige huur. De wet van South Carolina bepaalde dat we, tenzij we de huur betaalden, alles wat we bezaten zouden verliezen.

'We hebben geen geld,' zei ik. Ik had het vreselijk benauwd.

'Laten we bidden,' zei dominee Gibbs. We stonden op. Dominee Gibbs hief zijn gezicht naar het plafond. 'Heer, toon ons wat juist is,' bad hij. 'Help ons uw wil te doen in deze wereld, zodat we een plaats in de volgende verdienen. Want we weten dat u al onze daden ziet en kent. En ieder van ons zal zich voor uw troon moeten verantwoorden.'

Na het vertrek van de dominee en de advocaat stond ik bij de open haard en keek naar het papier alsof ik het niet kon begrijpen. Maar ik begreep maar al te goed wat erin stond. Ik keek naar de woorden die voor mijn ogen zwommen tot Hank van de jacht terugkwam met een konijn in de zak van zijn dikke, wollen jas.

Hank bekeek het vel papier en smeet het weg of het in brand stond en hij de vlammen wilde doven. Het was lang geleden dat ik die blik in zijn ogen had gezien.

'Betekent dit dat we gearresteerd zullen worden?' vroeg ik.

'Misschien,' zei hij.

'Wat kunnen we doen?'

'We zullen moeten vertrekken,' zei Hank. 'Vroeg in de morgen.'

'Nemen we het paard mee?' vroeg ik.

'We nemen alleen mee wat we op onze rug kunnen dragen,' zei Hank. 'We nemen alleen de spullen mee die we bij ons hadden toen we hier kwamen wonen.'

'En alles wat ingemaakt is achterlaten?'

'We gaan hier weg zoals we in South Carolina zijn gekomen,' zei Hank.

Die avond maakte ik een uitgebreide maaltijd met konijn, aardappels, bonen en maïsbrood. Ik maakte zelfs een saus van gedroogde appels. Aangezien we niets mee konden nemen, aten we zoveel mogelijk op. Daarna gingen we vroeg naar bed, want we moesten heel vroeg opstaan en vertrekken. Toen we eenmaal in bed lagen, was het alsof er een grote last van ons af was gevallen. We hadden ons zo lang zorgen gemaakt over het verschijnen van de erfgenamen en over de vraag waar we dan zouden moeten wonen. En nu hoefden we ons geen zorgen meer te maken. We zouden vertrekken. We zouden alle zorgen van Gap Creek van ons af schudden, terugkeren naar de berg en opnieuw beginnen. Toen Hank mijn borsten aanraakte, beefde ik. Ik was zo opgelucht en zo emotioneel dat we vertrokken, dat ik mezelf niet was. Hank beefde ook. De passie van een vrouw wordt het meest aangewakkerd door de begeerte van een man.

Hank raakte mijn borsten, mijn buik en het intieme plekje tussen mijn benen aan. Ik wist dat het beter was dat we vertrokken. We zouden helemaal opnieuw beginnen. We hadden alles wat daarvoor nodig was. Toen Hank boven op me ging liggen, schreeuwde ik het uit. Het was alsof we een lange wandeling over de heuvels en onder de pijnbomen maakten. We zeiden dingen die we nooit eerder tegen elkaar hadden gezegd. We renden kliffen op die we nooit eerder hadden gezien. Toen hij het uitschreeuwde, dacht ik aan de kleine Delia. Nooit eerder had ik zoveel liefde gevoeld.

We hadden nog nooit zo gevrijd als die nacht. Ik had het gevoel dat ik de tijd kon stilzetten. Ik had het gevoel dat ik boven een glinsterende rivier zweefde, en me ten slotte in het warme nest van het bed en Hanks armen nestelde.

De morgen van ons vertrek was de koudste van het jaar. Het moet tien graden onder nul zijn geweest, misschien nog wel kouder. Het was donker toen ik opstond en het vuur in het fornuis aanstak. Het water op de veranda was bevroren. Ik moest de ijslaag in de emmer stukslaan. We hadden geen koffie meer. Ik maakte cider warm om onze buik te verwarmen, samen met gort, maïsbrood en jam.

Het was verdrietig te weten wat ik allemaal moest achterlaten: het grootste deel van de jam die ik had gemaakt, de spullen in de kelder, de aardappels, de cider, de stroop en de hele voorraad maïs. Al ons werk zou naar de erfgenamen gaan, behalve wat we in onze zak en op onze rug konden meedragen. Ik besloot drie of vier potten jam mee te nemen.

Aangezien we niet veel konden dragen hadden we niet veel tijd nodig om te pakken. We konden vrijwel alleen onze kleren meenemen, die voornamelijk versleten waren. Als we terug waren op de berg, zouden we opnieuw beginnen met nog minder dan we hadden toen we in Gap Creek begonnen. Met een lamp liep ik het hele huis door, op zoek naar dingen die ik moest meenemen. In de slaapkamer pakte ik de kam- en borstelset die Rosie me als huwelijksgeschenk had gegeven. En ik vouwde de sprei op die mama ons had gegeven. Ik pakte het bloemenvaasje dat Lou me had gegeven. In de keuken stond een braadpan die we uit Mount Olivet hadden meegenomen.

Ik probeerde me te herinneren of ik specerijen had meegenomen toen we naar Gap Creek verhuisden. Ik klom op een stoel en keek op de plank in de keuken. Het was de plank waar Mr. Pendergast kaneel, salie en peper bewaarde, en ook zijn sterke drank, de kamfer en andere medicijnen. Er was de doos met bitterzout en de fles met kruidnagelolie. Ik had al heel vaak de inhoud van de flessen, de potten en de dozen bekeken. Maar er was een tinnen doosje dat ik nooit open had gemaakt omdat het er roestig en vies uitzag. Waarschijnlijk had er ooit thee of snuiftabak in gezeten.

Ik besloot het te openen, aangezien ik dat nog nooit had gedaan. Het was moeilijk om het deksel open te krijgen vanwege de roest. Ik moest de lamp neerzetten en met beide handen aan het deksel trekken. Er zat niets in behalve wat krakerig waspapier. Toen ik het papier openvouwde zag ik iets glanzend. Ik hield het doosje onder de lamp en zag een gouden muntstuk van twintig dollar. Het was de geheime bank van Mr. Pendergast! Het geld had daar al die tijd gelegen terwijl we blut waren en bijna stierven van de honger.

'Moet je dit zien,' riep ik tegen Hank.

'Hoe kom je daaraan?' vroeg hij. Hij had al zijn gereedschap in een zak gestopt, samen met zijn ondergoed en zijn werkbroeken.

'Mr. Pendergast moet het zijn vergeten,' zei ik.

'De Heer heeft ons gezegend,' zei Hank.

'Wat bedoel je?' vroeg ik.
'Ik bedoel dat de Heer dit aan ons heeft gegeven voor al het werk dat we hier hebben gedaan,' zei Hank.
'Ga je het niet aan de erfgenamen geven?' vroeg ik.
'Terwijl ze ons voor de rechter willen slepen?'
Hank had gelijk. God had de twintig dollar voor ons bewaard. Tot de laatste minuut, het moment waarop we het het meest nodig hadden. Het was een teken. We waren vrij en we hadden iets waarmee we opnieuw konden beginnen.
'Het is niet veel voor al ons werk,' zei ik. Ik wikkelde de gouden munt in het waspapier en stopte het pakje in mijn jaszak. Het voelde zoet aan, alsof het suiker was, en het voelde warm aan in de koude ochtendlucht. Ik deed al mijn kleren, de schone braadpan en drie potten jam in een kussensloop. Ik stopte het bloemenvaasje in mijn andere jaszak. Er was geen plaats meer voor iets anders, maar er was ook niets anders dat we moesten meenemen. Ik had maar één paar schoenen, en die waren bijna versleten. Ik bond een sjaal om mijn hoofd.
Hank gaf het paard wat maïs en hooi en bracht haar naar de wei. Het was ongeveer vijf uur 's morgens en pikdonker. De sterren waren zo helder, dat het leek of ze vlak boven de boomtoppen hingen. Ik klappertandde van de kou. Een vallende ster schoot vonken spuwend door de hemel. De kreek glinsterde in het sterrenlicht. Ik zag randen ijs om de stenen in het water. Er was geen enkel licht in de vallei, en de bergen doemden als schimmige dieren aan beide zijden van de weg op.
'Je wordt wel warm als we gaan klimmen,' zei Hank. Hij had geen lantaarn bij zich, dus we moesten onze weg vinden bij het licht van de sterren. De voren in de weg waren bevroren, en er lag ijs op de plassen. Toen ik op een plas stapte, kraakte die als suikerfondant.
Ik wist dat ik warmer kon worden als ik diep inademde en dat bleef doen. De kou prikte in mijn neus en mijn wangen. Mijn adem dampte in de lucht. Het gras en het kreupelhout langs de weg waren met rijp bedekt. Na ongeveer anderhalve kilometer begonnen we te klimmen. De weg slingerde zich langs de oever van de kreek en toen bergopwaarts. Ik legde het kussensloop over mijn schouder en begon te klimmen. De eni-

ge manier om te klimmen is langzaam en gestaag. Je moet je niet uitputten in het begin.

We moesten over een beek stappen die over de weg liep. We struikelden over stenen die uit de voren omhoogstaken. Het was nog steeds donker, maar waar het sterrenlicht door de bomen kwam, kon je iets zien. Ineens klonk er gekrijs op de berghelling. 'Wat was dat?' vroeg ik.

'Alleen maar een wilde kat,' zei Hank.

'Of een panter?'

'Het is maar een poesje,' zei Hank. 'Wil je dat ik het roep?'

'Waag het niet!' zei ik huiverend. Ik herinnerde me het gekrijs van de wilde kat op de avond van Maseniers dood. Ik werd wat warmer door het klimmen, maar ik voelde me niet lekker. Misschien had ik te snel mijn gort opgegeten. Misschien hadden we te snel geklommen. Ik begon wat langzamer te lopen.

'Ben je al moe?' vroeg Hank.

'Ik moet even op adem komen,' zei ik.

'We hebben nog een lange weg te gaan,' zei Hank.

De weg zigzagde de berg op. We gingen van de ene bocht naar de andere. Bij elke stap kwamen we verder weg van de vallei van Gap Creek, waar de kleine Delia was begraven. Elke stap die ik in het donker zette bracht me dichter bij de berg en de rest van mijn leven. De weg voor ons scheen eindeloos door te lopen tot in de hemel.

'Hoe ver is het nog?' vroeg ik.

'We zijn nog maar net begonnen,' zei Hank.

Ik had pijn in mijn buik, zoals de pijn in mijn zij die ik vroeger, als klein meisje, altijd voelde wanneer ik met mama naar de winkel liep. Het was een vervelende plek die door elkaar werd geschud terwijl we over de oneffen weg liepen. Ik ging nog langzamer lopen, zodat ik minder last van mijn buik zou hebben. Ik verplaatste het kussensloop van mijn rechter- naar mijn linkerschouder. Mijn gezicht en mijn handen waren stijf van de kou. Mijn linkerhand was gevoelloos door het vasthouden van het kussensloop.

'Moet je uitrusten?' vroeg Hank.

'Nee, het gaat prima,' zei ik. Ik tastte naar het muntstuk in mijn zak. Het gewicht gaf me meer kracht en hoop. Maar de pijn in mijn buik werd erger. Ik vermande me en liep verder. Ik stelde me voor dat ik energie uit de toppen van mijn vingers haalde en dat ik kracht uit mijn oren en knieën haalde. Ik zou elk onsje vet in mijn lichaam verbranden om de berg te beklimmen. Ik had nog kracht die ik nooit had gebruikt, en die zou ik nú gebruiken. Ik zou Gap Creek verlaten zonder achterom te kijken.

Het was nog donker toen ik Hank volgde langs een waterval en een plek waar de beek langs de weg stroomde. Verderop was het bos open en kon je de vallei zien waar we vandaan waren gekomen. Kilometers beneden ons zag ik licht in een huis. Ik had het gevoel dat mijn buik uit elkaar werd gescheurd. Maar ik vermande me en hield vol.

We moeten nog een uur in het donker hebben gelopen. Ik had het warm en mijn buik deed heel erg pijn. Plotseling kreeg ik een golf braaksel in mijn mond. Ik wilde niet misselijk zijn nu we zo'n eind in de kou moesten lopen. Ik stond stil. Ik had geleerd dat ik dat moest doen om niet over te geven. Als ik stilstond, kwam mijn maag tot rust. Ik moest de tijd vertragen door zelf kalmer aan te doen.

'Ga je overgeven?' vroeg Hank.

'Ik denk het niet,' zei ik. 'Het zal wel weer overgaan.' Terwijl ik wachtte en mezelf weer in de hand kreeg, verdween de zure smaak uit mijn mond.

Toen de pijn over was en mijn maag weer kalm was, deed ik een stap naar voren. Hank ging naast me staan. Het begon licht te worden, dus kon ik hem zien. 'Je had het niet tegen me gezegd,' zei hij.

'Dat was ik wel van plan,' zei ik. Ik had het Hank de dag ervoor willen vertellen, maar toen waren de dominee en de advocaat plotseling gearriveerd. In de opwinding over ons vertrek was ik het vergeten.

'Je moet koud water drinken als we bij een bron komen,' zei Hank.

Ik stond doodstil toen ik weer kramp in mijn buik kreeg. Maar deze keer hield de pijn sneller op. Hank nam mijn hand in de zijne. Zijn greep was sterk en krachtig toen we weer begonnen te lopen.

'We zullen alle tijd nemen,' zei Hank. 'Vanaf hier gaat de weg hoofdzakelijk naar beneden.'

Ik keek om me heen. Toen zag ik de zon die net opkwam boven de bergen. We hadden de staatsgrens bereikt en waren al in North Carolina. De vallei beneden ons was donker, maar de hemel lichtte al op en het leek of het oosten in brand stond.

'Kun je lopen?' vroeg Hank.

'Natuurlijk!' zei ik. Ik voelde me zo zwak als een pasgeboren veulen, maar mijn krachten keerden terug toen mijn maag tot rust kwam. Ik tilde de kussensloop op. De rode zon boven de bergkam maakte dat ik een beetje knipperde met mijn ogen. Ook in mijn buik was het rustig.

We liepen samen verder.